JUANA,
LA MUJER QUE FUE PAPA

JUANA,
LA MUJER QUE FUE PAPA

ARTURO ORTEGA BLAKE

mr

Diseño de portada: Planeta Arte & Diseño / Marilia Castillejos
Fotografía de portada: © Jitka Saniova / Trevillion Images
Fotografía de Arturo Ortega Blake: Cortesía del autor

Derechos reservados

© 2023, Editorial Planeta Mexicana, S.A. de C.V.
Bajo el sello editorial MARTÍNEZ ROCA M.R.
Avenida Presidente Masarik núm. 111,
Piso 2, Polanco V Sección, Miguel Hidalgo
C.P. 11560, Ciudad de México
www.planetadelibros.com.mx

Primera edición en formato epub: enero de 2023
ISBN: 978-607-07-9615-9

Primera edición impresa en México: enero de 2023
ISBN: 978-607-07-9606-7

Impreso en los talleres de Impresora Tauro, S.A. de C.V.
Av. Año de Juárez 343, Colonia Granjas San Antonio, Iztapalapa
C.P. 09070, Ciudad de México.
Impreso y hecho en México – *Printed and made in Mexico*

I

MAGUNCIA

Animus meminisse horret.
(Mi corazón se estremece al recordarlo).

Virgilio (Eneida ii.12)

Una sola piedra le servía de sostén para no hundirse más en ese pozo pestilente. Cubierta por las ramas que crecían aferradas a las paredes del foso, apenas oculta, Ioanna pudo observar al bárbaro oteando, atento al menor ruido. Con horror, vio la guadaña manchada con la que aquel hombre impío acababa de decapitar al sacerdote.

De encontrarla, también la asesinaría; con mucha suerte ahí mismo, de un tajo, sin preámbulos. Se mantuvo quieta, luchando contra el impulso de su propia respiración que, agitada, parecía querer delatarla. La piedra que usaba como soporte empezó a deslizarse. El salvaje, atento, recargó el arma en una roca exponiendo la larga y afilada cuchilla. La joven ayudante del sacerdote no podía deshacerse de la fatal imagen que la persiguió durante su huida: la cabeza del padre Carolus cercenada por el diestro golpe, los hombres saqueando el sitio, indiferentes al charco de sangre. Contuvo el aliento una vez más.

Al oscurecer, por fin se atrevió a salir. Oyó gruñidos y, al acercarse, descubrió con pavor que dos lobos se disputaban la cabeza del religioso: uno con los dientes clavados en una mejilla y el otro prendido de la oreja contraria. Una cuenca la miraba mientras, de la otra, pendía oscilante el ojo. Ahogando un grito, cogió una vara y, pese al terror que le atenazaba las entrañas, golpeó furiosamente a los animales hasta que uno de ellos corrió con la presa, perdiéndose entre los matorrales.

La modesta iglesia aún despedía volutas de humo provenientes de las antorchas con las que los asaltantes intentaron desatar la furia de un incendio. Al pie del ara yacía, destrozada, una estatua esculpida por Gerbert, el padre de la joven. Se llevaron la cruz de madera y el arca de metal que el padre guardaba detrás; también el cáliz y el candelabro. En cambio, dejaron sobre el sagrario el libro *De signatura apostólica*, escrito a lo largo de años por el religioso y que, en los últimos tiempos, solía leerle a Ioanna mientras ella cocinaba. Posó una mano temblorosa sobre el ejemplar y, con pasos inciertos, salió con este al atrio donde, pesarosa, encontró el cadáver degollado de su maestro espiritual.

Echó a andar por el sendero que solía recorrer alegre y deseosa de lecturas a cambio de un poco de ayuda en la cocina. Ahora, tétrico, imaginó que se cerraba detrás de ella, obligándola a apretar el paso. Los distantes ladridos le devolvieron aquella visión horrorosa: Carolus muerto, la cabeza separada de su cuerpo.

Después de una angustiosa caminata, percibiendo una presencia opresiva en la espesura, vio a lo lejos las ventanas abiertas de su casa, iluminadas por una exigua luz. Su refugio, su antigua fortaleza, se percibía como una frágil y expuesta choza. Se limpió las lágrimas.

Al llegar, encontró a su madre calentándose las manos frente a los pocos carbones ardientes en el fogón. Sus hermanos, Marco y Juan, estaban dormidos.

—¿¡Dónde te has metido!? ¿Por qué hueles tan mal? —le preguntó y le quitó el manuscrito que traía entre las manos. La hija mayor de Judith no podía articular palabra, tiritaba como si tuviese un frío insoportable.

—¡Estás temblando! ¿Acaso tu maestro te enseñó a perderte por horas y regresar en este estado? Tu padre también es sacerdote, es a él a quien debes consultarle.

La llevó afuera y la ayudó a desvestirse; con un balde le mojó los largos cabellos. Cuando el agua le recorrió el cuerpo, Ioanna sintió arder una pantorrilla; ni siquiera había notado la mordida.

Mientras Judith intentaba arrancarle algunas palabras, llegó su padre, quien había salido en busca de cera para elaborar velas. Al verla aterrorizada, quiso saber qué le sucedía, pero la joven no contestó ninguna de sus preguntas, solo atinaba a mirarlo, albergando el deseo de mantenerlo lejos, sin involucrarlo en lo que acababa de vivir. Su madre la cogió por los brazos y la sacudió mirándola fijamente:

—¿Qué sucedió? ¿Por qué no respondes?

—¡Mira! —interrumpió Gerbert, señalando la humareda y un suave resplandor que emanaban de la pequeña iglesia—, la han incendiado y ahora vendrán por nosotros. No dejarán con vida a ningún cristiano. Saca a los niños y tú, Ioanna, trae las cobijas. ¡Nunca debimos salir de Ingelheim, allá no entraban los bárbaros!

Corrieron hacia una colina cercana y se escondieron entre la maleza. Judith no pudo contener el llanto y fue hasta entonces que Ioanna, dejando a un lado el manuscrito del padre Carolus, la abrazó y logró desahogarse. Su madre entendió entonces que la joven había presenciado algo terrible. Desde su escondite vieron el incendio de su casa. Las llamas crecían y también una tristeza plagada de recuerdos.

Al alba, Ioanna atravesó el umbral de la casa. Las paredes ennegrecidas y el humo que emanaba de los maltrechos muebles fabricados por su padre sembraron en ella un sentimiento de venganza, atizado por el recuerdo de la injusta muerte de su maestro.

Bajo las órdenes de Judith —apremiando a sus hijos para limpiar y devolverle algo de vida a su morada—, pasaron el día arreglando aquel desastre, sacando a la familia de su abatimiento. En otras gentes el hollín habría teñido de su mismo color las esperanzas, pero no en ellos. Las caras tiznadas de los pequeños fueron motivo de regocijo como si, por un instante, se impusieran a la amenaza causada por el paso de los bárbaros.

Las mañanas posteriores, pletóricas de actividad, anestesiaron las heridas que el asesinato del religioso había originado en el joven corazón de Ioanna. Pero ni los juegos con sus hermanos, ni las horas de extenuante trabajo en el fogón y la parcela eran capaces de borrar de su mente la terrible disputa de los perros sobre la cabeza cercenada. En cuanto terminaba de ayudarle a Judith, se llevaba el manuscrito y, durante horas, se sentaba a leer. Poco a poco la cotidianidad doméstica fue salpicándose de las enseñanzas que ella, al amparo de los recuerdos de su maestro, extraía e interpretaba del manuscrito.

Los dos años transcurridos desde que la familia llegó a Maguncia —en el año 834—, contaban ya duras experiencias. Para la joven fue un gran hallazgo conocer al padre Carolus y ser aceptada por él como estudiante. Tanta llegó a ser su identificación con los escritos latinos que incluso cambió su nombre, Juana, por Ioanna.

Por su cumpleaños catorce, su madre le regaló una pluma de ganso. Comenzó, entonces, a garabatear, junto a los párrafos escritos por Carolus, su propia interpretación pensada para que sus hermanos los entendieran. Las glosas llenaron pronto las márgenes del manuscrito y se convirtieron en historias con las que los entretenía bajo un árbol o junto al fuego en las noches frías.

A finales del verano, la casa había vuelto a ser un hogar. Judith le ayudaba a su esposo en los servicios religiosos y, también juntos, afinaban los detalles de las esculturas encargadas. Una tarde, un rumor recorrió el poblado: llegaban juglares desde Francforte. Gerbert, al ver el interés de su hija, pensó que el espectáculo la ayudaría a disipar los pesares que de tanto en tanto parecían abrumarla.

—Me han dicho que el circo trae cuatro enanos, un malabarista, dos caballos de tiro y un león —dijo su padre cuando comían en una improvisada mesa—. El próximo domingo, después del servicio religioso, iremos.

Llegó el día y los niños gritaban de alegría. A Ioanna, el caótico vaivén de los artistas, las canciones salpicadas de versos pícaros que arrancaban carcajadas a la multitud y la pericia de un joven enjuto que hacía volar dagas y pelotas mientras balanceaba una lanza en la nariz, le entretuvieron poco; todo aquello le resultaba un espectáculo soso.

Aburrida, se acercó a la jaula del león —eternamente encerrado—, y retomó su lectura del manuscrito. Se encontraba absorta cuando, del fondo de la sucesión de carpas y tinglados, surgió la pequeña figura de una niña, quien, curiosa, se acercó a preguntarle qué leía. Entonces, Ioanna le contó a Tanya, hija del dueño del circo, la historia de una chica que no temía a las fieras del bosque. Con la mención de cada animal, la pequeña gesticulaba, se encaramaba y gruñía haciéndola reír. Las interrumpió el rumor de la gente dispersándose; el espectáculo había terminado. La niña le pidió que regresara pronto.

Apenas dos días después, Ioanna volvió al circo. Litza, la madre de Tanya, la recibió y le ofreció, generosa, pan con queso. Mientras comían, un hombre calvo y fuerte, de aspecto recio, se acercó sacudiéndose las ropas de polvo y briznas de hierba seca. Su apariencia se suavizaba conforme se iba aproximando.

—¿Tú eres la nueva amiga de Tanya?, yo soy su padre, mi

nombre es Geandro. Me gustó escucharla emocionada con tus historias —su voz era grave, parecía salir del fondo de una enorme cavidad, una cueva tal vez, o el ábside de una iglesia.

Complacida ante la familia que la aceptaba, Ioanna le contó a Tanya algunas historias que había escrito. Al terminar, se asombró al escuchar aplausos; era Litza, que había prestado oídos a la distancia, apoyada en la viga de una enorme carreta.

Al volver a casa Ioanna le contó a su madre que había conocido a los padres de Tanya, quienes le habían pedido que regresara con más historias. Al día siguiente, después de ayudarle a su padre a elaborar algunas velas, se encaminó al circo. Al llegar, vio que Geandro llevaba un perro amarrado con un lazo. El animal chillaba y se resistía. Ella sintió el cuerpo tenso. Al notarlo, Tanya le dijo que era la única forma de alimentar a la fiera.

—Mi papá es el encargado de la fiera —continuó la niña—, le consigue comida y limpia sus heces. Desde que lo compramos no ha salido de la jaula, ¿habías visto algo así?

—¿Pero por qué no lo dejan libre? —preguntó inquieta.

—Si lo soltamos será un peligro para los aldeanos. Además, la gente viene a verlo y nos deja comida y algunas monedas; nadie en estas tierras ha visto jamás a una bestia tan imponente y tan feroz, ¡algunos se tallan los ojos en su presencia! —dijo Litza y le compartió la mitad de una manzana.

Como cada día, esperaron la llegada del público; Geandro movió al león con un palo y lo hizo pararse. Cada vez que rugía, los curiosos aplaudían y silbaban.

—No entiendo por qué martirizan a ese pobre animal —le dijo Ioanna a Tanya—, él también es una criatura de Dios.

Entonces las dos se alejaron y Ioanna le contó la historia de un león en libertad. Cuando terminó, la niña le aplaudió sonoramente. Junto a ella estaban sentados cuatro hombres del público que, atraídos por el relato, habían olvidado a la bestia encerrada para abandonarse a las imaginaciones de aquella joven que hilaba las palabras con tal destreza que las volvía tangibles.

Antes de despedirse, el cirquero, que tenía ojos y oídos expertos para percibir el talento donde lo había, le dijo que podía contarle historias al público que llegara en los siguientes días. La joven regresó a casa seducida por la idea de ayudar a la familia de Tanya. Su padre se entusiasmó al darse cuenta de que su querida hija había sido bendecida con el don y la gracia de la palabra. Judith pensaba que las visitas al circo ayudarían a la joven a disolver el dolor que sentía ante la ausencia de Carolus.

En pocos días la fama de Ioanna llegó a las aldeas próximas. El público era cada vez más numeroso y variado: mozos, aldeanos, madres acompañadas por sus hijos, todos se sentaban en torno a la joven a experimentar la calma que proporciona la escucha atenta. Las historias que salían de sus labios eran asombrosas, cargadas de detalles, imágenes precisas, palabras que despertaban emociones agradables y un asombro que superaba a la excéntrica presencia del animal encarcelado que yacía, al filo de la resignación, en su jaula.

La pequeña Tanya, siempre atenta, producía en ella una sensación nueva, un descubrimiento; y es que esa niña de once años se iba convirtiendo, poco a poco, en una compañera, un espejo de sus gustos, sueños y temores.

Con los días, la madre de la pequeña también le relató la historia de su vida. Supo que, por algún capricho de la naturaleza, pese a ser hija de dos enanos, había nacido con una estatura normal. Siendo niña la habían vendido a un germano cazador de osos, llamado Heiner. Era el mejor trampero de la región y peinaba los vastos bosques buscando presas con la niña atada junto a la jauría, como un perro más. Un día, Litza lo vio dispararle con la ballesta a otro cazador para robarle las pieles. Cuando se alejaba, cargando el hurto sobre la espalda, unos hombres le dieron alcance y lo obligaron a dar explicaciones. Heiner trató de defenderse, usándola como escudo, pero Geandro, quien era parte del grupo, montó una flecha con gesto templado y esquivó el hacha del germano, que terminó de bruces cuando la saeta se le hundió detrás del cráneo, saliéndole por la frente. Ese día, los hombres recogieron las pieles y el arquero se llevó a la niña para alimentarla y cuidar de ella. Con el tiempo, dejó de ser una pequeña y, cuando se había convertido en una moza de 14 años, nació Tanya. Él, deseando retirarse del peligro que ofrecían los bosques, abandonó la cacería y compró al león para exhibirlo y poder mantener a su familia.

Ioanna se dio cuenta de que Litza había llorado al recordar; entonces, la tomó de la mano y la acarició. Sentía una enorme compasión por ella, por Geandro y por Tanya a quienes quiso como a una segunda familia.

II

EL MONASTERIO DE FULDA

> En estos bosques no podemos tener
> otra tarea que la de conservar la vida.
>
> Tanya Simankitur (802-838)

Una tarde que Ioanna regresaba a casa, vio un extraño resplandor a la distancia entre la espesura del bosque. Se angustió y corrió veloz, intuyendo que los bárbaros habían regresado. Al llegar, encontró todo en llamas. Los ladrones sacaban lo que podían, destrozando y quemando cuanto dejaban tras de sí. Entre el humo y el caos logró distinguir, a lo lejos, la carreta en la que sus padres y sus dos hermanos huían, pero no pudo salir al paso: el peligro de ser raptada o asesinada era demasiado grande, así que se escondió y cuando quiso alcanzarlos ya iban bastante lejos.

Decidió esperar cerca de la casa, aferrada a la esperanza de ver regresar a su familia para reunirse con ella, pero apenas pudo mantenerse unas cuantas horas en la intemperie. El frío y el hambre la hicieron regresar al circo. Cuando llegó, Geandro parecía estarla esperando.

—Tus padres y hermanos vinieron a buscarte. Supusieron que algo malo te había ocurrido. No sé a dónde se fueron, pero estaban afligidos, tu madre lloraba.

Ioanna decidió unirse al circo. Era el único lugar seguro que le quedaba y pensó que sería más fácil para su familia encontrarla si la buscaban en la región maguntina.

Al día siguiente, mientras el cirquero y su ayudante, Roder, pescaban en el río, tres aldeanos borrachos llegaron hasta la jaula de león y quisieron abrirla. Litza y Tanya se interpusieron, pero fueron agredidas y cuando Ioanna intervino, uno de ellos la golpeó. El más enloquecido, un hombre bajo con la mirada centelleante, introdujo su lanza entre los barrotes. El león, agazapado, destrozó el arma y soltó un fuerte rugido.

—¡Es Satán! —dijo quien parecía haberles sembrado la idea de atacar al animal—. Tiene la fuerza de Astaroth, los colmillos de Asmodeo y el rugido del diablo, ¡hay que matarlo!

Esas palabras fueron suficientes para que las tres se alarmaran. Aquellos hombres obnubilados luchaban contra las sombras que proyectaban sus propios temores, alimentados por enormes cantidades de cerveza. Eufóricos, introducían otra lanza, cuando llegó Geandro, levantó a uno de ellos y lo soltó violentamente. Con hachas en las manos, el antiguo cazador y Roder los amenazaron obligándolos a retirarse. Sin embargo, los rugidos del animal eran insoportables, lo habían herido.

Esa misma noche, tras reunirse a deliberar en torno al fuego, optaron por cambiar el circo de lugar. Ioanna ayudó a guardar los bártulos mientras los demás desmontaban carpas, cargaban las carretas y alistaban a los animales. En varias ocasiones la pequeña caravana perdió el camino, era difícil maniobrar con la jaula del león que a ratos se movía intempestivamente, atemorizando a los caballos que la remolcaban.

En la madrugada, exhaustos, sintieron que habían encontrado un lugar seguro y se detuvieron a descansar. Al ver al león, recargado en una de las paredes de la jaula, Ioanna trató de acariciarlo. El animal se levantó, dejándole ver su mirada llena de tristeza y dolor.

A causa del sereno, minúsculas gotitas enfriaban aquel paraje, sembrado de pinos y castaños. El canto esporádico de algunas aves anunciaba que el cielo comenzaría a clarear pronto. La humedad hacía doler los huesos, así que prendieron un pequeño fuego.

—Ioanna, ¿qué haces allá? —gritó Tanya— ese animal no te ayudará a entrar en calor, ni te escuchará como lo hacemos nosotros. Cuéntanos una historia, que acá solo nos sabemos algunas habladurías de los vecinos de las comarcas.

La joven no perdía el ánimo, pese a la dura noche. Convocó a todos y se sentaron a escuchar la fábula de un pueblo que trataba cruelmente a los animales hasta el día en que un hombre santo reunió a las bestias. Al escuchar su llamado, todos los animales del bosque y de los corrales acudieron mansamente ante su presencia y prestaron atención a sus palabras. Los aldeanos, maravillados, sintieron gran pesar por su conducta y, en adelante, trataron a las fieras y animales domésticos como hermanos y criaturas del Señor.

Desde ese día, los miembros de la caravana comenzaron a dirigirse a Ioanna no solo con la simpatía habitual, sino de forma deferente. Ella se sintió halagada y pensó que su vívida imaginación y su gran carisma podrían ayudarla a sortear la violencia y los peligros del mundo.

Una tarde, al finalizar el espectáculo, llegaron dos carretas precedidas por tres jinetes; eran cíngaros. Habían escuchado acerca de las historias que contaba Ioanna y deseaban oírlas. Sentados hábilmente en cuclillas, la asediaron con sus preguntas; aquellos hombres querían saber si los ángeles existían. La joven les describió, con lujo de detalles, el fantástico lugar que sirve de morada a dichos seres.

Cuando el coloquio hubo terminado, los gitanos le propusieron a Geandro unirse al circo; sabían algunos trucos y montaban bien. Sin embargo, el dueño de la carpa no deseaba compartir las exiguas ganancias con desconocidos. Después de varias horas, los hábiles negociantes lograron un acuerdo: se quedarían algún tiempo y, si convenía a las partes, se integrarían definitivamente.

A Ioanna le divertían los improvisados actos circenses y la libertad con la que se desenvolvían los nuevos miembros de la caravana. Hablaban varios idiomas, mezclándolos sin reparo, y además eran muy unidos. Sasha, una gitana de doce años, congenió con ella y con Tanya; les enseñó a bailar y a cantar en *gowda*, una lengua alegre, juguetona, llena de tonalidades, que jamás habían escuchado. Juntas, en círculo, daban pasitos hacia adelante y hacia atrás, moviendo los brazos de arriba a abajo, como salpicando la gracia del cielo hacia la tierra, siempre sonrientes, pues el gesto facial constituía una parte central de las danzas de aquellas gentes. La joven gitana también les mostró algunos trucos para embaucar fácilmente a los aldeanos.

Todo marchaba bien hasta que un día, el ayudante del circo, que al parecer había estado cultivando algunos resentimientos, sintió que uno de los gitanos le robaba el espectáculo. Sin poder contenerse le reclamó en plena función y se liaron a golpes. La gente, lejos de desalojar la carpa, se sumó gustosa a la trifulca. Roder, fuera de sí, repartía puños y patadas, maldiciones y esputos; arrebatado, terminó por ensañarse con un joven aldeano hasta dejarlo inconsciente. Dos campesinos levantaron en vilo a su maltrecho compañero y se lo llevaron en un carro.

Por la mañana, el lugar parecía un campo de batalla. Mientras los integrantes de la pequeña compañía intentaban poner orden, se escuchó el grito de advertencia de Geandro: los aldeanos se acercaban en grupo cargando horquillas, azadones y piedras. Los gitanos subieron todos sus enseres a las carretas apresuradamente. Sasha llamó a Ioanna para que subiera con ella, pero Tanya tenía problemas tratando de enganchar la jaula del león a los caballos, sus manos eran débiles aún y se hería tratando de empalmar los fierros.

Geandro y Roder quisieron ganar tiempo y fueron a hablar con los vecinos, pero el daño estaba hecho y los ofendidos pedían la cabeza del agresor para saldar la deuda. El primero, quien era un hombre honorable y habituado a la negociación, trataba de convencerlos de la estupidez de su amigo, les ofrecía monedas y hasta una temporada de trabajo en la parcela del joven herido. No resultó. En un instante, la chispa de un insulto encendió la yesca y los aldeanos empujaron a Roder, que cayó al suelo y terminó librándose del ataque gracias a su extrema agilidad. Lo persiguieron hasta que se subió a la jaula, amenazando con abrirla. La fiera, herida e irritada, bufaba mostrando sus fauces; de tanto en tanto, tiraba zarpazos a través de los barrotes.

Ioanna, Tanya y Litza se encaramaron en un árbol cercano desde donde vieron el horror que prosiguió. Roder abrió la jaula y, cuando lo hizo, la fiera brincó. En ese momento todos huyeron, así que el felino se abalanzó sobre el sorprendido ayudante de Geandro. Lo mordió por el cuello y lo arrastró varios metros, destrozándole la mandíbula. Los terribles gritos se ahogaron pronto y el animal se perdió en el bosque después de pasar un rato maltratando los despojos del pobre e insensato Roder.

Aferradas a una horqueta del grueso roble, a tres metros del suelo, las tres niñas creían ver al león en cualquier sombra; temían abandonar su refugio y pasaron horas hasta que el aleteo de un búho les hizo pensar que pronto oscurecería. Ioanna tomó la iniciativa y empezó a descender con cuidado. En cuanto puso los pies en el suelo, vio los trozos de tela ensangrentada que habían pertenecido a la saya de Roder, su cuchillo, que poco le había servido, y el colgante rematado por una cruz griega que se había ganado, años atrás, haciendo reír a un hombre distinguido que parecía venir de lejos.

Buscaban algo de agua y comida cuando vieron a Geandro, que se acercaba con un conejo muerto entre las manos.

—Volverán los aldeanos y vendrán furiosos. Ahora hay una fiera merodeando en sus bosques. Pronto le darán cacería a todo lo que se mueva —le dijo Litza clavando duramente la mirada en la de su compañero. Por un momento, la diferencia de edad entre ambos pareció diluirse a causa del severo semblante que ella mostraba.

Caminaron con sus pertenencias sobre los hombros y se internaron en el bosque. Al poco tiempo, comenzaron a escuchar el trote de los caballos acompañado por el sonido de voces que se acercaban. Geandro se desató el hacha. La oscuridad les permitía divisar el destello de las antorchas que centelleaban entre los troncos; quisieron camuflarse echándose encima algunas mantas, arrimados a una caprichosa formación de piedra que les ofrecía el abrazo de una pequeña oquedad. Los sorprendió un mozalbete silencioso que hundió una rama en el bulto que formaban los cuerpos quietos, cubiertos de tela y hojas secas. Entonces, se hizo el caos. Ioanna se aferró al abrigo rocoso mientras Tanya y sus padres se lanzaban a la oscuridad atrayendo a sus acosadores.

Con la luz del día, Ioanna obtuvo fuerzas para salir, entumida y temerosa. Siguió un camino apenas visible que las matas invadían como si trataran de ocultarlo. Anduvo todo el día, alimentando la vaga ilusión de alcanzar a los cirqueros, creyendo verlos, escucharlos a la distancia. Ya tarde, agotada por el camino y por la insistencia de sus propios pensamientos, llegó a una casa de paredes de piedra y sin ventanas. La rodeó hasta dar con una sobria entrada y llamó. Un hombre de edad incalculable, oculto bajo una pesada capa, se asomó discretamente y al pedido de ayuda de la joven, respondió cortésmente que la entrada no le estaba permitida y que, sin embargo, la dejarían pasar la noche en el establo. Acostada sobre la paja, sintiendo el calor natural de la hierba seca y la presencia de los mansos animales, recordó tiempos lejanos, cuando jugaba con sus hermanos en Ingelheim. Sollozó hasta que se quedó dormida.

Al día siguiente, agotada y hambrienta, llegó hasta un galpón de techo de madera. Llamó a la puerta levemente, concentrándose con todas sus fuerzas para que la suerte la premiara con un plato caliente o un pedazo de buen pan. Un monje que rondaba los cincuenta años, le permitió pasar. Fue hasta entonces que Ioanna supo que se encontraba en el monasterio benedictino de Fulda, construido en las tierras de un marqués. A los catorce monjes les sorprendió la voracidad con la que esa joven de quince años consumió cuanto alimento le pusieron en el plato. Algunos la miraban insistentemente, pero desviaban las pupilas en cuanto ella levantaba el semblante; parecían perturbados por su presencia, como si la seguridad de su rutina amenazara con perderse. Sebastián, que era el superior, tomó la jarra y le sirvió un poco de vino, temiendo que su huésped terminara por atragantarse.

—Bueno es que fray Rabano Mauro, nuestro abad, padre espiritual y guía, no se encuentra con nosotros —dijo el superior, rompiendo el tenso silencio—, por esa razón te asignaré una celda. Pareces perdida y es preciso dar auxilio a quien se encuentra en desventura, aunque esto contravenga nuestras reglas. Confío, hermanos, en su buen juicio —los ojos hundidos del superior se clavaron en el rostro de un monje que apenas había tocado su ración.

A pesar de que el cuarto era pequeño, Ioanna se sintió cómoda. Pensó que, por primera vez, desde que vio huir a su familia, dormiría en un camastro. Tendida, mirando las marcas de humedad en el techo, se propuso no dormir a la intemperie de nuevo.

El padre Sebastián le llevó una silla para que estuviera confortable en esa celda, pero le advirtió que no podría quedarse en Fulda. Sin embargo, en los días que siguieron la joven se propuso ser de utilidad, con tal de no abandonar el convento. En poco tiempo su laboriosidad conquistó a los demás: cortaba leña, cocinaba y, como podía, ayudaba en la construcción de más cuartos.

Una tarde, la joven escuchó que un visitante llegaría al monasterio. El padre Sebastián, visiblemente preocupado, le dio un hábito para que Imanol Serville, el supervisor, no se enterara de que una muchacha vivía con ellos. En cuanto concluyó la revisión, los monjes acordaron agasajar a Serville con una copiosa cena: sopa de hongos silvestres, enormes hogazas de pan, vinos blancos famosos en la región del Rin, frutas secas y algunos quesos reservados para ocasiones especiales. Cuando todos se sentaron en el refectorio, un monje trajo consigo un arpa con la intención de amenizar el ágape. Imanol, con gesto sorprendido, amonestó a Sebastián por la música, aduciendo que la abadía era un lugar de meditación en donde no cabía la práctica de ninguna atracción mundana. Un silencio salpicado por los sonidos de las gargantas al tragar, el tintinar de las copas y los platos, se apoderó del lugar.

Ioanna, cabizbaja, sirvió los platos a los comensales. Imanol, que demostraba su severidad en todo momento, no le quitaba los ojos de encima. Nerviosa por la posibilidad de ser descubierta, tropezó en dos ocasiones; la segunda vez fue el propio supervisor quien la ayudó a levantarse.

—Eres joven para dedicarte a la contemplación y al estudio de la palabra sagrada —dijo, y le acarició el hombro, en tanto los demás se quedaron inmóviles—. Además, eres guapo, seguro atraes a las jovencitas. ¿Cuándo llevará a cabo sus votos? —preguntó en alto, pero viendo a los ojos al supuesto novicio.
Imanol prometió asistir a la profesión de votos.

Apenas se cerró la puerta del monasterio, Sebastián respiró profundamente, llevándose las manos a la cabeza.

—Tenemos poco tiempo para decidir a dónde irás —le dijo a la joven—, no podemos seguir con esta farsa y no puedes quedarte aquí, mujercita. Buscaremos quién te dé abrigo. Imanol tardará pocos meses en regresar y ya ves que se ha interesado en ti. No podemos negar, ni mucho menos corregir, tu naturaleza; nos pones en peligro a todos aquí. Ioanna quiso protestar, pero en cuanto abrió la boca para abogar por su caso, él le selló los labios con el dedo índice. Con gesto paternal le colocó la mano derecha sobre la nuca y la encaminó a su celda, mientras le asignaba las tareas domésticas del día siguiente.

III

DÍAS DE APRENDIZAJE

> Muchos males provienen
> de no saber estar solos.
>
> Ioanna de Maguncia (822-857)

Aquellos fueron los meses más interesantes que Ioanna había vivido hasta entonces. Un monje joven de nombre Frumencio, delgado y de grandes cejas que hacían que sus ojos parecieran asaltados por una perpetua sorpresa, sintió simpatía por las inquietudes de aquella joven que no dejaba de hacer preguntas y que, a punta de trabajos extenuantes, conquistó el derecho a consultar la biblioteca; una de las más grandes y completas de la región.

Los frailes no habían visto con sus propios ojos a mujer alguna que supiera leer y, pese a despertar recelos y sospechas, el monje decidió hacerse cargo de la educación de la joven. Después de sus quehaceres se reunía con él para estudiar geografía e historia. A cambio, ella le explicaba el uso de las plantas medicinales que Carolus le había enseñado.

Durante aquellas tardes de lecturas y discusiones analizaron la vida de Pipino de Heristal, rey de los francos, cuyo hijo ilegítimo, Carlos Martel, daría inicio a la dinastía carolingia,

24

línea que desembocó en la poderosa figura de Carlomagno. Por boca de su nuevo maestro supo de la unión que Pipino había logrado entre Neustria y Borgoña, hacía ya más de un siglo. También de la relación del monarca Pipino el Breve, hijo de Martel y padre de Carlomagno, con el papa Esteban II, a quien prestó ayuda militar. En específico llamó su atención la forma en la que el franco les arrebató a los lombardos de Italia un conjunto de tierras comprendido entre el exarcado de Rávena y Pentápolis. Durante aquellos años el epicentro de la cristiandad dirigió su mirada hacia Occidente, a territorio franco, y encontró ahí el cobijo que necesitaba.

—Fue el nacimiento del estado sagrado —dijo Sebastián, mientras hojeaba un cuadernillo repleto de sus propios apuntes—. En ese bendito año de 756 tuvimos las tierras necesarias para instalar el estado pontificio, para garantizar la salud de nuestra fe.

Mientras los monjes escuchaban los acuerdos tomados entre los papas Zacarías y Esteban con Pipino el Breve, Ioanna se mostraba inquieta y deseosa de lanzar su habitual retahíla de preguntas. El religioso la amonestó, pidiéndole que primero escuchara y después opinara.

—Es el origen del *Patrimonium Petri* —continuó él—, se trata de la herencia de Pedro, pero la donación de tierras la concedió Carlomagno al papa Adriano I —ella, que había discutido ampliamente con Carolus y con Gerbert al respecto, no pudo contenerse.

—Fue de Pipino el Breve a Esteban II. Pipino depositó en la tumba de san Pedro el acta de donación de los territorios que había conquistado por *iure proelii* o derecho de guerra. Carlomagno empezó a reinar después, a partir del 768 —sin hacer caso a la corrección y algo molesto, el mentor siguió su disertación sobre el reino de los francos, la guerra con los lombardos y las batallas contra los sajones.

—Mañana les hablaré sobre la conquista de Ruhr —Sebastián cerró sus apuntes, se levantó y añadió—: Ioanna, seguiremos hablando sobre el Vaticano. ¿Puedes pasar a mi celda más tarde?

Preocupada por haberse enzarzado en la polémica con Sebastián y por la amonestación que recibió frente a los monjes, la joven se encerró en su celda y se abandonó a pensar y repensar los pros y los contras de sus intervenciones. ¿Se había dejado llevar por sus pasiones? Su corazón latía con fuerza, como queriendo manifestarle un mensaje, mientras su rostro seguía ruborizado. ¿No tenían los demás monjes el derecho a intervenir y preguntar? La posibilidad de ser expulsada del monasterio pendía sobre su cabeza como la espada de Damocles. Tumbada, surcando con sus pupilas los contornos y relieves de la humedad impregnada en el techo, preparó una defensa osada: convencería a Sebastián de suplirlo cuando él deseara descansar. Se presentó ante su celda después del oficio de laudes.

—Cierra la puerta y siéntate —dijo el superior—. Tenme confianza, jovencita, y mejor nos llevaremos. Ahora quiero que me digas qué hacías con el padre Carolus, ¿qué leían?, ¿qué pretendes hacer con tu entendimiento de varón habiendo sido destinada por la naturaleza a otros fines?

La luz de la mañana bañaba la humilde celda y hacía evidente la juventud de Ioanna; su rostro parecía nunca haber contemplado horror alguno. Sin embargo, su voz era madura. Habló largamente, con autoridad, sin achicarse ante la mirada analítica del hombre que la escuchaba atentamente, sentado en una silla desvencijada que se quejaba, de tanto en tanto, emitiendo un crujido seco. Sebastián quedó ampliamente complacido por el conocimiento histórico de la joven, sus nociones sobre herbolaria y sus flamígeros argumentos en torno a la inteligencia femenina. Llegaron a un acuerdo: para servicio del monasterio partiría en busca del padre Teodoro, un monje asceta que vivía refugiado en la montaña. Estando ahí se encargaría de interrogarlo sobre el *Patrimonium Petri* y las sedes más documentadas para obtener información sobre esta materia, que parecía ser de gran interés para Sebastián.

—Cuando lo veas le dirás que eres mi discípulo. Hemos intercambiado cartas durante años, él me conoce bien. Procura hablar con seguridad, como lo has hecho conmigo hasta ahora. Cíñete esos pechos y utiliza siempre el hábito. Cada que encuentres nueces no dudes en comerlas y, cuando puedas, hazte de un poco de miel para engrosar tu voz. Su morada la encontrarás a un día de viaje en medio de los bosques del sur —al ver que los ojos de Ioanna chispeaban con una alegría casi infantil, el padre le advirtió—: No lo contradigas, no interrumpas su discurso con tus opiniones si no te las pide. Teo es una persona instruida. Cuida que no te descubra, pues si lo hace, buscará deshacerse de ti y me dejarás en ridículo.

La joven emprendió el camino al día siguiente, acompañada solo por una mula cargada de bártulos, a la que llamaban Terca. Como era costumbre de Sebastián, envió a su amigo algunos quesos, así como hierbas y sal, indispensables para conservar la carne. Después de un largo trecho, Ioanna comió un poco y se dispuso a pernoctar en el llano; el bosque le parecía lóbrego e inmediatamente se acordó del circo. A pesar del temor por los ladrones y asesinos, debido al cansancio de cabalgar por veredas apenas trazadas, pronto cayó dormida.

Su respiración comenzaba a tornarse larga y pesada cuando, lo que le pareció el movimiento de un enorme animal, la alteró. Sin saber cómo, terminó abrazada a la rama más alta de un árbol cercano. El león estaba ahí y se acercaba, rompiendo a su paso los delgados árboles como si se tratara de escuálidas ramas. La mula huyó. Ioanna, nerviosa, notó que la débil horqueta sobre la que se apoyaba iba cediendo ante su peso. Intentaba aferrarse al follaje cuando cayó al suelo. No sintió dolor, ni percibió sonido alguno, solo la violenta sacudida de todo su cuerpo seguida por un silencio expectante. Cuando sintió los resoplidos del animal, justo detrás de la oreja, dio un grito y se irguió, empapada en sudor. Terca la había despertado y todo estaba en penumbras.

Prosiguió el viaje de mala gana, pero no tenía otra opción. Arrepentida de haberse internado en los bosques sin acompañante, pensó en regresar a Fulda, pero cuando intentó hacerse una idea del camino de vuelta tuvo que aceptar que se había perdido. Siguió las indicaciones que le dio un labriego hasta que, horas después, se abrió un claro en la floresta. La vegetación enmarcaba una pequeña choza al final del sendero. Un corral con cuatro cabras y un montón de leña recién apilada dejaban ver que la vivienda estaba habitada. Al acercarse distinguió a un hombre alto, de barba hirsuta y blanca que se mantenía sentado bajo los últimos resplandores del sol. Tenía una mirada dulce; las venas se marcaban en su amplia frente.

—Buen hombre, ¿podría indicarme dónde queda el convento del padre Teodoro?

—Mi nombre es Teodoro, pero no tengo ningún convento —respondió el anciano de manos largas. Vestía un hábito bastante viejo, salpicado de agujeros mal zurcidos—. ¿Tú quién eres?

—Mi nombre es Ioannes, vengo del monasterio de Fulda… —al ver la cara de extrañeza del religioso, la joven agregó—: el padre Sebastián le envía una carta y algunos alimentos.

El anciano la invitó a quedarse unos días. Ella aceptó agradecida, no deseaba, por nada del mundo, regresar sola al bosque. El ermitaño recibió los víveres visiblemente conmovido, al tomarlos entre sus manos murmuró algunas palabras incomprensibles y alzó la vista al cielo. En su ojo derecho lucía una catarata. Encendió un fuego hábilmente y se sentó a la izquierda de Ioanna, que se había descalzado y estiraba sus maltrechos pies aprovechando el calor del hogar. Teodoro le contó que se había refugiado en el bosque para leer en soledad lo que durante años había acumulado. En ese momento, se levantó y alzó una pesada piel dejando al descubierto una notable colección de documentos. Ioanna recordó su misión y se preguntó si era muy pronto para mencionar el *Patrimonium Petri*. Sin embargo, Teodoro interrumpió sus pensamientos y le dijo despreocupadamente:

—¿Sabes por qué las mujeres no pueden tener acceso a la jerarquía eclesiástica? —Ioanna sintió que un golpe de calor le corría por el rostro, descendiendo por su garganta y su pecho, dentro del cual, latía furiosamente su corazón—. Hace 500 años —continuó—, el papa Liberio, un pontífice muy cuestionado, celebró el Concilio de Laodicea, en donde se estipuló que ninguna mujer debe ser ordenada; en el Sínodo participaron 32 clérigos. Tal decisión quedó estipulada en el canon 11 —le señaló un documento extenso. Ioanna comprendió que la enseñanza había comenzado. Se acomodó sobre una manta y, tratando de recuperar la calma, prestó atención a los movimientos y palabras del anciano. —En el año 567, el Concilio de Tours dejó establecido que todo clérigo casado será excomulgado. Esto ocurrió durante el pontificado de Pelagio II, quien era célibe.

Como el ermitaño no tenía costumbre de hacer sus comidas con la regularidad que imperaba en el monasterio, fue hasta el atardecer cuando decidió compartir los quesos que Sebastián le había enviado. Ioanna disimuló, a duras penas, el hambre que la incitaba a comer con una voracidad que contrastaba con la calma de aquel hombre.

Durante la mañana siguiente, Teodoro recolectó setas y, por la tarde, visitaron un paraje sembrado de grandes y antiguos árboles. Él le enseñó a recoger la savia de algunas especies y ella se atrevió a mostrarle la manera de extraer las raíces de algunas plantas medicinales que Carolus usaba.

—Es otoño —dijo Teodoro en tanto hacía un agujero en la corteza y ataba un pequeño recipiente al tronco de un árbol viejo y largo—. ¡Mira bien!, la herida debe ser pequeña. En esta época comienza el movimiento de retirada de la savia y la resina. Los frutos se desecan, las hojas se encienden en rojos y anaranjados; es así como estos gigantes se preparan para el invierno.

Ese mismo día, él le leyó su *De tempore et loco studia* (*Sobre el tiempo y el lugar de estudio*). La joven se asombró ante la docta y esmerada escritura cultivada por el anciano en aquel sencillo refugio, apartado de los hombres y su tiempo.

—Pienso enviarlo algún día al papa Gregorio IV —Teodoro clavó su mirada en los ojos asombrados de la joven y le confió—, quizá tú, Ioannes de Fulda, puedas ser mi mensajero y presentar mis escritos en Roma. Sebastián me ha contado que el abad Rabano Mauro, gran escritor, viaja constantemente. Yo te aconsejo que también lo hagas y, cuando puedas, vayas a Atenas y busques a Petras Galanakis, un griego que me dejó manuscritos interesantes.

—Con gusto lo haré —respondió la joven mientras rebanaba la corteza mohosa de un queso—, será un honor conducir su obra hasta Roma, estoy seguro de que ni siquiera los francos poseen una recopilación como esta. Y quizá la fortuna me permita llegar a Grecia algún día.

—En unas semanas, llegado *dominicus dies*, iremos a la iglesia. Haremos un día a lomos de tu mula. Ha pasado un año entero desde que estuve ahí por última vez.

Llegado el sábado, al atardecer, Ioanna llevó al animal a pastar. Sentada en un tronco, leía un folio de la autoría de Teodoro, cuando escuchó ruidos en la parte intrincada del bosque. Decidió volver a la choza. Al llegar, amarró a Terca y atrancó la puerta; el asceta estaba dormido y ella no tardó en conciliar el sueño. En medio de la noche, la joven despertó al sentir que el religioso le tocaba el hombro suavemente. Se escuchaban continuos gruñidos a pocos pasos de la entrada.

—Es Abaddón —dijo el viejo con una voz que Ioanna no le había escuchado hasta ahora— es el destructor, el que libera las bestias de la región más oscura del infierno. ¡*Vade retro Abaddón*!

Teodoro regresó a su lecho y se cubrió la cabeza con la manta. Por la mañana encontraron descuartizada a la mula. Había tripas y manchas de sangre regadas en todo el campo que rodeaba la humilde choza. Aunque para el eremita era claro que se trataba de la obra de un oscuro ser proveniente del más profundo abismo, Ioanna no dejaba de pensar en el león que merodeaba aquellos bosques por obra del desdichado Roder.

Ese día, Teodoro le enseñó a Ioanna el arte de la salazón. Entre ambos, cortaron y sazonaron los restos de carne de mula para aprovisionarse durante el invierno que se aproximaba. También le mostró cómo hacer fogatas. Después de mucho entrenamiento, la joven encendía cada día los fuegos hábilmente.

IV

EL REFUGIO

Entre los hombres todo tiende a hacerme descender;
en la soledad, todo tiende a ascender.

Teodoro de Siegen (766-839)

Habían pasado ya varias lunas tranquilos, fortaleciendo el aprendizaje de Ioannes, cuando una noche, cinco jinetes con vestimentas de piel, hachas como únicas armas y collares formados con colmillos de lobo, se aproximaron a la choza, acechando a sus ocupantes desde la penumbra. Pretendían adueñarse del reducido rebaño de cabras.

Ninguno de los dos podía imaginarse que los lombardos los escuchaban a través de las paredes del refugio. Ioanna estaba sentada, abrazada a sus rodillas, calentándose las manos debajo del hábito. Entretanto, Teodoro se había hundido en un sereno silencio y cavilaba, mirando hacia un rincón en el que se acumulaban algunas pieles y ropajes. Inhaló profundamente y aprovechó su exhalación para incorporarse y dirigirse hacia aquel recoveco. Ahí, descubrió un pequeño arcón que mantenía oculto entre pesadas mantas.

—Esto que ves aquí, son los restos de un santo llamado Zacarías, y los acompaña el manuscrito de una revelación no conocida. Cuando tengas oportunidad, ve a Roma y, luego, busca a Galanakis. Las apariencias no me engañan, Ioannes, soy viejo y sé que puedo confiar en ti. Prométeme que llevarás mi palabra a Roma y que regresarás estas reliquias al sepulcro de Zacarías; yo no tengo fuerzas para un viaje tan largo.

Sin esperar respuesta, Teodoro se arrodilló ante el fogón e hizo una infusión de *psyllium*. Ioanna lo reconoció, pues sus hojas, usadas para fortalecer el estómago, tenían la forma de un pequeño pie humano. Al empezar a beberla escucharon un fuerte golpe en la puerta; el ermitaño se levantó y su cuerpo erguido, alerta, pareció perder algunos años y ganar fuerzas renovadas.

—Te digo que no es Asmodeo, el príncipe de los demonios, el de los pies de cabra. Quien nos visita esta noche es Abaddón. He sentido su presencia desde que llegué a este bosque. ¡Estoy preparado!, será mejor que no se atreva a entrar.

Clavó su mirada en los ojos de Ioanna, que no podía disimular la angustia y continuó quedamente:

—¡Y regresará! Lo hará, como siempre, para intimidarme, para que deje de escribir. Vendrá y querrá mostrarme su lasciva mirada, su cornamenta de uro y esa altura descomunal, pero nada podrá hacer, porque las letras que manan de mi pluma me protegen. He luchado solo contra su horrible influjo, ¡y el de muchos más!, así lo haré hasta el día de mi muerte, pero tú, Ioannes, prométeme que dejarás este cofre en Roma —dijo señalando el arcón que guardaba con tanto celo.

Alzando nuevamente la voz, habló con aquel sonido que solo emanaba de su pecho al mencionar a los señores del abismo hacia la puerta: —Belcebú envía tempestades y plagas; Astaroth es el amo de las grandes desgracias, el carroñero, el sembrador de hambrunas, el que tiene una presencia fétida. Pero quien destrozó a aquella pobre mula fue Abaddón. Quiere amedrentarme, pero no será capaz. Si osa tocarme, lo destruiré; tengo el poder para hacerlo —dijo, con el índice en alto y los ojos encendidos—. Él sabe que poseo manuscritos que contrarrestan su perversa influencia en este *saeculum sanctus*.

Los bandoleros, agazapados en la oscuridad, imaginaron que en esa choza habitaban fuerzas sobrenaturales. Empuñaron sus armas y cruzaron sus miradas en la penumbra; el más viejo asintió con la cabeza. La puerta fue abruptamente derribada y una corpulenta figura atravesó el umbral. Tenía los cabellos largos y llevaba una pesada hacha, pero no se atrevió a levantarla.

—¡Abaddón! ¡Maestro de las tinieblas! —gritó el ermitaño levantando una cruz de madera en una mano y arrojando una rudimentaria lanza con la otra—. ¡Retrocede, rey de Malévola! —El intruso fue herido en el abdomen y se retiró, maldiciendo en su lengua. Ioanna y Teodoro escucharon el relincho de los caballos y los golpes de hacha en los postes del corral.

—Ioannes, prométeme que llevarás el arcón a Roma.

—¡Te lo prometo, pero no salgas, Teodoro! —gritó la joven cuando el anciano cogió la cruz y se dirigió a la entrada—. ¡Nos matarán si lo haces!

Sintió en el cuerpo el vivo recuerdo del asesinato de Carolus, la muerte de Roder, la persecución en el bosque; percibió el impulso de la huida latiéndole debajo de las sienes. Sin embargo, el viejo ermitaño parecía atraído, como insecto ante la luz, hacia el sitio donde se encontraban los visitantes. La joven vio como uno de los intrusos levantaba al anciano, le ataba por los pies con un extremo de la cuerda y le daba el otro a uno de los jinetes.

—¡No lo toquen! —exclamó el que llevaba un hacha tan grande que debía descansarla sobre los hombros—. Tiene tratos con Abaddón —parecía realmente alarmado, pero sus compañeros continuaron. El que tenía el cabo de la cuerda hizo un fuerte nudo en su montura mientras los otros se alejaban para observar mejor. El jinete espoleó a su cabalgadura y, a todo galope, arrastró a Teodoro, barriendo todo el claro que rodeaba la choza. Los quejidos y los golpes contra el suelo, hacían reír a los lombardos.

En medio del cruel alboroto, Ioanna había logrado escurrirse, silenciosamente, hacia el bosque. Escondida, vio que el jinete se detuvo frente a la masa ensangrentada. La joven se angustió al escuchar un quejido. Después del padre Carolus, Teodoro era la persona más sabia que había conocido y la idea de ver morir a su segundo maestro, martirizado ante sus ojos, hizo que corrieran lágrimas por sus mejillas. Los hombres ataron la cuerda sobre una rama, dejando a Teodoro suspendido cabeza abajo.

Regresaron a buscar a la joven, pero al no encontrarla, fueron al corral, mataron a las cabras, las echaron sobre las ancas de los caballos y se alejaron a galope. El cadáver del ermitaño oscilaba suavemente, pendiendo del tobillo izquierdo. Ioanna lo miraba, como hipnotizada por el absurdo y el horror de aquella visión. Se mantuvo inmóvil, pese al frío que descendía por las laderas hacia el pequeño claro.

Después de un largo rato, escuchó aullidos; una jauría de lobos se aproximaba con cautela, atraída sin duda por el olor de la carne desgarrada. Al llegar a donde estaba el cuerpo, lo rodearon, algunos intentaban alcanzarlo apoyándose en sus patas traseras. La joven se estremeció al imaginar que Teodoro pudiera seguir vivo, cerró los ojos y volvió el estómago. Decidió salir del bosque.

El sol la sorprendió caminando en la espesura, entre los senderos más pequeños, inquieta ante el temor de encontrarse con los asesinos. En un declive, encontró unas setas que no conocía y, aunque dudó un instante, tenía demasiada hambre, así que empezó a comerlas. Eran pequeñas, de un color marrón que le dio algo de confianza. Su sabor era extraño: ácido, pastoso, de una intensa humedad boscosa y un retrogusto amargo que le hacía arrugar el rostro al tragarlas.

Siguió su camino y, después de un rato de andar, se sorprendió ante la ligereza de su cuerpo; se sentía indescriptiblemente plena, como si la luz del día manara de su interior. Durante un rato vagó olvidándose de la congoja que la atenazaba, hasta que vio, sorprendida, un brillante titilar de estrellas en el suelo tapizado de hojarasca. Un impulso la obligó a alzar la mirada.

El cielo se abrió como un abismo mientras que el corazón parecía estallarle dentro de la jaula de costillas que lo aprisionaba. Los árboles arrojaban cientos de hojas sobre su rostro, sin dejarla respirar; trató de tomar una bocanada de aire, con la expresión de un pez fuera del agua. Sus poros, abiertos y sensibles, captaban las más disímiles temperaturas. Abrumada, se tendió, tratando de encontrar un poco de alivio, solo para ver que sus manos se alargaban y alcanzaban unas imaginarias nubes que se disolvían al tacto. Sus cabellos, al viento, se elevaron enredándose entre las copas de los altos encinos, al tiempo que su lengua, juguetona, bailaba y emitía palabras que perdían su significado apenas eran emitidas.

Se levantó, pero no pudo controlar sus pasos; solo lograba moverse en pequeños círculos, tropezando con su sombra, que continuamente se le atravesaba. Después de una larga batalla, consiguió arrimarse al pie de un árbol gentil y frondoso. Ahí, pudo cerrar los ojos y descubrió que no había oscuridad detrás de sus párpados cansados. En su interior, existía otro paisaje que le resultaba ora hermoso, ora aterrador. Recordó aquellas lejanas tardes en las que contaba historias. «Quizá sería bueno continuar escribiendo historias», le dijo una lejana voz parecida a la suya. Se durmió tras escuchar el suave canto de las aves.

Despertó sin saber cuánto tiempo había pasado, olvidada ya de su anterior estado. Se sentía débil y desilusionada al estar ahí, durmiendo a la intemperie de nueva cuenta. Quería regresar al monasterio de Fulda, pero no sabía qué camino tomar. Durante dos días deambuló, comiendo raíces y rogando por la presencia de algún arroyo hasta que, finalmente, distinguió la choza de Teodoro a la distancia.

Pese al miedo que le inspiraba el regreso de los lombardos, decidió instalarse ahí; no tenía otro lugar para refugiarse y podía morir en pocas horas. Con la exigua luz del sol se acercó al claro. El cadáver del ermitaño había desaparecido, pero una sombra se agitaba dentro de la casa. Al aproximarse vio que se trataba de tres loveznos; por fortuna, su madre había salido a cazar. Con una tranca sacó a los cachorros y aseguró la puerta; una rama le sirvió para juntar las heces de los animales y echarlas fuera; aún así, el ambiente era fétido. Le dio gusto ver que la carne seca que habían preparado y colgado, seguía completa. Tendría comida para pasar el invierno.

Esa noche, a pesar del hedor, se sintió más confortable que cuando tenía su celda en el monasterio. Con un poco de agua, que el religioso solía guardar en un cántaro, alcanzó a mojarse la garganta. Limpió el hogar de la pequeña chimenea y se acostó. Afuera se escuchaban los aullidos de la loba, deseosa de recuperar la madriguera perdida. Ioanna no sintió temor.

Con los frágiles rayos del sol resbalando por los resquicios de la madera, la joven despertó y asomó la cabeza fuera de su refugio. Vio los arbustos zarandeados por el viento y el cielo nublado, amenazando con llover. Se alegró de no estar a la intemperie. Envuelta en un hábito que había pertenecido al anciano y que le quedaba grande, salió por agua fresca al arroyo; después, recogió ramas y leños. En cuestión de horas se aprovisionó para la larga temporada y, tras dejar la vivienda aseada, encendió una fogata.

Al levantar las tablas que servían de lecho al religioso, encontró una gran cantidad de papeles. Imaginó que entre todo aquello encontraría escritos valiosos para Sebastián. Los revisó, ordenándolos por fechas y, cuando terminó, empezó a leerlos. Lo que el superior de Fulda le había comentado no igualaba los escritos que Teodoro guardaba; no todos eran suyos.

Un escrito llamó su atención; hablaba sobre el origen de los dioses. Se acomodó y comenzó a leer el primer capítulo: «De moral y dogma en el principio de los tiempos». Supo que su velada sería más que interesante cuando llegó a la famosa *Non est potestas nisi a Deo* (No hay poder que no provenga de Dios), que Pablo dirigió a los romanos.

Por Carolus sabía que, en el invierno del año 57, el apóstol había dirigido esa carta a Roma y que durante años había sido buscada. En la misiva exponía «qué es lo que hay que creer y por qué». Tenía dibujado un mapa con su viaje a Roma donde se leían nombres de sitios distintos: Pannonia, Venetia, Aemia y Umbría. Junto a la carta, encontró numerosos apuntes de la autoría de Teodoro, abundando sobre el contenido del escrito. Entre otras cosas hablaba de la asamblea de creyentes, a la que Pablo se dirigía en aquellas cartas, y que figuraba bajo el nombre griego de *ekklesia*.

Se hallaba absorta en el manuscrito cuando el chillido de los lobos la distrajo; supuso que peleaban por alguna presa. Aquella impresión no se sostuvo mucho tiempo: en ese instante percibió el jadeo y las fuertes pisadas de un ser extremadamente grande al que los lobos gruñían fieramente, y recordó al león. Ya había matado a Roder y, quizás, a otros lugareños; acostumbrado, tal vez, a ensañarse con la carne humana, rondaría la cabaña, percibiendo el olor de su habitante. Ioanna atrancó la puerta con cuanto objeto encontró y trató de dormir.

Al amanecer, quitó las trancas de la puerta y, con cautela, se asomó. Deseaba saber qué tan pesada era la fiera observando sus huellas; con asombro solo vio las de un ser humano. Buscó por los alrededores, pero desistió al sospechar que tal vez un lombardo o un sarraceno rondaba la zona. Al echar el último vistazo, notó que la loba, desde lejos, la observaba fijamente; le extrañó su comportamiento, ya que estaba bastante alejada de sus dos crías. Más tarde, en el arroyo, halló a uno de los pequeños lobos muerto; la cabeza estaba casi desprendida. Pensó que la fuerza que lo había atacado era enorme y temió: más temprano que tarde terminaría por averiguar si se trataba del león o de un hombre.

Después de encerrarse se concentró en la lectura. La obra *Brundisium abyssus abyssum invocat*, escrita por Cornelio, había sido traducida al germano por Teodoro como: «En Brindisi, el mal atrae al mal» o «El abismo clama al abismo». En ella, se narraba cómo los disturbios, asesinatos, ejecuciones, confiscaciones de bienes y luchas intestinas de la República romana fueron diluidos mediante un tratado, cuando corría el año 40 antes del nacimiento de Jesús. Unas líneas más adelante, estaba escrito: «Octavio recibió el Oeste, Antonio el Este, mientras que Lépido se quedó con África».

Un trueno rugió desde las montañas cercanas. Ioanna se asomó y vio el campo gris por la amenaza de lluvia; algunas aves volaban sobre la maleza. Entrecerró los párpados, tratando de aguzar la mirada, pero no vio más, así que siguió leyendo. Después del final de la guerra civil, Egipto se había convertido en provincia romana y Octavio, el vencedor de Marco Antonio, quien encontró la muerte por su propia espada, regresó los poderes al Senado, recibiendo el título de Augustus el Sublime.

En este punto, recorría las líneas de escritura con el dedo, deseando encontrar alguna referencia sobre Cleopatra. El padre Carolus la había mencionado en numerosas ocasiones como depositaria de una gran tradición intelectual, siempre admirada por su inteligencia y grandes conocimientos; sin embargo, en el escrito apenas se le nombraba. Aquella valiente mujer había estado cerca de lograr la independencia de Egipto. Tras el asesinato de Julio César, a quien estaba unida, había formado alianza con Marco Antonio, y después de la derrota y muerte de este, en septiembre del año 31, ella también se quitó la vida. Egipto terminó sumándose al Imperio romano como una más de sus provincias. Para Ioanna, Cleopatra, la hija de Ptolomeo XII, debía ser tratada por la historia con la misma deferencia que Octavio o Marco Antonio, y si esto no ocurría era sencillamente por tratarse de una mujer.

De nuevo, los gruñidos la sacaron de su indignada abstracción. Entonces, escuchó un ave grande y pesada posándose sobre el endeble techo de la choza. Quizá se trataba de un dragón del averno: Ahrimán, causante de todos los males; ¿qué lo había conducido ahí? Ioanna pensó que no sería capaz de contener su fuerza; se echó la manta sobre la cabeza, tratando de aislarse del macabro exterior, cuando un estruendoso golpe abrió la puerta y el viento extinguió la fogata como si se tratara de una débil llama. La joven permaneció largo rato sin mover un solo músculo, mientras su interior bullía: ¿quién o qué había roto las trancas?, ¿por qué la bestia no había entrado?, ¿la puerta había cedido al viento, simplemente, y todo su miedo era producto de su debilidad?

Logró salir de su estupor solo para asegurarse de que las trancas estuviesen bien colocadas. Hecha un ovillo sobre su sencillo lecho, sintió que la soledad y el miedo la agobiaban hasta quitarle el último aliento. Nunca en su vida había deseado tanto hablar con alguien.

Después de un corto e inquieto sueño, salió de su refugio temerosamente, y tras revisar los alrededores y no ver señales de peligro, se dirigió a una zona donde el bosque era menos espeso. De regreso a la choza, con varias de las ramas y pequeñas enredaderas formó una figura humana, casi de su tamaño.

La horqueta rellena de hojas y lianas y, recargada en la pared, estaba lejos de parecer una escultura real, como las que tallaba Gerbert en tiempos más felices, pero a ella le parecía una buena compañía. Depositó a los pies de la figura unas flores que había recogido en el camino, y haciendo todos los gestos que exigía el ritual, la bautizó con el nombre de Eva. Sintió que, con ese gesto, había encendido en su refugio una llama propia que alimentaba su fe en medio de aquella oscuridad plagada de quimeras.

Se sentó frente a su obra y la contempló durante horas, tras las cuales creyó atisbar un cambio, fue como si su mirada insistente llenara de vida aquella maraña. Tímidamente, le habló:
—Con tanto frío estoy entumida; esta soledad, este clima, me están convirtiendo en un nuevo Teodoro —guardó silencio un rato, como esperando, suplicante, una respuesta.

Algunas tardes soleadas le parecía escuchar, desde la floresta, una joven e inocente risa. Otras veces le cuestionaba a Eva su silencio, entre lágrimas. Sin embargo, esas ramas ensortijadas eran, sin duda, la mejor compañía que había tenido desde que Tanya se perdiera corriendo en el oscuro bosque.

En ese refugio, mediante sus lecturas cultivó enormes parcelas de aprendizaje autodidacta y construyó los cimientos de lo que concibió como el dominio del ser humano sobre la religión. En ocasiones pensaba que, para remover sus bases, se necesitarían luchas generacionales.

V

SOLEDAD

> ¿Será cierto que en la soledad es cuando
> aprendemos más de nosotros mismos?
>
> Ioanna de Maguncia (822-857)

Una mañana cayó la primera helada. Con Eva como compañía, Ioanna sintió seguridad y continuó, sin inmutarse, revisando los papeles de Teodoro. Entre ellos encontró una anotación de autoría del religioso que leyó en voz alta, mirando de vez en cuando a Eva:

«Hace una semana llegó una joven disfrazada de misionero, enviada por el padre Sebastián. No seré yo quien la desprecie por su naturaleza, pero sí quien ponga a prueba su verdad. Le daré tiempo para que confiese por qué se disfraza de hombre. Si lo hace y me convence, le obsequiaré mi mayor secreto y le enseñaré aquello que ni Sebastián ni el mundo pueden mostrarle».

Lo leyó de nuevo y comenzó a irritarse. Había sido descubierta y puesta a prueba sin siquiera saberlo. Parecía que todo a su alrededor confabulaba y excedía su pequeña voluntad. Recordó el trato que el prior Imanol le había dado en Fulda; quizás también él se había dado cuenta.

—Tendré que hacerlo mejor. ¿Habría, como mujer, tenido la oportunidad de conocer a Sebastián y a Teodoro? ¿Tendría en mis manos las llaves que abren el entendimiento? No, desconocería los hechos de este mundo. ¡Pobre sería mi servicio a Dios por causa de quienes, en su ignorancia, vuelcan su odio en nosotras! —miró a Eva con los ojos encendidos.

Esa tarde —quizá por rabia, quizá por mostrarse a sí misma valiente— decidió aventurarse más lejos; fue así que llegó a una cañada, donde encontró una parvada de codornices. Quiso atrapar alguna, pero fue poco hábil. Tendría que aprender a cazar. Más adelante se topó un panal que reconoció; lo había visto mientras caminaba, delirante, buscando refugio en los días posteriores a la muerte de Teodoro. Por lo que sabía, era imposible engañar a un enjambre. Lo observó con detenimiento; estaba ahí, pendiendo sobre la orilla del arroyo. Se guardó para después las ganas de intentar un asalto.

En su siguiente salida decidió llevar consigo el cuchillo con el que cortaba la carne y se dirigió al río. Al llegar, una copiosa lluvia cayó; era tan abundante que apenas la dejó ver el reflejo de su rostro en la superficie del afluente. En un arrebato, cogió un mechón de sus ya largos cabellos y lo cortó, arrojándolo a la corriente. Las gotas se mezclaban con sus lágrimas.

En su mente se sucedían las imágenes de la cabeza cercenada de Carolus y el cuerpo inerte de Teodoro. Cogió otro mechón y otro; siguió hasta que sintió la suave redondez de su cráneo, apenas cubierto por una capa de corta cabellera. Sumergió la cabeza en el agua y al sacarla profirió un grito que coincidió con la caída de un relámpago. Mirando al cielo, con sus bellos ojos, la joven declaró: —Mi nombre es Ioannes, y vengo de la región de Maguncia. Ni Juana, ni Ioanna existen más para este mundo. Se han perdido en algún bosque, siguiendo los rastros de un circo y solo habitan dentro de mí —bajo el aguacero, miró sus cabellos arrastrados por el agua.

De regreso en su refugio, completó su cambio de apariencia ciñendo sus pechos. Tras frotarse las manos frente a la chimenea, retomó la lectura con una extensa carta del papa Esteban II al rey Pipino el Breve. En ella le pedía protección contra los cada vez más amenazantes lombardos. Además, se enteró de la promesa hecha al monarca: conservar los principales servicios religiosos en manos de varones, solamente. No pudo contener un ardor que le subía a las mejillas. Al margen del texto, había una anotación con letra diferente a la del asceta, la leyó con detenimiento: «lo mismo prometieron Pablo I, Adriano I y León III, sumisión y control para imponer sus criterios en los siguientes concilios».

—*Malum est mulier*. Así lo creen los pontífices: «la mujer es un mal» —dijo, alzando la voz y mirando fijamente a Eva—. Así se postuló desde los tiempos de Constantino, en el Concilio de Nicea. Y si no hay lugar para las mujeres en el sacerdocio, jamás será posible que detenten cargos superiores. Eso, querida Eva, significa que las mujeres podrán ser diaconisas y servir en las tareas más humildes, pero nunca veremos obispas, arzobispas, cardenales o papisas que dirijan con su inteligencia al rebaño.

Se levantó y tomó un pedazo de carne seca que luego comió, bruscamente, como si así mostrara su conflicto y su desacuerdo. Volvió a sentarse en el camastro. Apenas se disponía a seguir leyendo cuando escuchó un relincho, seguido de un grito. Sabía que la choza estaba lejos de cualquier principado o ducado, por lo que la presencia de un caballo era extraña y probablemente peligrosa, como había demostrado el incidente con los lombardos. Atrancó la puerta e instantes después escuchó un resuello debajo de esta.

—¡Asmodeo! Eres el demonio final, el dragón que devora almas —dijo, agazapándose junto a la muñeca de ramas y gritó—: ¡Déjanos en paz!

El ulular de un búho y el canto de los grillos dominaban sobre la floresta. Se asomó por el resquicio hacia el claro; a cierta distancia dos lobos miraban fijamente la cabaña sin mover siquiera las orejas. Apagó el fuego y se cubrió con la manta; al poco rato, un aullido y unos gruñidos le aceleraron el corazón. Trató de dominar el ritmo de su respiración y se acercó nuevamente al orificio: cual si fueran un par de estatuas como las que esculpía su padre, los depredadores se mantenían en la misma posición. No miraban hacia la puerta, sino al techo, y eso la alteró por completo; sintió que un metal helado le recorría la espalda. Aterrada, escuchó de nuevo el aleteo y cuando este cesó, vio que los lobos se alejaban como si hubieran terminado una guardia. Dudó en encender el hogar de nuevo.

Se recostó con la firme intención de vencer al miedo que se aferraba a sus entrañas cada noche, cuando creía que innumerables presencias rodeaban su refugio. Había puesto las trancas, pero pensó que no eran suficientes para detener a tantos demonios. Recordó aquella lanza con la que Teodoro solía defenderse; tal vez necesitaría una, pero quizá también tendría que templar algo, ¡no sabía qué!, en su espíritu.

La oscuridad le trajo un sinfín de evocaciones. En el rincón creyó ver un rostro blanco que la miraba fijamente y sintió que su corazón se detenía sin que su cuerpo hubiese muerto; era como estar clavada en una extraña frontera. Quiso enfrentar a la aparición con algún conjuro, como lo hacía Teodoro, pero no lograba pronunciar palabra. Aunque luchaba por apartar la vista, una extraña fuerza parecía llamarla, como aquellas piedras que atraen el hierro; el rostro cobraba forma: ¡Abaddón! Era la misma cara dibujada en los escritos. Perdió el conocimiento.

Cuando volvió en sí, un contrastante rayo de sol entraba por el resquicio que le servía de mirilla. Mantuvo la puerta atrancada todo el día, parándose solo para avivar y alimentar la llama de la hoguera con algunas ramas y seguir con la lectura de los manuscritos.

La madrugada siguiente, cuando se anunciaba la cercanía del amanecer, salió hacia el arroyo con la intención de encontrar una laja que le sirviera para tallar una lanza. En el camino recordó el panal. Pocas veces en su vida había probado la miel y la idea de hacerlo una vez más era tentadora, además el invierno amenazaba con traerle escasez y hambre. Pensó en hacer un hueco entre las piedras del riachuelo, uno que le permitiera cubrirse mientras las abejas se alejaran. Se anudó el hábito y hundió sus pies en la helada corriente. Con el agua hasta las pantorrillas, sacó algunas pesadas piedras y removió la arenilla del fondo. Cuando estuvo exhausta, se levantó; el trabajo no fue suficiente, tendría que volver.

Una vez en la orilla del arroyo desprendió una gruesa rama para hacerse de un arma y buscó una laja filosa, la guardó en su pequeño saco de cuero, y sacó los pedernales que usaba para obtener flamas. Logró una pequeña fogata con hojas secas, justo debajo del panal. En unos instantes, las abejas empezaron a salir; eran cientos. Corrió a la cabaña y atrancó la puerta.

Durante esa tarde se dispuso a tallar su lanza y leer un manuscrito de cuatro hojas que hablaba sobre el reinado de Harún al-Raschid, el gran califa abasí de Bagdad y de sus presiones bélicas sobre Nicéforo, emperador de Bizancio. Mientras leía un pasaje sobre la guerra de Tiana y el avance del califa sobre Ankara, una abeja se posó sobre el papel. La joven observó su delicado cuerpo, palpitante; el enjambre se había agitado demasiado y ahora una pequeña embajadora había entrado a la choza en expedición de reconocimiento. La dejó estar y siguió embebida en los legajos; llegó hasta la muerte de Al-Raschid. Teodoro había colocado una pequeña referencia: «fin de la época de esplendor del califato».

—No creo que con su muerte haya acabado el poder de los sarracenos —dijo, girando la cabeza hacia el rincón donde se apoyaba Eva—. Ahora recuerdo el día en que Carolus me leyó algunas líneas sobre Moawia I y el principio hereditario para designar a los califas, siempre hacia los varones. Las mujeres no contaban, tal y como es ahora.

La lectura la apaciguó y esa noche pudo dormir tranquila. Por la mañana terminó de cavar el hueco en la cuesta del arroyo y se metió para comprobar que cabía fácilmente. Cerca de una grieta, acomodó un montón de hojas y encendió otra fogata; juntó más ramas secas y las echó sobre las llamas para alejar al enjambre. Las abejas comenzaron a salir y ella volvió a la choza a esperar que el humo las aturdiera lo suficiente. Desde su refugio distinguió una mancha oscura que volaba sobre el campo.

—¡Es Astaroth, Eva! ¡Es enorme! —Ioanna hablaba casi a gritos, sin poder contener su turbación—. Por primera vez lo veo de frente, no es el enjambre, es Astaroth que viene por las reliquias del santo Zacarías. Cubrió el cofre con la manta y volvió a asomarse. La mancha se elevaba a unas cincuenta varas de altura y descendía a gran velocidad—. Se dirige hacia acá —exclamó cerrando los ojos— ¡Astaroth viene por mí!

Una figura negra revoloteó sobre su cabeza; pegó tal grito que ahuyentó a la sombra. Cuando trató de buscarla, distinguió que se trataba de un enorme grupo de murciélagos que había decidido vivir en algún resquicio del techo. Con la respiración aún agitada y el corazón latiéndole en las sienes, Ioanna se apoyó en el marco de la puerta, miró a Eva y comprendió que la soledad, las largas horas frente a los escritos y su rebosante imaginación, la habían arrojado a aquella lucha contra demonios inasibles.

Este susto le dio el valor necesario para tirar el panal; estaba decidida. Tras avivar el fuego, tomó una manta, se acercó hasta la rama que sostenía la colmena, se subió a una piedra y con la lanza la tiró. Las abejas revoloteaban en una nube de humo, tan desorientadas, que algunas se le estrellaron directamente en el cuerpo y el rostro. Corrió hasta el arroyo, cubriéndose como pudo, y se echó en la improvisada pileta; el frío le calaba. Desde el orificio observó cómo el humo subía hasta perderse, mientras las abejas zumbaban furiosamente. Después de resistir un largo rato, vio acercarse a un jinete, zambulló la cabeza y aguantó la respiración. El hombre, al escuchar el enjambre, espoleó su caballo.

A pesar del esfuerzo por evitarlo, Ioanna recibió tres piquetes. Empapada y con la piel amoratada por el frío, decidió salir corriendo hacia la cabaña con parte del botín entre los brazos y una sensación de victoria. Una vez resguardada en la choza, puso los pedazos de colmena en un cazo, cambió sus hábitos y se tumbó; se sentía afiebrada. Afuera comenzaba a oscurecer. Frente al fuego, leyó otro documento, fechado en 816: *Ordinatio imperi*, una carta de dos folios, escrita en Reims, en el contexto de la coronación de Luis el Piadoso, hijo de Carlomagno, por parte de Esteban IV. Teodoro había colocado una glosa que comenzaba así: «*Principium Pactum Ludovicianum…*». Luego explicaba las posesiones de la Iglesia y las alianzas con el imperio heredado por Carlomagno a su hijo.

Decidió acostarse; trataba de dormir cuando un relincho la hizo dirigirse hacia la puerta para echar un vistazo. Debajo de unos altos árboles distinguió una fogata. Colocó las trancas y volvió a su lecho. Esa noche hizo mucho frío. Inquieta y sudando, se levantó varias veces, creyendo ver siluetas bailando alrededor de las llamas.

VI

UN CRUDO INVIERNO

Cuando llegue mi hora, moriré;
pero lo haré como debe morir un hombre
que no hace más que regresar
lo que la naturaleza le confió.

Otto Hardenberg (798-840)

Intentó abrir la puerta de la choza, pero estaba atascada. La nieve había cubierto todo el pórtico. Apoyó la lanza en una hendidura y empujó hasta que logró salir. El campo estaba cubierto de un blanco intenso, el reflejo de la luz la enceguecío momentáneamente. Los piquetes de las abejas aún le dolían.

Caminó por el claro hacia el bosquecillo, buscando los vestigios de la fogata que había visto la noche anterior, pero todo estaba cubierto de nieve. Empuñando la lanza se dirigió al sitio donde había derribado el panal; estaba segura de que había dejado casi la mitad durante su huida. Hurgó entre la nieve hasta que por fin lo halló, estaba en buen estado, aunque lleno de abejas muertas y congeladas; se agachó para recogerlo cuando una sombra le cayó encima derribándola sobre las rodillas. Apenas se levantó, unos brazos fuertes la alzaron en vilo y pudo ver a un hombre corpulento y barbado amenazándola con un cuchillo. Tenía una cicatriz que le atravesaba el rostro, un ojo más pequeño y brillante que el otro, y le faltaban algunos dientes. En un instante, la fiera expresión del atacante se suavizó:

—Discúlpame, hermano, creí que eras un ladrón de pieles —había un gesto de arrepentimiento en su mirada, en sus manos enormes, juntas al centro de su pecho. A ella le agradó haberlo engañado y aceptó de buena gana la disculpa—. Estuve toda la noche en la intemperie calculando cuántos vivían aquí. Traigo algo de carne, sal y manzanas.

—Hasta hace poco éramos dos. Aquí también vivía mi maestro, fray Teodoro, pero lo asesinaron hace poco. Mi nombre es Ioannes.

—Yo soy Otto, muchos me conocen como Trampero. Quise acercarme, pero las sombras que vi en el techo me atemorizaron. Nunca supe qué eran y les temo más a los demonios que a los lobos.

Con cierto temor, pero pensando en la manera más natural de comportarse, le ofreció abrigo al visitante. Viéndolo por la espalda se dio cuenta de que era el jinete que había pasado cerca del arroyo. Observó también a su caballo, era viejo, pero seguramente podría sacarlos a los dos del bosque.

—Tienes un buen cuchillo —dijo ella, y notó que el hombre miraba a Eva con curiosidad—. Te aconsejo no tocar esa muñeca. Es una obra del ermitaño. En esta parte del bosque ocurren cosas; tú mismo viste las sombras que rondan el refugio durante la noche. A veces es necesario protegerse.

Él pareció algo turbado, así que Ioanna dedujo que era supersticioso y decidió mantenerlo alejado de los manuscritos. Conversaron hasta altas horas de la noche; él se interesó particularmente por la historia del león. Mientras bebían una infusión de bayas de enebro, la joven también le narró los hechos de la espantosa noche en que su maestro fue asesinado. Se sorprendió a sí misma exaltada, entrando en los detalles más sórdidos con las manos temblorosas.

—Por lo que me cuentas, fueron lombardos. Son embusteros y ladrones. Si te localizan y ven que estás solo, te atacarán. Aquí corres peligro.

Durante la madrugada Ioanna sintió que el frío arreciaba. Preocupada, fue a echarle un vistazo al caballo del visitante. Afuera, una ventisca movía incesantemente las ramas de los abetos y la obligaba a cubrirse el rostro. Regresó a preguntarle si el animal no moriría de frío, pero el hombre dormía profundamente, roncando con tenacidad. Regresó a donde se encontraba el caballo y le acomodó una manta en el lomo.

—No era necesario, está acostumbrado al frío —dijo Otto por la mañana, cuando salió, desperezándose y señalando la manta—; es un animal fuerte.

Se sentaron, contemplando el campo nevado y comieron carne seca, sumidos en un armonioso silencio. Ioanna experimentaba el contento de encontrarse ahí, codo a codo con un cazador, engañándolo fácilmente sobre su verdadera naturaleza. Ahora sabía que la simulación no consistía en la manera de usar el hábito, sino en la forma de expresarse, de moverse. Debía parecer un joven débil, pero aquello se compensaba gracias a un aspecto que era, en realidad, auténtico: se había convertido en un respetable asceta ermitaño, fortalecido en su fe.

Apenas Otto salió a buscar una presa para comer carne fresca, ella regresó a sus papeles. Leyó una pequeña crónica en la que se relataban los conflictos surgidos con la muerte de Carlomagno y la designación como emperador de su hijo, en el año 814. Por los escritos de Teodoro se enteró de que el nuevo gobernante era afable con los sectores religiosos. En ese momento el papado recaía en Esteban IV, quien lo había coronado.

Otto volvió mientras ella se hallaba absorta en los apuntes del asceta. No se dio cuenta de que el cazador movía la tabla que usaban como camastro para tratar de acomodarla. Al hacerlo había encontrado y sacado el cofre con las reliquias y, curioso, se disponía a forzar la cerradura. El crujido la hizo voltear.

—¡No lo abras! —le gritó, dejando a un lado los papeles—. Son los restos de Teodoro, déjalo descansar en paz.

—¿Lo incineraste? —Otto hizo una mueca de asombro—. ¿Está permitido?

—No son cenizas, son sus huesos; lo que dejaron los lobos de su pobre cuerpo. Por eso el cofre está cerrado, ya ha recibido suficiente tormento.

El cazador rectificó su error y volvió a depositar la caja en su sitio con cuidado; en su rostro se adivinaba la gravedad de quien se encuentra ante la presencia de un muerto. Sin embargo, tardó poco en olvidar el incidente. Su expresión se había vuelto ligera de nuevo cuando se recostó y se quitó las botas por primera vez.

Fue tal la pestilencia que emanó de sus maltratados pies, que Ioanna abrió la puerta, pero afuera el frío era tan insoportable como el hedor. Cuando volvió la vista, notó que los dedos de su acompañante no solo estaban sucios, sino también lastimados por algunas uñas que se le habían enterrado; un mal común entre aquellos que caminan de manera incesante. Lo mandó por nieve dándole un cazo de hierro, mientras ella pasó por fuego su cuchillo. Le dijo que tenía que lavarse los pies y le hizo una dolorosa curación que después cubrió con un cataplasma de hojas machacadas. Así había obrado con tal de terminar con semejante olor. En agradecimiento, él volvió a salir a la mañana siguiente, con la intención de buscar una nueva presa.

Como el cazador dejó su caballo, Ioanna pensó en huir e incluso llegó a montarlo. Era una bestia afable y parecía obedecerla, pero recordando su terror a dormir a la intemperie, regresó a la cabaña y se sentó a leer. Había encontrado una mención al

Patrimonium Petri y el tiempo en que la sede católica estuvo en manos de Carlomagno por completo. El monarca controlaba a los nobles francos, germanos, húngaros y bárbaros. Cuando se sintió cansada, decidió hacer una fogata frente a la choza y se sentó a contemplar las caprichosas formas de las llamas y las chispas que se elevaban hacia el cielo helado.

A lo lejos vio a Trampero, que volvía con una presa en el hombro. Puso leños sobre el fuego pensando en que había llegado la hora de cenar, pero al mirar de nuevo, se dio cuenta de que el cazador luchaba contra una imponente nube negra. Parecía un dragón con alas y garras, como el que había soñado varias noches atrás. Asió su lanza dispuesta a arrojarse contra lo que, estaba segura, era el mismo Asmodeo pero, al mirar de nuevo, distinguió a los murciélagos aleteando desordenadamente encima de Otto; uno lo mordió en el cuello y varios empezaron a revolotear sobre ella. Tuvieron que encerrarse hasta que la colonia volvió a su hueco en el techo de la cabaña.

—Es extraño que me hayan atacado, los murciélagos son tímidos —dijo él mientras se limpiaba dos pequeñas mordidas en cada lado del cuello—. Se encontrarán bajo algún oscuro influjo, ¿no has pensado en irte de aquí?

Asaron la presa y, frente al fuego, él le contó algunas cosas sobre su vida de cazador. Era común que muchos, además de matar a sus presas, asesinaran a otros para robarles las pieles. Debía andarse con cuidado, desconfiar de todos. Ella se mostró interesada y él le siguió contando: —He trabajado para lombardos, germanos y francos. ¡Ah!, y también para los sarracenos, que son gentiles y buenos para los negocios. Los musulmanes son excelentes comerciantes, pero todos les temen porque no saben tratarlos.

La joven recordó las palabras de Carolus: «Quien sepa tratar a los sarracenos, tendrá una buena arma para controlar a carolingios y cardenales». Un ronquido la sacó de sus cavilaciones; frente al calor del fuego y con el estómago lleno, su compañero se había quedado dormido. Ella observó que un delgado hilo de sangre le escurría por el grueso cuello; la mordida del murciélago era bastante profunda.

Al día siguiente curó las heridas del hombretón, ante el temor de que se le infectaran. Colocó la punta del cuchillo sobre las brasas y, mientras alcanzaba el rojo vivo, le lavó la mordida. No quiso decirle lo que pensaba: si el mal se había ido a la sangre, probablemente ya estaría en todo su cuerpo. Advirtiéndole el dolor que sentiría, posó la punta incandescente sobre la mordida y luego le untó savia de raíz de zarzaparrilla. Lo mandó que se recostara. Aquel hombre inmenso le hacía caso en todo; era evidente que la respetaba.

Mientras tanto, aprovechó la situación para saciar su curiosidad acerca de las experiencias del cazador, así que le pidió que le hablara de los bizantinos. Otto le contó que eran cultos y respetuosos de las creencias de los otros. Le habían dicho que, aunque nunca permitirían que la religión de Jerusalén entrara en sus tierras, los cristianos siempre serían bienvenidos.

En la tarde empezó a soplar un fuerte viento, seguido por aguanieve. Calentaron los restos del almuerzo y en tanto se alimentaban, se percataron que desde la periferia del claro, un lobo los observaba. —Lo espantaré —dijo Trampero y cogió su ballesta para encaminarse hacia la fiera.

Ioanna se metió al refugio. No acababa de avivar la fogata en el interior cuando Otto entró con los ojos abiertos, redondos como lunas llenas. Atrancó la puerta y recargó el arma en la pared y habló lentamente: —Ioannes, afuera hay algo descomunal. Sé bastante de osos y ese es gigantesco —dijo señalando la puerta—. Llegué cerca del lobo, pero un movimiento lo distrajo, se movía nervioso, volteaba hacia la maleza y hacia mí hasta que, al final, otra fiera lo hizo huir.

Ella esperaba más detalles sobre la apariencia del ser que

había aparecido, quizás Astaroth o Leviatán, pero esta vez Trampero no habló más. Ella evitó insistir para no forzarlo a exagerar, pues lo consideraba bastante fantasioso. Al cabo de un rato, un extraño bufido en el pórtico le llamó la atención. Se preguntó la razón por la que el caballo permanecía tan silencioso, pese a estar tan cerca del visitante de aquella noche. Se levantó para atisbar por el resquicio; notó que la bestia se encontraba recargada sobre la entrada al ver que unos pelos hirsutos se metían por la hendidura. El cazador dormía profundamente. Ella, inmóvil, pasó horas imaginando la posible defensa, temía que la bestia tirara la puerta al olfatear presas tan cerca, y Otto no tendría oportunidad de cargar su ballesta. No se percató cuándo la venció el cansancio.

Antes de que saliera el sol, él le movió el hombro: —Ioannes, lo mejor que podemos hacer es largarnos de este bosque, está maldito. Vámonos de una buena vez; cuando lleguemos a la aldea más cercana podremos cambiar unas presas por algo de cerveza y comida; luego buscaremos un par de buenas mujeres.

Dubitativa, se talló los ojos; recordó a la bestia en el pórtico y el caballo que nunca relinchó. Sin responder, se asomó y vio al corcel pastando cerca del río, al parecer había huido durante la noche y, luego, regresado. Entonces pudo caer en cuenta de lo que había escuchado: buscar la aldea más cercana, alejarse de ese bosque maldito. Reflexionó; no se arriesgaría a viajar y a que les robasen los escritos, que eran demasiados y muy valiosos. Prefería revisarlos y después salir. Sin embargo, no podía dejar de sentir agrado ante la propuesta: buscar mujeres, Otto no sospechaba ni un poco, había sucumbido a su disfraz.

—He sido visitado ya por Abaddón, Astaroth y Asmodeo. Ninguno se ha atrevido a cruzar el umbral. Hay algo que protege a quien esté adentro, además, debemos esperar mientras siga nevando, afuera nos congelaremos.

Él, inquieto, replicó: —Si no quieres venir, me iré yo. No

deseo caer en las garras de ese oso, y menos en las de un demonio. El día no está tan nublado, llevo años cazando en estos bosques y sé que es buen momento para salir; quizás antes de que anochezca llegue a algún caserío. Gracias por tu hospitalidad hermano, este cuchillo es para ti, de algo te servirá.

El sendero dejado por el cazador, mientras se alejaba por el campo cubierto de nieve, quebró los ánimos de la joven. A pesar de la desconfianza que siempre le tuvo, su partida la dejó abatida. Al recordar que, durante algunas noches de insomnio, había estado al borde de la locura al pensar que los demonios alados se paraban en el techo, se preguntó si su férreo deseo por revisar los documentos no era más que una insensatez.

Apresurada cargó el baúl, lo guardó debajo de las tablas y, con un atado de pergaminos a cuestas, corrió en dirección del rastro dejado por Trampero. Algún día regresaría por la caja; ya habría tiempo de llevarla a Roma. Sin embargo, la nieve caía a raudales, dificultando su avance. A pesar de que el cazador iba demasiado rápido, creyó que podría alcanzarlo. Horas después, cuando temió perderse, desistió.

VII

UNA FRÁGIL ESPERANZA

Es terrible el sentimiento que surge
al perder la última esperanza.

Ioanna de Maguncia (822-857)

De regreso a la cabaña encontró dos manzanas en el rincón que ocupaba el cazador y las devoró. Encendió la hoguera y cuando recargó la espalda contra la puerta vio las formas vegetales de Eva, su compañera imperturbable: —Mis días acabarán en las garras de la fiera o en el hocico de algún lobo —miró hacia el fogón y comprobó que Otto se había llevado la miel que quedaba; suspiró, molesta—. Comeré raíces y, cuando el invierno y yo hayamos terminado con todo fruto de la tierra, devoraré los escritos de Teodoro. Sus letras serán armas de sobrevivencia para mi espíritu, el papel mantendrá mi pobre cuerpo, atado de un hilo a esta vida. Moriré o encontraré alguna luz en medio de estas tinieblas.

La nevada de aquella noche amenazó con hacer desaparecer el bosque. Ioanna se concentró en unas hojas escritas por Teodoro: *Sacre praesagium*. Ahí se asentaban sus predicciones sobre los acuerdos establecidos entre la Iglesia y los carolingios, además de que sugería transformar la vocación catequista de la institución en un propósito político. Al observar el campo desde el pórtico, con los papeles entre las manos, imaginó todos los inviernos que el asceta había pasado encerrado, leyendo y reflexionando. Ahora ella vivía en carne propia esas profundas experiencias, con los escritos y Eva como única compañía en medio del bosque, entre las constantes visitas de los depredadores esquivos.

Escuchó pisadas. Se acercó a mirar por la rendija y de inmediato su campo visual se ennegreció. Era el oso que, imponente, se acercaba a la puerta. Por momentos parecía que las trancas se harían astillas, pues se doblaban con el peso del enorme animal que se había echado en el pórtico, esperando que su presa saliera de la cabaña. Ioanna entendió que, antes de buscar refugio en alguna cueva para hibernar, el animal necesitaba alimentarse, por lo que no se movería hasta atraparla. Pasó la noche rogando que las trancas se mantuvieran en su sitio.

Un relincho la hizo levantarse por la mañana. Desde la rendija observó cómo el oso se despertaba torpemente. Alcanzó a ver su cabeza, ¡era del tamaño de cuatro cabezas humanas! La bestia miraba hacia el horizonte desde donde se oyó un nuevo relincho. Entonces, corrió en busca del sonido; su cuerpo de enormes músculos y brillante pelaje se movía ágilmente, levantando ráfagas de nieve. Ioanna abrió la puerta y al verlo otra vez notó que tenía una flecha de ballesta clavada en un hombro; así, herido, era aún más amenazador. El animal trató de quitarse la saeta tallándose contra un árbol; conforme se restregaba gruñía y se quejaba, exhalando dolorosamente. Al final, la flecha cayó al suelo y la fiera se paró en dos patas, furiosa; era gigantesca. Rompió el tronco de un árbol como si se tratara de una varita y se internó en lo más espeso del bosque. Del caballo que habían escuchado no quedaba rastro.

Ese día, se entretuvo recogiendo nieve para fundirla y apagar su sed. Al regresar, sorprendida, vio un corcel con montura franca atado en el portal de su choza. La puerta estaba cerrada. Forzó la entrada y se encontró con una ballesta en el piso. Sobre el camastro, tumbado, un hombre joven y delgado temblaba, cubierto de sudor; parecía muy enfermo. No fue capaz de responder sus preguntas; sin embargo, con la mirada le agradeció que lo cubriera con una manta. Ella prendió un abrigador fuego y le ofreció un poco de agua, que bebió con avidez. Seguramente se trataba de un noble, pues tenía las manos cuidadas. Le quitó las botas. En ese instante se sintió feliz por volver a tener compañía y la esperanza de salir con vida del bosque. Atrancó la puerta y pasó sus dedos entre las ensortijadas enredaderas que formaban el cuerpo de Eva. Se dispuso a dormir en el suelo.

Un balbuceo la despertó a la media noche. El viajero seguía con fiebre, así que preparó una infusión de polvo de abrojo, llantén y hojas de tanaceto. Lo vigiló durante toda la mañana y la tarde, preocupada por su falta de apetito. El temblor aumentaba y se quejaba continuamente.

En cuanto el alba horadó de nuevo las grietas de la pequeña cabaña, Ioanna se levantó a revisar al enfermo. Había muerto. Sostuvo la mano inanimada del joven jinete y lloró como no lo había hecho en toda su vida. La tristeza, el vacío y la soledad iban apoderándose de su alma, como el agua que va colmando un cántaro hasta desbordarlo. No se habían dirigido una sola palabra. Sintió que la fortuna se burlaba de ella, pues la oportunidad que creía que la vida le había enviado, llegaba encarnada en un moribundo.

Durante horas observó el cadáver del viajero; el desamparo le robaba el aire. Cuando el sentimiento de orfandad se volvió insoportable, se abrazó a sí misma, tratando de contener su impotencia. Recordó su infancia en Ingelheim, cuando Judith la cargaba para enseñarle las flores del camino, a las orillas del Rin. La sonrisa de su madre penetró hasta el último rincón de su corazón y sintió un gran deseo de abrazarla. Hizo a un lado las trancas y salió a tomar aire.

Afuera, el corcel del extraño clavaba el morro en la nieve, buscando alguna brizna para alimentarse. Ioanna se acercó, le quitó la talega y exploró su contenido. Solo había un documento con el sello papal; Gregorio IV se lo enviaba a Teodoro de Siegen. También buscó algo de comer entre las pertenencias del caballero, pero no había nada. De vuelta en la cabaña, le quitó un anillo grabado con la inscripción *Famille Chauvet*. Lo desnudó y, por la tarde, cavó una zanja para enterrarlo. A pesar de tratarse de un hombre delgado, su cuerpo pesaba bastante; lo arrastró trabajosamente y cubrió sus restos con tierra y piedras para evitar que los depredadores lo sacaran.

Al caer la noche quedó ensimismada, segura de que nunca saldría del bosque. En esa negrura, su angustia y sus temores se iban haciendo cada vez mayores. Viendo juguetear las trémulas figuras reflejadas por el fuego en la pared, se dejó llevar a los dominios de Morfeo.

Tres días después, ya con poca agua y a pesar de la nevada de la noche anterior, decidió salir de nuevo. El reflejo de los rayos solares en la blancura infinita le lastimó los ojos. Pensó que su refugio necesitaba ventilarse, así que sacó las cenizas de la chimenea y dejó la cabaña abierta mientras se dirigía al río. Regresó solo para encerrarse una vez más. Al calor del fogón intentó traducir la carta que había encontrado entre las pertenencias del franco; además del nombre de Pierre Chauvet, poco pudo entender. Las pocas posibilidades de sobrevivir aniquilaban su ánimo.

VIII

OTTO, EL CAZADOR

> Mi vida no es como la he vivido, sino
> como la recuerdo cerca de la muerte.
>
> Otto Hardenberg (798-840)

Otto regresó con un compañero. En cuanto distinguieron la choza, se detuvieron a observar la chimenea humeante.

—¡Parece que mi amigo Ioannes está vivo! —dijo, incrédulo, y espoleó su caballo. Apenas desmontaron, golpeó la puerta. El orificio por donde acostumbraba atisbar, se oscureció. El cazador rio a carcajadas.

—¡Qué bueno que has vuelto! Hace días vino un caballero franco bastante enfermo y murió a las pocas horas. Yo también me resigné a morir en soledad.

—¿Lo enterraste? —el gesto afirmativo lo complació. Giró la cabeza hacia su acompañante y agregó—: él es Hans, hemos buscado osos, sin suerte. En esta época hibernan y, si los encuentras, no es difícil cazarlos. Llevamos días intentando, pero me he sentido mal; por las tardes me asaltan escalofríos y dolores en las piernas; estoy envejeciendo, Ioannes.

Hans callaba. Era más alto que Trampero y lucía una cicatriz en el rostro, tan pegada a la comisura de los labios que parecía simular una sonrisa; llevaba las manos heridas y las muñecas ceñidas por cintas de piel.

Instaló a los cazadores en su cabaña con la esperanza encendida. Se sabía capaz de sobrevivir en soledad, pero también le resultaba evidente que las habilidades y los saberes de los individuos eran más poderosos cuando se sumaban. Sin embargo, con las horas, el gusto por la compañía fue transformándose en enfado; los febriles gemidos de Otto y los ronquidos de Hans no la dejaban dormir y apenas le permitían leer.

Una mañana, Hans salió a cazar solo. Trampero no fue capaz de ponerse en pie; tenía un temblor incontrolable y los labios secos. Ioanna preparó una infusión que el enfermo bebió torpemente. Recordando el ataque del murciélago, se fue convenciendo de que aquella pequeña mordida había sido la perdición de su compañero. Durante horas escuchó el incesante lamento de Otto, que se revolvía constantemente sobre el lecho, sudando, desesperado. Por momentos parecía caer en un sueño profundo pero, de inmediato, abría los ojos con desmesura, inhalando como si el aire no le fuera suficiente.

Sin comer y sin importarle el frío, ella subió al techo de la choza; ahí se sintió tranquila y continuó leyendo. Cuando el viento gélido venció su voluntad de estudiar, bajó y vio que el cazador se contorsionaba de manera extraña, al tiempo que gemía y balbuceaba, arrojando espumajos constantemente. Ioanna que, tras la llegada del franco, comenzaba a conocer los signos de la enfermedad, supo que aquel hombre estaba perdiendo la conciencia. Le pareció que Otto era ya más demonio que humano, y deseó el pronto regreso de Hans para no tener que vérselas con la muerte en solitario. Afuera, sin embargo, el cielo daba avisos de una nevada inminente.

Apresurándose, salió a buscar hojas y ramas secas para calentar el refugio. Al regresar, lo encontró en el suelo, bocabajo, encorvándose como un gato furioso. Se retiró, invadida por un presentimiento infausto, al ver en los ojos del cazador una mirada que iba más allá de su entendimiento. La garganta, henchida de venas y espuma, emitió un fuerte alarido. Desde el umbral, Ioanna vio una silueta erguida entre los árboles más cercanos; el oso los miraba. Sin tiempo para afianzar la puerta, logró subir al techo de la choza, al tiempo que la bestia, pesada y jadeante, corría hacia ellos.

Un grito aterrador la hizo suponer que el cazador, entre brumas, había visto entrar a la fiera. En un intento instintivo por salvar su vida, se incorporó, pero antes de dar el primer paso, el oso se le abalanzó, haciéndolo caer sobre su espalda. Ioanna cerró los ojos y se entregó a rezar, vertiginosamente; sus palabras se entreveraban con el chasquido de huesos, y pedazos de carne arrancados por las fauces de la fiera hambrienta. Hecha un ovillo, susurrando, la joven repetía, maquinalmente, las mismas palabras: —Dios te guarde, querido Otto; ya no sufras más.

Pasaron las horas, y el frío amenazaba con matarla. Aún así, tuvo que esperar a que el animal terminara de comerse a su presa, lo cual sucedió caída la madrugada. Cuando quedó satisfecho, se internó pesadamente entre la maleza. Temprano, cuando el cielo apenas clareaba, Ioanna sacó los restos irreconocibles del cazador y los enterró junto a los del caballero francés.

Para evitar la llegada de otros depredadores, lavó la sangre que había formado manchas secas en el piso de la choza. Después no pudo hacer más que arrodillarse a rezar por el alma de Otto y esperar la llegada de Hans, mirando hacia la espesura de tanto en tanto. Afuera dominaba una blancura grisácea, pues el sol no se dignó a bañar aquel día con sus rayos.

Durante la noche, desde su lecho, oyó que los lobos rondaban inquietos el claro sobre el que se asentaba su pequeña cabaña. Para mantenerlos a distancia, prendió una fogata.

Cuando la luz emanada por el fuego se volvió suficientemente intensa, se miró las manos y quedó sorprendida al encontrarlas cubiertas de cicatrices; las articulaciones de sus largos dedos tenían ligeras inflamaciones, las uñas largas y oscurecidas. Entonces, tuvo la certeza de que alguna maldición había caído sobre aquel lugar, que el acceso a la privilegiada información de Teodoro comenzaba a tener un costo demasiado alto y que la enfermedad había penetrado en su cuerpo. De ser así, pronto se encontraría sumergida en los mismos trances. Tuvo miedo. Si se salvaba de aquella peste, estaba dispuesta a abandonar la choza y el bosque lo más pronto posible.

Temprano salió al río. Requirió dos viajes para recoger todos los mechones de cabello y pequeños pedazos de cráneo ensangrentados esparcidos; era necesario retirar cualquier resto que atrajera a las bestias. Se afanaba en ello cuando el caballo de Trapero apareció cerca del riachuelo, buscando hierbas apaciblemente. Lo tomó de la brida y lo condujo al refugio hablándole amablemente, convencida de que, para salir de ahí juntos, debían trabar amistad. Estando de vuelta amarró el cofre a la silla, acomodó los escritos en una alforja y metió la carne seca en la otra. Cuando trató de montarse, el caballo, agitado, se levantó sobre sus cuartos traseros y huyó, dejándola tirada sobre la nieve, con las mejillas rojas de vergüenza.

Arrepentida de haberse apresurado, regresó a la choza. Mientras encendía el fuego, un ruido la hizo asomarse por el resquicio. Era Hans, que volvía con el caballo de Otto sostenido por la brida; aún con el cofre atado. El cazador entró y, apenas escuchó la historia de la muerte de su compañero, se puso en pie y dispuso todo para su partida, determinado a buscar al oso para matarlo. Era un hombre de pocas palabras y movimientos rápidos; en apenas minutos ayudó a Ioanna a montar el caballo de Otto, mientras le explicaba la manera de llegar a una casa de religiosos situada a una jornada de camino. Tras desearle suerte, Hans desapareció entre los árboles.

La joven miró por última vez la choza y, entre lágrimas, se despidió de Teodoro, Eva, Otto y el caballero franco. Caía la tarde cuando se internó por el estrecho sendero indicado por el cazador de osos. El deshielo comenzaba y una cruel humedad le calaba las rodillas. Una noche sin estrellas la envolvió; tendría que confiar en su suerte. No supo cuántas horas cabalgó en la misma dirección hasta que, al amanecer, una piedra la golpeó en la frente; supuso que querían robarle el caballo y, tal vez, la caja de Teodoro.

Espoleó al caballo y se alejó a galope hasta sentir que volvía a encontrarse sola; la sangre bañaba su rostro. Desmontó con cuidado, sujetando al caballo con autoridad ante el temor de perderlo de nuevo. Se dirigió hacia un abeto, desprendió un trozo de corteza y cortó algunas hojas de un vástago del enorme árbol. Maceró el follaje junto a la corteza, humedeció un pedazo de su hábito y se vendó la herida. Continuó durante dos días, con la visión cada vez más borrosa: la herida y el hambre la estaban consumiendo. Finalmente, una pequeña capilla enclavada en una ladera lejana asomó a sus ojos. Parecía flotar entre la suave niebla, como la visión de un sueño. Se entregó, entonces, al sopor que le colmaba el cuerpo, sobre el suave lomo del caballo.

—¿Está vivo? —escuchó una voz, mientras sentía que varios brazos la descolgaban de la montura.

—¡Está congelado!, parece que es un hermano, ayúdenme a pasarlo adentro.

Cuando la colocaron sobre el sencillo lecho que le habían asignado, comenzó a entrar en calor. Temerosa de ser descubierta, echó mano de todas sus fuerzas para incorporarse y convencer a quienes la rodeaban de permitirle cambiar sus hábitos y descansar en soledad. Al día siguiente, fue incapaz de levantarse, al sentir el calor y la seguridad de aquel techo. Cuando la tarde comenzaba a caer, escuchó que los hermanos conversaban cerca, en el estrecho pasillo. Entre las voces escuchó una que le pareció familiar.

—¿Está enfermo? —el silencio se quebró con el chirrido de la puerta—. Si quieren puedo llevarlo al monasterio de Fulda. Quizás el padre Sebastián pueda ayudarlo; allá tendrán sitio y comida que ofrecerle. Ahora que he bajado la escultura tengo espacio en el carro, déjenme hacerle un lugar.

El hombre se alejó y Ioanna, con el corazón rebosante, tuvo que hacer un esfuerzo para mantenerse inerte, mientras dos misioneros la cargaban hasta depositarla en la parte trasera de la carreta. Junto a ella colocaron la talega con los escritos y el baúl. Un hombre desconocido también subió y se acomodó a su lado.

Por primera vez, desde la muerte de Teodoro, se sintió protegida. Pensó que, finalmente, la suerte la había visitado. Con la espalda cómodamente apoyada sobre algunos bultos, se dejó mecer por el vaivén de la carreta que la conducía de vuelta a casa y vio, desde su rincón, el sólido cofre que tenía en custodia. Pensó que, a semejanza de la caja de Pandora, aquel objeto contenía todos los males del bosque y que, mientras lo mantuviera cerrado, la diosa griega Fortuna la protegería. El llanto, que desbordaba sus grandes ojos, era distinto esta vez; carecía del gusto amargo que viene con la muerte y la desesperación.

Se detuvieron en una finca. El hombre que los acompañaba se bajó de un salto y regresó con dos grandes hogazas de pan. Se despidió. Cuando echaron a andar de nueva cuenta, Gerbert le ofreció un pedazo de pan a quien pensaba era un desdichado joven misionero que había perdido el rumbo. El gesto de cuidado conmovió a la joven, que se abalanzó sobre su padre, abrazándolo por detrás. Él se levantó sorprendido.

—¡Soy tu hija! ¡Soy Ioanna! Él detuvo la carreta. Una mirada y un abrazo los unieron. Él lloraba, colmado por el gozo de sentir los brazos de su hija extraviada. En el largo camino de regreso conversaron animadamente sobre lo ocurrido durante el tiempo que habían pasado separados.

—Después del ataque de los sarracenos, tuvimos que reconstruir la casa. Durante días esperamos tu llegada, ¿por qué no regresaste? Creímos que te habían llevado lejos, tu madre prefirió pensar que habías muerto.

Ella no alcanzó a contestar; los árboles, las piedras, las curvas del camino, el paisaje entero comenzaba a resultarle extremadamente familiar. En cuanto distinguió su pequeña casa, aquella en la que jugó de niña antes de conocer las desgracias y la soledad, se bajó y corrió gritando:

—¡Madre, madre! Tropezó varias veces hasta que, por fin, se hundió entre los brazos de Judith. Cuando logró soltarla, ciñó a sus hermanos, Marco y Juan, en un abrazo que unió los tiempos y apaciguó demonios.

Tras el regreso de su hija, Gerbert empezó a trabajar con nuevos bríos. Ioanna notó que la familia se había adaptado a vivir sin ella y tuvo que dormir junto a la mesa que utilizaban para comer. Se esforzaba por olvidar las imágenes de las noches en la cabaña, sin embargo, escuchaba ruidos entre sueños, se despertaba agitada, bañada en lágrimas y sudor. Pese a la felicidad que le proporcionaba haberse reunido con los suyos, algo se mantenía inquieto en su interior. Después de varios días, pensó que una celda en un monasterio era más cómoda para dormir que el suelo; también sospechó que a Marco y a Juan les servían poca comida para poder alimentarla a ella también.

Su padre le preguntó por el contenido del pequeño baúl que guardaba con tanto recelo. Ella le contó la historia de los restos del santo Zacarías y la promesa que había hecho a Teodoro de devolverlos a Roma. La conversación reavivó las agitaciones en su interior; la presencia de las reliquias le hacía sentir que terribles sucesos se avecinarían si no conjuraba la furia que parecía estar contenida en aquella caja.

Cierta tarde en que sus hermanos jugaban, mientras ella y Judith recogían hongos, un jinete atravesó la finca a todo galope. Al pasar cerca de ellas, les gritó algunas palabras que no alcanzaron a entender, Ioanna palideció y un terror indescriptible se apoderó de ella. Corrió a prevenir a su padre de la nefasta presencia del vigía.

En una oscuridad pasmosa y presa del frío que calaba hasta la médula, la familia se escondió debajo de un puente cercano. Apenas lo hicieron, seis sarracenos se apostaron frente a la casa. Pese a las protestas de Ioanna, Gerbert se fio de su habilidad de negociante y salió a hablar con los extraños, pero al poco tiempo las voces cobraron tintes de furia. Intentaron matarlo y, librando el ataque por poco, montó en su caballo y huyó. Pasaron algunas horas hasta que pudo volver al sitio donde se escondía su familia: —Vienen por mí —dijo, abrazando a Marco—, aseguran que los cristianos envenenan el alma de la gente y me buscan por esculpir imágenes religiosas.

IX

GERBERT Y JUDITH

Numquam ubi diu fuit ignis deficit vapor.
(Jamás faltó humo donde hubo fuego largo tiempo).

Vencerás Ioanna con no dejarte vencer.

Hildegarde Kampeter (818-855)

Un griterío invadió el ambiente; el ataque se había extendido a todo el caserío. Los agresores se acercaban, blandiendo sus cimitarras, gritando en su lengua ininteligible. Era preciso actuar de inmediato. Gerbert subió a sus hijos al carro donde ya los esperaba Judith y arreó a los caballos para alejarse cuanto antes. Entonces, escuchó los cascos de un corcel y los alaridos de otros sarracenos que se habían unido a la persecución. El carro se movía violentamente sobre las ondulaciones del camino mientras que los jinetes tenían la ventaja de no arrastrar el gran peso de una carreta.

Sabía que una vuelta mal tomada o un tirón equivocado de las riendas serían el desenlace fatal. A pesar de ello, seguro de conocer el camino, decidió fustigar a los caballos sin tregua. Por fin, algunos hombres fueron rezagándose; solo uno de ellos acortaba la distancia. Conductor y jinete sabían que todo era cuestión de resistencia.

El atacante les dio alcance y sacó su cimitarra. Con la mitad del cuerpo fuera de la inestable carreta, Judith lanzó una manta sobre la cabeza del caballo, provocando su estrepitosa caída.

Continuaron su vertiginosa carrera, a pesar de haberse quitado de encima al fiero sarraceno, hasta que se sintieron a salvo. Solo al detenerse notaron la ausencia de Ioanna.

Armados con hachas, azadones, guadañas y palos, un grupo de aldeanos se organizó para enfrentarse a los invasores. Con gritos y amenazas llamaban a la gente a sumarse a la defensa. Envalentonados, se dirigieron a la capilla donde había comenzado la agresión; Gerbert los seguía, buscando ansiosamente algún rastro de su hija. Al llegar, los asaltantes ya habían huido. El puente bajo en el que se había escondido la familia se hallaba desierto. Lleno de culpa, pensó que esta vez los extraños se habían llevado a la joven.

Mientras tanto, oculta dentro del hueco de un tronco, Ioanna escuchó trotes de caballos y una escaramuza. Cuando oscureció, se dirigió de vuelta a la casa. Durante la caminata, no pudo evitar pensar que su padre la había abandonado intencionalmente para poner a salvo a sus hermanos y madre; consternada, sintió el recelo crecer en su interior. Sin embargo, a su llegada lo encontró sentado sobre una piedra, mesándose los cabellos con gran angustia. Corrió a abrazarlo y se soltó, al mismo tiempo, de las garras del demonio que la atormentaba. Todos estaban ilesos.

Al siguiente día, la joven apareció ataviada con el hábito benedictino. Su padre no ocultó su molestia y le pidió que se lo quitara; tenían suficientes problemas con las invasiones y los saqueos como para tentar a la suerte con semejante disfraz. Ioanna, sin embargo, estaba resuelta; había notado que la familia batallaba para conseguir el sustento, además de que el llamado que palpitaba en lo más profundo de su ser tiraba de su voluntad como un caballo joven hacia un rumbo distinto.

—Hice la promesa de llevar la caja a Roma y tengo que cumplirla —dijo con semblante tranquilo, sosteniéndole la mirada a su padre; no agregó más. Recogió los documentos, sacó el cofre y se despidió. Volvería a Fulda para entregarle a Sebastián los escritos que había heredado de Teodoro. Después se las arreglaría para hacer llegar los restos de Zacarías a su destino. Quizá la aceptaran definitivamente como un hermano más; de ser así, terminaría sus días sirviendo a Dios bajo la piel de Ioannes de Ingelheim.

Marco y Juan la acompañaron hasta el sendero, ayudándole con la caja; ambos prometieron buscarla. Para evitar alargar la dolorosa despedida, Ioanna prefirió averiguar por su cuenta en dónde se encontraba el monasterio, antes que pedirle a su padre que la llevara. Inició la caminata tratando de recordar, creyendo ver paisajes que le parecían familiares, aunque, en ocasiones, imaginaba que el bosque le cerraba el paso para hacerla volver con su familia.

Después de pocas leguas, la pequeña caja le pesaba demasiado, así que se detuvo a descansar. Cuando se disponía a seguir, pasó un labriego en su carreta: —¡Voy hacia el norte!, cerca de Freudenberg; puedo llevarte, hermano.

A pesar de no haber escuchado aquel nombre en su vida, aceptó con tal de salir de la comarca. Su único alimento durante los dos días siguientes fueron unos pequeños pedazos de queso que el carretero le ofreció. Por él se enteró de que Freudenberg estaba muy cerca de Siegen, el sitio donde había nacido Teodoro. Al siguiente día llegaron a un lodazal rodeado de una decena de casas.

—Ese era el lago de Siegen, se secó hace poco tiempo. Debo dejarte aquí, espero que encuentres a alguien con quien seguir tu viaje.

No muy lejos, dos mujeres encerraban vacas en un corral; Ioanna se acercó y las saludó en anglosajón, pero no le entendieron. En germano, les dijo que su padre era de Bretaña y que había vivido en Ingelheim, que buscaba posada para pasar la noche; ellas le preguntaron si quería ordeñar vacas a cambio de techo y comida.

Esa misma mañana se unió a la faena en el establo Matías, un hombre regordete de mejillas rosáceas. Con la práctica de unos pocos días, logró recoger la misma cantidad de leche que las dos hermanas del granjero juntas; quienes, rápidamente, se incomodaron. Sin inmutarse, Ioanna continuaba entregándose al trabajo y a la oración como en sus días de eremita, que la habían marcado como un hierro caliente.

Después de cada jornada, exhausta, dormía en el granero sobre un sencillo camastro que le habían acondicionado. Un día, más temprano de lo habitual, Matías irrumpió en el lugar mientras ella, recién levantada, removía un haz de paja ensangrentada de su lecho. Esa misma noche, después de la elaboración de la mantequilla, la joven se quedó a limpiar el rastrojo. El corpulento hombre se acercó y, sin palabras de por medio, la levantó en vilo sin esfuerzo alguno. Ella tardó en comprender.

Con violencia, la tiró al pajar y dejó caer su enorme peso sobre el esbelto cuerpo de Ioanna. Ella trataba de zafarse, pero el agresor la aplastaba, se movía incesantemente, buscando con sus manos, despidiendo un olor espantoso. Las vacas se asustaron y mugieron tanto que lograron atraer a las dos hermanas al granero. Al encontrarse con aquella escena y sin preguntar, la sacaron a puntapiés e insultos. Afuera llovía copiosamente y las mujeres habían arrastrado a la joven sobre el barro mientras ella les rogaba que la dejaran pasar esa noche, asegurándoles que al alba se iría. La mayor aceptó.

Adelantándose a los primeros rayos matinales, cogió los escritos y el baúl, enredando todo en una manta, y salió. Hacía demasiado frío y numerosos charcos salpicaban la tierra. Anduvo camino arriba, siguiendo una vereda, y al llegar a lo más alto se sentó en una roca. Desde ahí vio a un jinete dirigirse hacia ella; era Matías, montando a pelo, con la cabeza vendada. Cogió el atado y corrió a esconderse entre los matorrales.

Se detuvo debajo de un árbol; una lechuza revoloteó sobre su cabeza y ella la ahuyentó con un fuerte manoteo. Entonces distinguió el rostro de Matías, abalanzándose sobre ella y haciéndola caer pesadamente sobre el húmedo suelo del bosque. Ioanna soltó la resistencia y se limitó a sonreír dulcemente. Al ver que la joven no reaccionaba ni lo agredía, el hombre soltó una alegre carcajada, suponiendo que deseaba lo mismo que él. De pronto, una piedra se estrelló en la cabeza del agresor. A toda prisa, la joven se perdió en lo más espeso del bosque.

El hombre se incorporó y comenzó a buscarla con pasos pesados, jurando y maldiciendo, mientras ella lanzaba piedras cuesta abajo, con la intención de distraer a su torpe agresor. Sabía que, con el suficiente cuidado, podría recuperar su equipaje y, con un poco más de suerte, robar el caballo. Caminó aprovechando que la humedad amortiguaba el ruido de sus pasos. El cielo clareaba. Cuando recogió sus pertenencias corrió hacia el animal, con el corazón desaforado, montándolo rápidamente. No tenía tanta destreza, sin embargo, logró alejarse a trote. Los gritos de Matías se perdieron en el bosque.

Cabalgó durante toda la mañana hasta que, cerca del mediodía se cruzó en el camino de dos campesinos a quienes preguntó si sabían cómo llegar al convento de benedictinos, situado a orillas del río Fulda. Le informaron que estaba a un día de camino, siguiendo la ribera; no había forma de perderse. Un soplo de confianza la acompañó el resto del camino y así, con la espalda erguida, cabalgó junto al río, con los hábitos desplegados al viento.

Al llegar a Fulda, encontró la puerta entreabierta. Entró al patio a galope, causando alarma entre los religiosos. Sebastián bajó, apresurado, del segundo piso; no podía creer lo que veían sus ojos.

En el refectorio, puso el atado sobre la mesa y le entregó al abad los documentos, explicándole la materia que trataban. Narró a los monjes los acontecimientos de los últimos meses, incluyendo la terrible muerte de Teodoro y lo ocurrido después, cuando se quedó sola en las entrañas de aquel bosque. Finalmente, se refirió a las reliquias de Zacarías, que debían ser enterradas en Roma a petición del sabio eremita.

La hazaña de la joven, difícil de concebir en un sacerdote y mucho menos en una mujer, hizo que los hermanos le rindieran respeto y la aceptaran en la comunidad como uno más de ellos. Sebastián indicó a todos que se dirigieran a ella como hermano Ioannes y amenazó con castigar severamente y echar fuera a todo aquel que pretendiera hallar en él a una mujer. Desde ese momento, Ioanna vivió libremente entre los muros de Fulda, sin quitarse nunca sus ropajes benedictinos.

Una mañana, el abad convocó a los frailes.

—El obispo Imanol Serville me ha presionado para que, a la mayor brevedad, todos sean ordenados —luego se dirigió a su discípula y le dijo en voz alta, para que todos pudieran escucharlo—: Me has ayudado bastante, pero no puedes ordenarte, sería una falta grave. El día que se lleve a cabo la ceremonia para los novicios te encerrarás en tu celda y nos acompañarás en oración. Sin embargo, el hermano Frumencio volverá a ser tu instructor.

Sintiéndose finalmente acogida por los hermanos, deslizó el cofre debajo de su lecho y se olvidó de él. Durante los meses que siguieron, a pedido del padre Sebastián, tradujo algunos de los escritos de Teodoro. Un día, mientras hojeaba los folios, encontró uno que había clasificado como intrascendente. Lo llevó ante su maestro y le pidió que le ayudase a traducir del galo ese y otros apuntes. El fraile accedió. Leyó minuciosamente las tres hojas que integraban la carta del viajero franco que había muerto en la choza. Mientras recorría las líneas alzaba sus expresivas cejas y sonreía ligeramente. Apenas terminó, le dijo:

—Es una petición de Teodoro de Siegen al papa Esteban IV. En ella le suplica que, durante el próximo Concilio, acepte la incorporación de sacerdotes con esposas al seno de la Iglesia. Después hace un recuento histórico, señalando que, durante el Concilio de Iliberis, en el año 300 del Señor, el papa luchó a favor de la exclusión de los varones casados y que, desde el Concilio de Nicea, quedó prohibido que cualquier sacerdote estuviera unido a una mujer. Menciona, también, que en aquella ocasión se dictaron las reglas que definían la autoridad de los obispos y mediante votación, los treinta y dos asistentes decidieron que Jesús era el mismísimo Dios en la Tierra y no un profeta humano y que, en el mismo año, en la ciudad de Laodicea, se estableció que ninguna mujer podía ser ordenada, sin importar su vocación, ni su entrega. Al final de la carta, pone en duda estas decisiones y le solicita a Pierre Chauvet que sea el mensajero de la misiva. Es extraño que la haya regresado sin haberla entregado.

Después de cavilar un rato, Ioanna se dirigió a Frumencio:

—El padre Carolus solía contarme que en los primeros concilios se definió a la mujer como eje de maldad; él nunca creyó que aquella sentencia fuera cierta y me enseñó a rechazar semejantes ideas. Cuando, tiempo·después, el camino me condujo a la choza de Teodoro, supe la historia de Siricio, que en el año 385 abandonó a su mujer para convertirse en papa, imponiendo que ningún sacerdote podría dormir con su cónyuge nunca más.

—Así es, Ioannes —dijo Frumencio sonriendo—. El papa Siricio llevó a cabo el Concilio de Capua en 391, a partir del cual surgió tal ordenamiento.

De vuelta a su celda, se dedicó a pensar en la trascendencia del Concilio de Iliberis, en el que se buscó restaurar el orden en la institución eclesiástica. Aquellos eran tiempos en los que la Iglesia se enfrentaba a las consecuencias de años de persecuciones. Por aquel entonces, cientos de fieles que habían sido obligados a apartarse de la fe, pugnaban por volver al rebaño. Recordó a los papas Marcelo y Eusebio, que hicieron frente a las exigencias de los apóstatas, y la postura de obispos que se oponían a sus decisiones. Ambos terminaron siendo expulsados por el emperador Marco Aurelio Valerio Majencio y murieron lejos de Roma. Sin duda, fueron tiempos interesantes. Trató de imaginar los lejanos y cálidos paisajes de Iliberis, salpicados de flores todo el año, según le habían contado. Con esa evocación en mente, se durmió.

X

EXCLUSIÓN EN EL MONASTERIO

Ex Oriente lux, ex Occidente lex.
(Del Oriente la luz y del Occidente la ley).

Los que siguieron fueron meses de plena instrucción. Después de muchas horas invertidas en lecturas y discusiones, Frumencio fue convirtiéndose en el sustituto de Carolus y Teodoro. Los tres maestros eran diferentes: el primero era amable y paciente; en tanto que el segundo solía mostrarse agudo, frío e inteligente; Frumencio, pese a ser entendido, era portador de una enorme sensibilidad y con el tiempo fue mostrando un sutil cambio de actitud hacia la joven a su cargo. Una mañana, a la hora de contemplación, le dijo:

—Sé de un ángel que tiene los ojos de un color tan extraño y cautivador que, de una mirada, tiñó la floresta.

Estas palabras fueron suficientes para que Ioanna confirmara su sospecha. Sin gesticular ni un ápice, hundió la mirada en el suelo. Él lo notó y no le dio importancia.

Con el arribo de las lluvias, cada tarde el cielo se desplomaba sobre los techos del monasterio y la humedad se impregnó en el ánimo de la joven aprendiz, quien se sentía inquieta. Una tarde particularmente lluviosa, se encontró con su maestro en la biblioteca; frente a la luz de un candelabro, el monje leía la carta del caballero franco. Al verlo, sintió que era buen momento para discutir el contenido del documento y le dijo que deseaba profundamente lograr que las mujeres pudieran ser tan importantes como los hombres en la Iglesia. Para su desagrado, él se guardó la carta en el hábito, y pensó que nunca se la devolvería.

—Es una difícil tarea, encontrarás tantos enemigos como propuestas hagas. Algunas lecturas han influido en ti, pero debes saber que el mundo real no suele ser fiel reflejo del reino de las ideas —dijo, al tiempo que acercaba suavemente su mano hacia la de su discípula, quien con un movimiento discreto, guardó el brazo dentro de los pliegues del hábito. Al ver que le rehuía, el religioso se levantó y clavó una mirada penetrante en los ojos de la joven. Afuera la tormenta arreciaba. Con voz serena se limitó a decir—: He hablado con Sebastián. Coincido en que quizá lo mejor es que te incorpores a un convento de monjas.

Se mantuvo callada un rato, pensando que, después de todo, en una orden femenina podría estar cerca de aquellas a quienes había jurado defender ante la autoridad de la Iglesia. Respondió suavemente: —Estoy dispuesta a obedecerlos. En cuanto dispongan el sitio al que debo partir, con gusto lo haré —aquella noche, sacó la caja que guardaba debajo de su sencillo lecho.

Se aproximaba la ceremonia de ordenación. Sebastián pensó en transferir a Ioanna después de aquel solemne día, en parte para cumplir con su palabra y, también, con la esperanza de recibir la eficiente ayuda de la joven durante los preparativos de la cena ceremonial. Sin embargo, un nuevo altercado entre ella y Frumencio, mientras discutían sobre el tema del celibato, lo llevó a cambiar de opinión. Ioanna había estallado y alegaba en voz demasiado alta:

—¿Por qué no permiten que las mujeres puedan oficiar misa? La mayoría de ustedes es incapaz de comprender la naturaleza humana, tan es así que creen que el conocimiento les pertenece y han vuelto a la Iglesia en contra de sus propias siervas. Conciben a las mujeres como cuerpos sin alma, cascarones huecos de los que solo pueden servirse. Tal vez sea porque nos temen que prefieren la cercanía de otros hombres.

Poco tiempo después, Frumencio le informó a Ioanna que había llegado el momento. Por la mañana, la conduciría con las monjas de Santa Biltrude. En su celda, la joven hizo un atado con varios escritos y el cofre. Montados en dos burros, partieron al alba; recorrieron silenciosos su camino, contemplando el húmedo paisaje: el verdor del bosque estaba particularmente encendido y de las bases de los troncos de los árboles asomaban las cabezas de cientos de hongos. Fuera del monasterio la vida se mostraba exuberante.

Horas más tarde llegaron a una posada. Después de amarrar a los dos jumentos, ella se acomodó el atado sobre un hombro y acompañó al sacerdote hasta el patio en donde encontraron al tabernero.

—Hermano Frumencio, usted y el padre Sebastián siempre han ocupado el mismo aposento. ¿Por qué su acompañante y usted necesitan separarse esta vez? ¿Acaso hay desconfianza entre ustedes? Recuerde que prometí no cobrarles la posada, pero acomódense en un solo sitio o esperen que les prepare otro.

Se instalaron en los cuartos que habían sido preparados para ellos. Frumencio le pidió a Ioanna que lo esperara en aquel sitio y salió andando tranquilamente por una pequeña vereda. Sin embargo, ella lo siguió a una distancia prudente y vio que se dirigía hacia una casa donde varias mujeres tendían ropa, mientras que otras cultivaban un pequeño huerto. Curiosa, esperó pacientemente a que el sacerdote saliera, sentada entre la hierba crecida; en cuanto lo vio de nuevo se levantó, causando el asombro del religioso. Él se ruborizó y sonrió, tratando de aligerar el extraño momento.

—Eres demasiado inteligente, no puedo engañarte —dijo, manteniendo la sonrisa—. Ioanna, el hombre necesita a la mujer y viceversa, pero, ¿son criaturas iguales? Hace casi mil doscientos años, el hijo del médico del rey de Macedonia influyó en las escuelas de Grecia. Aquel hombre era Aristóteles y tenía sus propias ideas sobre el mundo femenino. ¿Quieres instruirte sobre su concepción de las mujeres? ¡Ve a Grecia y aprende!, quizás alguien pueda contarte mejor que yo que ese gran filósofo pensaba que valían menos que el hombre; que son algo similar a un esclavo.

—¿Y el esclavo no es también un hombre?

—Aristóteles diferenció las condiciones de ambos, decía que el esclavo no tiene en absoluto la facultad deliberativa, mientras que la mujer la tiene, pero de forma ineficaz —al ver la mirada de reprobación de su alumna, siguió—: según él, la mujer es una ostentación obscena; juzga con el sexo y no con el pensamiento. Cuando lleguemos al convento te enseñaré un escrito que dejé en custodia de la superiora, pues no podía tenerlo en Fulda. Ahora sigamos, ya he dicho bastante.

Al día siguiente continuaron su cabalgata. Él sabía que el silencio de la joven se debía a que reflexionaba con profundidad sobre la discusión del día anterior. Ella, por su parte, sentía que Frumencio era poseedor de secretos y saberes que llamaban poderosamente su atención, y pese a su conducta extraña parecía ser un buen compañero de viaje. Por contraste, temía llegar a un sitio en el que las monjas se limitaran a orar sin cuestionamientos. La joven cavilaba, con la mirada extraviada en la crin de su apacible cabalgadura.

A media tarde, asomó en el horizonte una casa de techos

altos. Al acercarse, Ioanna pudo apreciar su enorme puerta de madera, rematada por una cruz que adornaba el dintel. Antes de anunciar su llegada, Frumencio se apeó para ceñirse el hábito y acicalarse un poco. En voz baja le dijo:

—Aristóteles fue un genio. No hubo campo del conocimiento que no se viera abrillantado por su influencia. Su metafísica inspira hoy a filósofos y pensadores, pero tuvo mala suerte con las mujeres. Pitias fue su primera esposa, después Herpilis, y tuvo otras relaciones ocasionales; estoy seguro de que lo odiaban —Ioanna soltó una carcajada limpia; era la primera vez que Frumencio la veía reír de un modo tan espontáneo—. Es cierto, pero recuerda que no puedes juzgar toda su obra por una pequeña opinión.

—¡Hermano Frumencio! —una mujer regordeta, de rostro amable, se acercó a recibirlos—. ¿Y el padre Sebastián no lo acompaña? ¡Vinieron a tiempo!, estamos por sacar el pan del horno. ¿Quién es este hermano tan apuesto?, tiene unos ojos muy hermosos. ¿No es demasiado joven para estar ordenado?

Tras la acometida de preguntas, el religioso tomó el hombro de su acompañante y, con un gesto suave le retiró la capucha: —Su nombre es Ioanna, le hemos colocado el hábito para protegerla de los bandidos. Es bella, y muy joven aún.

El recinto de las religiosas era más pequeño que el de Fulda y tenía un patio acogedor, con un pozo al centro. En la cocina, algunas monjas sacaban grandes hogazas del horno. Antes de sentarse a la mesa, Ioanna se acercó a la superiora y le solicitó que le mostrara el escrito del que le había hablado antes su maestro. La religiosa se mostró sorprendida.

—Son unas cuantas líneas. El hermano Frumencio copió algunos textos de origen griego y nos trajo este apunte en custodia. Podrás verlo, pero antes quisiera que nos acompañes, tenemos la costumbre de rezar a media tarde, a la hora en que se quiebra el día y empieza la oscuridad.

En el oratorio, una novicia prendió el candelabro. El lugar tenía seis bancas, una cruz y dos bellas lámparas.

—Aquí pasarás tardes enteras Ioanna; este va a ser el lugar en donde encuentres los pensamientos más bellos hacia el Señor. Ya no necesitarás disfrazarte ni traer armas.

Las hermanas se arrodillaron para rezar. A la orden de la superiora, las otras diez mujeres repitieron las plegarias. Después, la joven fue presentada ante la pequeña comunidad. Pese a la suave penumbra de aquel recinto, se percató de que una novicia le sonreía furtivamente al monje.

Al concluir los rezos, la superiora los condujo hacia el huerto y los gallineros; ahí le explicó al fraile que habían conseguido escasos avances durante los últimos meses y batallaban con una creciente escasez. Al escuchar las palabras de la abadesa, Ioanna consideró que contenían un reproche velado, pues ahora había otra boca que alimentar. Experimentó otra vez la incómoda sensación de hallarse en un sitio en el que no cabía.

Después de terminar la cena, las monjas se levantaron haciendo una reverencia conforme pasaban frente a Frumencio, quien les respondía de la misma manera. Desde su sitio, Ioanna vio que la joven que tanto lo había mirado durante la oración, ahora rozaba su mano al pasar. Mientras las monjas se enfilaban hacia sus celdas, la abadesa se dirigió a Ioanna:

—Ve con ellas, Hildegarde te mostrará tu celda —señaló a la joven que coqueteaba con Frumencio—. Mañana podrás leer al griego, como te prometí. El hermano me ha hablado de tus inquietudes; espero que pronto puedas disiparlas.

A despertar, Ioanna notó el fresco y penetrante olor de los pinos. Una llovizna ligera dejaba pequeñas gotitas sobre las hojas de los árboles, emitiendo suaves brillos. Entrada la tarde, mientras ayudaba al fraile a conducir a los burros hacia el patio, le preguntó:

—¿Cuál es la principal obra de Aristóteles? ¿Por qué, si en verdad fue un genio, se expresa así de su compañera de humanidad, la mujer?

—Aquel hombre habló sobre lógica, física, metafísica, retórica, política y ética; sus ideas no tienen desperdicio alguno. El mundo es vasto y, como sabes, peligroso. Aún así, te aconsejo viajar a la lejana Grecia. Estás en un claustro con una superiora culta y llena de fe, pero sé que tienes habilidades para realizar ese viaje —en ese momento la cogió de los brazos y se encorvó ligeramente para quedar a la altura de los ojos de la joven—. Aquí encontrarás paz y mucha reflexión, pero creo que estás destinada a empresas mayores.

Hildegarde los interrumpió, sonriente.

—Hermano Frumencio, como usted partirá por la mañana, la madre superiora me ha pedido que lea esto a la nueva hermana. Ella se ha retirado a orar y se despide de usted.

—Vayamos al refectorio para que tú lo leas, hacerlo aquí sería inapropiado —dijo el religioso, mientras extendía la mano para que ambas se adelantaran.

Al llegar al recinto, Frumencio e Hildegarde se acercaron al cesto de pan para comer algo más que la raquítica ración matinal; las sonrisas en los tres sellaron su complicidad. Con la boca repleta de migas, Ioanna sugirió:

—¿Por qué no nos habla de santa Lioba, maestro?

—¡Ah!, Lioba, fue una gran misionera. Su madre era inglesa y creía que su hija sería una elegida para servir a la Iglesia; no se equivocó. Su familia era cercana a nuestro querido padre, Bonifacio de Maguncia quien, después de conocerla, reconoció su enorme capacidad para sembrar la fe en otros. Por esta razón, le pidió que le ayudara a difundir la religión en toda

Germania. Carlomagno dejó un convento a su cargo, en un paraje de Schornsheim. Murió siendo muy querida y, al poco tiempo, se le adjudicaron ciertos milagros. Por eso es considerada una santa.

Mientras hablaba, el fraile rozaba cariñosamente la mano de Hildegarde, que le sonreía tímidamente. Cuando terminó, sacó un folio pequeño, con algunas líneas escritas. Miró a Ioanna y leyó las paráfrasis de Aristóteles ahí contenidas.

—Macho y hembra se unen pues, por naturaleza, no pueden existir el uno sin el otro. De esta unión nacen los individuos y todos participan de las virtudes de diferente manera. El hombre libre rige al hombre esclavo. El varón rige a la hembra. El hombre rige sobre el niño. En todos ellos hay una porción de alma, pero cada uno tiene una facultad distinta: el esclavo no puede decidir; la mujer no tiene autoridad; el niño delibera de forma imperfecta —sonrió, visiblemente divertido.

Hay que decir que Aristóteles fue víctima de alguna mujer cruel; era un hombre refinado, hijo de un médico prominente, pero las griegas eran libertinas y él nunca pudo comprenderlo. Aún así, muchos de los obispos que acuden a los concilios se basan en sus sentencias para tomar decisiones.

Por la noche, Ioanna no pudo dormir. Pensaba en todo lo que había conseguido haciéndose pasar por varón. Se preguntaba qué sería de ella en adelante, entre sus nuevas hermanas, dedicada al trabajo y a la oración. A la mañana siguiente, apenas despidieron a Frumencio, comenzaron las labores en la huerta. Ayudó a Hildegarde durante todo el día, quería estar cerca de ella, pues su relación con el fraile le causaba fascinación; aún no sabía por qué.

XI

EL ACCESO AL CONOCIMIENTO

En estos tiempos se aprecia más al hombre
que mata que al hombre que piensa.

Hildegarde Kampeter (818-855)

Pasaron los meses. Ioanna sobresalía por sus conocimientos;
cuando, animada por alguna, empezaba a explicar los fines
conciliares, las novicias le hacían ronda. Sin embargo, la abadesa se inquietaba al escuchar las críticas de la joven hacia la
Iglesia. Al escucharla hablar sobre el Concilio de Iliberis y
cuestionar las decisiones sobre el celibato, la reprendió y le
aconsejó dejar de ser tan explícita.

En cuanto la priora dejó el salón, una de las novicias se dirigió a Ioanna, bajando la voz:

—Se celebró un concilio cerca de aquí, en Aix-la-Chapelle
—mientras hablaba, recorría con la mirada a sus compañeras—, según nos enteramos, en varios conventos encontraron
esqueletos de infantes muertos por abortos e infanticidios.

—Eso ocurrió en 836, yo también escuché el rumor —dijo
Ioanna y añadió—: ¿saben lo que es un convento de monjas?,
una reclusión para que los curas tengan en donde divertirse.

—Debemos dejar esos comentarios fuera del convento

—terció una novicia que, apoyada por el beneplácito de algunas compañeras, agregó—: nosotras estamos aquí para orar, no para discutir lo que sucede en otros lugares.

El altercado sumó a todas las novicias. Ioanna intentó apaciguarlas, pero la discusión se había encendido y las voces atrajeron a la superiora. Después de calmarlas, llamó a dos de ellas a su despacho y se retiró, sin siquiera mirar a la joven, quien intentó acercarse a conversar, pero aquella no la recibió.

Al día siguiente, en la mesa del desayuno, su plato la esperaba vacío. Se le prohibió hablar y salir de la capilla. Debía mantenerse en oración mañana, tarde y noche. El castigo impuesto le dejó el ánimo abatido y, a cada hora que pasaba, sentía que las paredes se cerraban, asfixiándola. Las novicias se fueron alejando de ella, evitando ser vistas en su compañía; solo Hildegarde, desafiando el clima de represión, le dirigía alguna mirada amable y algunas veces robaba un mendrugo de pan para obsequiárselo. La abadesa había prohibido terminantemente que la joven rebelde tuviera acceso a cualquier documento; además, desconfiada, guardó bajo llave un manuscrito sobre la vida de Lioba, que consideró lleno de ideas perniciosas para una mente curiosa y libre.

Una mañana, la superiora le informó a Ioanna que un mensajero del monasterio de Fulda acababa de llegar. Para su sorpresa, en el comedor estaba, sonriente, Frumencio. Lo saludó con una reverencia y una expresión de alegría que le fue imposible disimular.

—El hermano ha venido a informarnos que pronto se ordenarán cuatro religiosos y que el hermano Sebastián te necesita en la cocina durante el festejo que harán después. Te acompañará Hildegarde —al ver que la novicia no podía contener su felicidad y, aprovechando que el religioso salía, añadió—: espero que no inventes historias de conventos que no conoces.

Esa noche fue distinta para todas las novicias; cada una, sin excepción, se sentía observada por el fraile. Eran incapaces de poner freno a su turbación y algunas prefirieron cruzar por el patio a pesar de que llovía, con tal de no caminar por el mismo pasillo que él. Frumencio se incomodó cuando se dio cuenta de que la abadesa notaba cómo lo veían las jóvenes. Si antes había sido amable, y hasta halagadora con él, ahora se mostraba reservada y dura.

Para Ioanna, la sola idea de salir de Santa Biltrude fue motivo de insomnio. La lluvia arreció y en la oscuridad, la envolvieron sus aventurados pensamientos. Ahora que Frumencio pernoctaba en el monasterio, tuvo una extraña sensación, un deseo irrefrenable por verlo. Esa noche comprendió la actitud de Hildegarde hacia él. Cuando la noche era más profunda, abrió la puerta de su celda, esperó un momento, y volvió a cerrarla con cuidado. —No puedo caer en su juego —murmuró para sí misma y, con ambas manos, cerró la pesada ventana.

Con la primera luz, prepararon el viaje. En un burro montaba Frumencio y en el otro, las dos novicias con el cofre y algunas talegas con pan y conservas. No tuvieron más contratiempo que una caída de Hildegarde sobre un charco que produjo una risa contagiosa en los tres. Se levantó reclamándole a su compañera, entre carcajadas: —¿De qué te ríes, maguntina?

Aún sonreían cuando vieron las torres de Fulda en la lejanía. Sebastián, molesto por la presencia de la otra novicia, los recibió con modales severos; no les permitiría la más insignificante desobediencia mientras ambas estuvieran bajo su supervisión. Después de que las dos jóvenes se instalaron en la misma celda, y Frumencio le dio un hábito a cada una, Hildegarde, nerviosa, tiró la vestidura tres veces, mientras que Ioanna, acostumbrada a vivir entre los religiosos, se desenvolvía como en casa. Con buen ánimo, le pidió a su maestro que les hablara sobre san Agustín. El joven fraile, recargado cómodamente sobre un arcón, accedió.

—¿Recuerdas la carta del franco? En ella, Teodoro recordaba que en el Concilio de Iliberis los cardenales se habían pronunciado a favor del celibato mientras que, en el de Laodicea, se estableció que ninguna mujer podía ser ordenada. Años después, en el cónclave del año 401, cuando eligieron papa a Inocencio I, san Agustín afirmó que nada hay tan poderoso para corromper el espíritu del hombre como las caricias de una mujer. Desde entonces y hasta la fecha, los concilios han sido cada vez más estrictos al respecto.

Hildegarde seguía distraída. Ioanna, con los ojos chispeantes, se abstuvo de hablar y, con un gesto de la mano, le pidió a Frumencio que continuara.

—En el Concilio de Tours, en el año 567, se estableció que el estado religioso estaba destinado a ser espacio para hombres solteros y esto causó gran revuelo. Cinco años después, el papa Pelayo decidió expulsar a los sacerdotes casados cuando compartieran sus bienes con su mujer e hijos; quería asegurar el tiempo y los recursos de sus miembros. Después, en el 600, el papa Gregorio I, conocido como El Grande, expuso que todo deseo sexual era malo y que la atracción por una mujer tenía origen diabólico.

Ioanna intervino: —Por lo que sé, no ha habido concilio en donde no quede definido nuestro origen como perverso y demoníaco. El papa Pelayo fue el primero que se atrevió a justificar el motivo del celibato como un asunto económico y, aunque puede que haya sido así, en el fondo se esconde una razón profunda: el odio y el miedo hacia las mujeres. Nuestra madre, la Iglesia, ha sido corrompida por estas turbias visiones. O volvemos a entender la participación de las mujeres como algo natural y fijamos reglas de convivencia alejadas de las elaboraciones de mentes oscuras, o nunca tendremos un papel respetable. Seremos, como dijo san Agustín, el vil espíritu corruptor de los hombres.

Frumencio sonrió, complacido, y decidió regalarle a su discípula un poco más de tela de donde cortar. Siguió hablando: —Lo que les diré es bien conocido por un pequeño círculo de religiosos; se tiene noticia de que, cerca del año 720, en las Galias y Germania, noventa de cada cien sacerdotes eran casados. Ante tal escándalo, el papa Gregorio III le pidió al obispo Bonifacio verificar aquellos hechos. Después de haber conversado con todos ellos, le informó que ningún obispo o sacerdote era célibe.

Ioanna lo interrumpió: —El padre Carolus me dijo alguna vez que en Aix-la-Chapelle quedó comprobado que la jerarquía eclesiástica fue la que convirtió a la Tierra en el propio infierno. Ahí se descubrió que, durante años, muchos niños inocentes habían muerto, pues se pretendía ocultar que el celibato no se respetaba.

Frumencio condujo a las dos novicias a su celda, la última del corredor. Ahí dispuso algunas mantas y les dijo: —Espero que esta conversación quede entre nosotros, como han visto, el asunto incomoda a la mayoría.

El día de la ceremonia, Ioanna y Hildegarde se vistieron con el oscuro hábito de los benedictinos; aún así, no salieron de la cocina. Imanol Serville, que rondaba el lugar, encontró ocasión para acercarse. Sin hablarles, se ocupó en lavar sus manos en una palangana; desde el inestable reflejo del agua, observó a Ioanna, furtivamente. Ella lo notó y clavó su mirada en la de aquel hombre; sus ojos se encontraban por instantes, lanzándose un mensaje intermitente que ninguno de los dos pudo comprender a cabalidad. Los pensamientos de la joven se sucedían rápidamente: ¿podrá percibir que soy mujer?, ¿es acaso tan insaciable el deseo del hombre por lo que él mismo se ha prohibido?, ¿será que los varones jóvenes también tientan su apetito?

De las manos húmedas de Hildegarde resbaló una tosca jarra de arcilla; el sonido del cacharro al estrellarse sacó a ambos de su ensoñación.

XII

PELIGRO EN EL BOSQUE

Necesitamos escoger, de tus hallazgos en Grecia,
solo aquellos que beneficien a la Iglesia,
aunque no sean de beneficio común.

Obispo Imanol Serville Schneidt (792-858)

Cuando la celebración terminó, Ioanna se dirigió a su celda;
ahí encontró a Hildegarde, visiblemente nerviosa. No le dio
importancia, estaba cansada y solo quería dormir. Antes de
acomodarse, notó, con desagrado, que había olvidado sus mantas fuera y volvió a salir. Al regresar, al enfilar el largo pasillo
vio a Frumencio escurrirse fuera de la habitación que ambas
compartían.

Por la mañana, mientras Imanol hacía una caminata, el padre Sebastián llamó a Frumencio para darle instrucciones sobre
las dos jóvenes: —Tienes que llevarlas de vuelta a Santa Biltrude. Han sido útiles, pero ya es suficiente.

El joven replicó, angustiado: —Hermano Sebastián, Ioanna no puede regresar, no la aceptarán. La madre superiora no
desea verla.

—En ese caso, la llevarás a otro convento, ese es su lugar. Debes hacerte cargo de lo que has cultivado, Frumencio. Cometimos un error y hay que enmendarlo, por el bien de nuestra fraternidad.

El monje volvió a la cocina, y le informó a Ioanna la decisión de Sebastián. Le dijo que tenía que llevarla más lejos. Ella lo miró largamente, sin decir nada. Esa noche, preparó el cofre y los manuscritos; antes del amanecer, con sigilo, sacó un caballo y lo montó sin rumbo claro. No deseaba que la confinaran de nuevo.

Conforme el cielo clareaba, la incertidumbre con la que había iniciado la travesía se convirtió en enojo; sospechó que el obispo y el superior se habían puesto de acuerdo durante la celebración para deshacerse de ella. Ahora estaba ahí, nuevamente, internándose por un sendero apenas trazado sin saber qué le esperaba más adelante. Se detuvo un momento y se bajó de la montura, le asaltó la idea de regresar, de ponerse a salvo del mundo, aceptando su destino entre las cuatro paredes de un convento. Se debatía, molesta y asustada, hasta que escuchó un grito lejano llamándola. Entre los árboles vio a Frumencio, a caballo.

—Aún no saben que has escapado. Fui a verte temprano y al darme cuenta de tu ausencia, le dije a Sebastián que partiría para llevarte de vuelta a Santa Biltrude —dijo, mientras le mostraba una saca con queso y frutas—. Nos alcanzará para varios días; planeo llegar a Atenas y podemos viajar juntos. En Fulda tardarán en saber la verdad; Hildegarde ha comprendido y esperará unas horas antes de aparecerse.

Ioanna se mantuvo retraída por un rato, sin saber qué decidir; aceptar implicaba correr el riesgo de aborrecerlo o ilusionarse. En cierto momento pensó que lo mejor era deshacerse de él, pero el recuerdo de las dificultades por las que había pasado mientras viajaba sola la hizo recapacitar.

—No creas que estoy arriesgando mis hábitos —dijo él, mientras extraía una pera del saco—. Fuera del monasterio puedo tener oportunidades inigualables.

—¿Y qué pasará con Hildegarde?, la veía encantada contigo.

—Es una mujer inteligente como tú, Ioanna. Como te dije, ha sabido estar en paz.

Ella extendió la mano hacia la fruta, y lo miró con un gesto frío: —No me vuelvas a llamar de ese modo, en adelante seré Ioannes para ti; pesa más un compañero de viaje que una compañera.

Ambos sabían que la noche les daría ventaja para avanzar lo suficiente, así que no pararon hasta llegar a un caserío asentado en un oscuro pinar. Descansaron un poco y alimentaron a los animales. Por llevar los atuendos propios de los religiosos benedictinos, la gente los observó sin prestarles mayor atención. Una mujer, anciana y amable, se acercó para obsequiarles algunos panes. Frumencio bajó del caballo y le ofreció una bendición en la frente que ella aceptó con devoción. Al salir de la aldea, se les atravesó un labriego con un hacha al hombro.

—Hermanos, hace poco pasaron por aquí unos extraños; incendiaron casas y asesinaron a quienes encontraron. Tengan cuidado cuando se internen en el camino, esta región no está bajo la protección de ningún noble.

Ioanna recordó la noche del ataque en la choza de fray Teodoro. No había pasado tanto tiempo y, sin embargo, tuvo la impresión de que era un suceso muy lejano. El cielo empezó a ennegrecerse y las gotas de lluvia les advirtieron que deberían buscar refugio. Frumencio señaló un pajar, protegido por una precaria estructura que hacía las veces de techo. Cabalgaron hasta ahí.

Se acurrucaron uno cerca del otro; estaban cansados por haber cabalgado horas enteras sin apenas detenerse y el frío los calaba. Yacían sobre sus costados, frente a frente. Él le acarició el cabello y ella miró sus pupilas, transparentes como pedazos de vidrio. En aquellos ojos recreó fugaces momentos junto a sus padres y hermanos hasta que, finalmente, se quedó dormida, abrazándose a sus recuerdos. Durmieron hasta que un hombre mal encarado los despertó de manera amenazante.

—¡Váyanse de aquí! ¿Quieren pastura para sus animales?, ¡róbenla en otro lugar! —dijo, al tiempo que blandía una guadaña.

Se hallaban subiendo sus pocas pertenencias a los lomos de los caballos cuando un relámpago iluminó la oscura escena y la lluvia arreció. Mientras se disponían a montar escucharon un golpe seco y vieron al dueño del pajar caer de bruces casi a sus pies, con una flecha clavada en la espalda. Jalaron de las riendas a los animales y corrieron a esconderse detrás de una enorme carreta abandonada. Un alarido y la carrera de varios caballos los puso alerta, sobre todo a ella, que había estado presente en tantos y tan violentos ataques. Se asomaron, mientras se mantenían recostados entre la maleza.

—Estos no son lombardos —dijo Frumencio, al ver a un hombre que se agachaba para hacerse de la guadaña que había caído sobre la pastura.

—Son sarracenos, como los que atacaron a mi familia; mira sus espadas, son curvas y muy filosas —dijo ella con un tono de angustia.

Otro relámpago iluminó el caserío. Uno de los atacantes levantó su cimitarra y le asestó un golpe por detrás del cuello a un campesino desarmado.

—¡¿En dónde está el musulmán?¡ ¡¿En dónde lo escondieron?!

Los violentos invasores interrogaban a gritos, con un acento extraño, al puñado de aldeanos aterrados que rogaban por sus vidas. La lluvia caía, como si tratara de apaciguar a los salvajes. Desde su escondite, vieron a una anciana correr hacia el matorral, pero una flecha clavada por la espalda la hizo tropezar, arrojando borbotones de sangre por la boca. Sus ojos miraron fijamente hacia donde se encontraba Ioanna, que ocultó la cara entre las manos.

Los habitantes del caserío aún con vida fueron concentrados, de rodillas, sobre un pequeño descampado. Los jinetes comenzaron a recoger forraje para sus corceles y todas las herramientas que encontraban. Eran más de diez. La lluvia caía, implacable. Ioanna y Frumencio discutían, susurrando, si debían correr hacia la espesura, cuando vieron que un joven emergía de los matorrales y le hundía una pequeña hacha en la cabeza al más lejano de los jinetes, el que había asesinado a la anciana. Los sarracenos vieron caer a su compañero, arqueándose en el suelo, tratando de quitarse el bien clavado segur. Algunos desmontaron para ayudarlo, mientras que otros persiguieron al muchacho. Los relámpagos iluminaron la horrible escena entre los árboles; dos sarracenos destrozaban con sus sables al joven que aún hallaba fuerza para maldecirlos con gritos desgarradores.

En el rostro de Frumencio, el sudor se confundía con las gotas de lluvia. Ioanna observaba, atenta, la escaramuza. El sarraceno que dirigía el ataque volvió a hablarles a los pobladores:

—Entreguen al musulmán y nos retiraremos.

No alcanzó a decir más; un grupo numeroso de vecinos se acercaba por la otra orilla del poblado. Llegaron armados con herramientas de labranza y los sarracenos se vieron obligados a huir. Algunas mujeres comenzaron a recoger los cadáveres, llevándolos a sus casas.

En cuanto sintieron que no corrían peligro, Ioanna y Frumencio se levantaron y engancharon sus caballos al carro que habían utilizado como refugio. La joven cargó las pertenencias y el fraile se encargó de conducir a los animales. La adrenalina había hecho estragos en él; a pesar de que ella le advertía que ya no corrían peligro, fustigó a los animales durante horas.

Amanecía cuando se detuvieron en la entrada de una amplia finca. Ahí, unos hombres excavaban para levantar una cerca, mientras otros acarreaban enormes piedras; la construcción era grande, probablemente se trataba de un castillo. Discutieron: ella quería que continuaran el camino y él acercarse a pedir algo de comida y orientación para seguir por buen rumbo. De entre las mantas que habían sido abandonadas en la parte trasera de la carreta, surgió un suave ruido, seguido por el movimiento de un hombre que había estado ahí, escondido, todo ese tiempo. Sin dar paso al sobresalto, se mostró y habló suavemente. Parecía inofensivo.

—Yo no lo haría; soy de la idea de seguir. Mi nombre es Mustafá Xifias, he venido desde Bizancio.

Era un joven de mirada triste, complexión fibrosa y delgada, con una cuidada barba de candado. Tenía una leve herida en el brazo.

—Fui apresado por un grupo de sarracenos, pero me escapé. Por eso estaban furiosos, buscándome entre esa pobre gente. Pero uno tiene que salvar su vida, ¿no es así?

La joven lo interrumpió: —Si eras prisionero, ¿por qué traes esa cimitarra?

—Porque en el zafarrancho pude rescatarla, mi alfanje es corto y no sirve para defenderme.

Frumencio actuó con prudencia, se recargó en el carro y lo observó con detenimiento. Su actitud mostraba que no quería seguir el viaje con él. Sin embargo, Ioanna parecía interesada en su presencia y el bizantino, ágil bajo su apariencia de hombre taciturno, les preguntó a dónde se dirigían.

— Vamos camino a Atenas, Mustafá.

—¿Quieren ir a Atenas? —preguntó, al tiempo que con su daga dibujaba unas líneas en la tierra. —Es un camino largo, a buen paso llegarán en veinte lunas. Puedo serles útil; los musulmanes somos un pueblo amable, pero hay ciertas cosas que deben saber y les será mejor tener un guía como yo. Si seguimos nuestros caminos por separado, tendremos menos oportunidades, hermanos. Medítenlo un momento.

La joven no esperó, conocía bien a su maestro y sabía que la decisión debía ser tomada de inmediato, antes de que él interviniera; tomó del hombro a Xifias y le ofreció la mano.

—Yo soy Ioannes de Maguncia, él es Frumencio de Fulda. Vayamos pues, que tenemos veinte lunas por delante.

XIII

MUSTAFÁ XIFIAS

Diferencia hay entre viajar para conocer
a otros y viajar para conocerse a sí mismo.

Fray Frumencio de Fulda (818-878)

El benedictino, que había conducido toda la noche, se acostó
entre las mantas y los bultos mientras Ioanna llevaba las riendas. A su lado, el extranjero le hablaba sobre los paisajes que
verían más adelante y las costumbres de las gentes que en ellos
vivían. Cuando el sol se hallaba en lo alto, entraron a un feudo
donde, a propuesta de Mustafá, aguardaron en el carro mientras él cruzaba el puente. Regresó con los brazos llenos de panes y quesos.

—Los cristianos aseguran que solo servimos para robar y
asesinar. ¡En el nombre de Alá!, nosotros no somos ladrones,
sino los mejores comerciantes del mundo —la joven recordó la
opinión que Otto tenía sobre ellos.

Pasaron varias horas hasta que ella notó la ausencia de su
anillo, aquel que tenía grabada la leyenda «Famille Chauvet».
Indignada increpó a Xifias: —¿Y mi anillo? ¿Y dices que ustedes no roban?

Sin alterar su apacible rostro, el bizantino le respondió:
—Pues ahora se ha convertido en algo mejor que el oro, tenemos comida para días enteros. ¡Lo cambié, no lo robé!

Continuaron por caminos boscosos y cada vez más cerrados, sin ver algún ser vivo durante horas. Al oscurecer se acomodaron en un llano tranquilo. Afortunadamente el verano era cálido y la noche despejada. Al recostarse, pudieron apreciar el vasto cielo nocturno, plagado de estrellas. Mustafá elevó sus brazos y trazó algunas líneas con sus dedos pulgares.

—Tenemos que rectificar el rumbo, por la posición de las estrellas puedo decirles que nos hemos desviado.

Inmediatamente, Ioanna le reclamó: —Enséñanos a leer los astros en lugar de limitarte a informarnos que estamos perdidos. ¿Cómo te orientas?

Después de una amplia explicación, los tres se quedaron en silencio, observando la inmensidad de la bóveda celeste. Descansaron sin hacer guardia, cada uno a sus anchas. Hacia la media noche, Ioanna se dirigió a unos arbustos para hacer aguas. Cuando salió se sorprendió al encontrar a Xifias, que le miraba la cintura.

—Usas bien el disfraz de monje para esconderte. No desconfíes, al menos no de mí. Ahora, si me disculpas… —el musulmán se perdió entre el matorral; la joven pudo oír el chorro de orina cayendo sobre la tierra.

En cuanto sintieron el calor de los primeros rayos solares, se levantaron y prosiguieron el viaje. El pasto era suave y Ioanna bajó para seguir el carro a pie, descalza; deseaba moverse un poco. Frumencio la miraba recostado en la parte trasera de la carreta mientras le daba mordiscos a un trozo de queso.

—Veo que deseas adquirir la imagen de los miembros de la orden: obesos y perezosos —dijo ella, inflando los cachetes y simulando una barriga con las manos bajo el hábito.

Poco a poco fue rezagándose del carro. Cuando sus compañeros vieron su silueta lo suficientemente lejana, optaron por detenerse entre unos manzanos, cargados de frutas. Mientras esperaban, cargaron el carro con decenas de manzanas y se echaron a descansar en una pila de troncos.

—¡Son unos estúpidos! Si la leña está ordenada, es porque tiene dueño y es el mismo que cultiva los manzanos. ¿Quieren que nos maten o corten las manos por ladrones?

Frumencio no se sorprendió al oírla, Mustafá, en cambio, quiso defenderse.

—Vamos, no es para tanto. Los árboles están llenos, son demasiadas manzanas para unas pocas personas. En mi tierra serían ofrecidas con gusto como una ayuda para el viajero.

Los tres continuaron a bordo del carro. La joven perdió la mirada hacia el camino, pretendiendo no verlos comer. Tardó un largo rato en lograr disolver su enojo y regresar a su estado natural, guiado por su enorme curiosidad. Comenzó por compartir algunas de las enseñanzas de Carolus, buscando la interpretación del bizantino sobre cada cosa que le relataba. Sorprendida supo que los musulmanes conocían perfectamente a Aristóteles y a san Agustín. Por su parte, Frumencio los escuchaba callado.

—Para entender al árabe hay que leer el Corán. ¿Saben lo que significa Corán? ¡Lectura!, ¡recitación! ¿Y saben lo que significa Allah? *Al-illah*, el verdadero, el misericordioso. Ustedes ni siquiera tienen certeza de cuándo nació Jesús. He escuchado que en tiempo de Herodes, pero nosotros sabemos que este murió cuatro años antes de que el nazareno naciera. No fue sino hasta después de cuatrocientos años que celebraron su nacimiento por primera vez. Fue en el Concilio de Constantinopla, convocado por Teodosio I en 381, quien al frente de 150 obispos propuso hacer coincidir la celebración con el día en que los romanos celebraban su *Sol Invictus*. Su Iglesia nació de una farsa llena de contradicciones: ustedes desean espantar a los malos espíritus a golpe de campanas, y no con buenas conductas. Para nosotros, la maldad reside en el hombre, mientras que para ustedes en quienes llaman infieles. Por una parte, se embrutecen bebiendo licor, prohibido para nosotros y, por otra, llegan al extremo de recomendar la abstinencia y el celibato. Nosotros difundimos las lecturas mediante pergaminos y tablillas de madera. Ustedes solo por medio de la palabra de un sacerdote, por lo que dependen de la limitada interpretación de un hombre.

Ioanna permaneció en silencio, pensativa. Después de escucharlo, pensó que ambas religiones tenían similitudes, sobre todo en la costumbre de segregar a las mujeres.

En cuanto llegaron a una planicie propicia para pasar la noche, ella encendió la yesca. Aseguraron a los caballos y, tras acomodarse en torno al fuego, dejaron que el musulmán les hablara sobre el Corán.

—Nuestro libro está dividido en suras que están en constante revisión. A cada sura le corresponde un tema. Nos está permitido luchar para imponer la fe, si combatimos por Allah y lo hacemos por nosotros mismos —su rostro se transformaba por efecto del constante movimiento del fuego—. ¿Saben lo que dijo Allah? Que la noche de la suerte vale más que mil meses juntos. Esta noche puede ser la noche de nuestra fortuna, en los astros podemos verlo.

—Pero, ¿por qué combatir para imponer? —preguntó Ioanna, él no se demoró en responder.

—¿Ustedes saben que los soldados de infantería romanos, los *triarii*, usaban casco, pectoral, escudo, una lanza y una espada de este tamaño? —extendió las manos para indicar el largo del arma—. Esos pertrechos no solo servían para asegurar la batalla, eran la base del Imperio. ¡Nuestras armas son nuestras lecturas!

Guardaron un largo silencio que se rompió cuando escucharon un aullido. Ioanna miraba el cielo estrellado. Alzó las manos y formó un rectángulo con sus dedos índices y pulgares; más de mil estrellas cabían en él, tantas como los mil meses a los que Mustafá se había referido. Mil estrellas y mil meses contenidos en un pequeño espacio. La joven sintió vértigo.

—¡Un cometa! —Frumencio, emocionado, señaló hacia arriba—. Por san Medardo, es un milagro.

Ioanna regresó su mirada hacia el rostro de Xifias, que la observaba fijamente. —Pero si todas las estrellas a nuestro alrededor se mueven, ¿cuántas habrá? Hablaste de mil meses, ¿en las estrellas habrá esta medida del tiempo?, ¿será igual al nuestro? Acá todo transcurre vertiginosamente.

—Ioannes, te pregunto: ¿las estrellas son iguales? Si fuera así, el tiempo en ellas sería el mismo, pero no parece ser así. Estos mil meses, para cada uno, son diferentes. Creo que en la Luna, o en una estrella lejana, el tiempo transcurre de distinta forma que en la Tierra. Cada astro tiene su tiempo. Allah puede darle un tiempo corto a un astro grande y viceversa.

Esa noche, la joven se dio cuenta de que, a pesar de la sencilla manera que tenía para expresarse, Mustafá hacía deducciones interesantes. Estaba dispuesta a no dormir con tal de oírle más. Él se sentó sobre la manta y comenzó a explicarle la concepción que los musulmanes tenían sobre el universo y los números.

—Estamos hechos de tiempo. Este pasa por nosotros, hace su obra y levanta el vuelo cuando morimos. Ahora que se dirigen a Atenas, vayan en busca de la obra de un filósofo griego: Tales. Él se preguntó de qué está hecho el Universo. Yo creo que ese espacio ilimitado está hecho de tiempo.

Frumencio pensó que la estancia en la choza del bosque le había dado a Ioanna suficientes armas para enfrentar a un musulmán preparado. Cuando oyó que definía al tiempo como un río en el que se forman acontecimientos, como corrientes encontradas, se acercó para escucharlos con más claridad. Xifias siguió.

—El hombre vive más en el tiempo que en el espacio. Por eso tenemos religiones, porque con ellas los seres humanos tratan de comprender su lugar en el tiempo. El error se produce cuando solo pueden ubicarse en un espacio. Esta apreciación es limitada para cualquier religión.

La manera de expresarse de Xifias comenzaba a ser distinta, había tomado confianza en sus acompañantes y hablaba con soltura: —En el espacio poseemos un lugar, mientras que para el tiempo somos imperceptibles. En este momento y alrededor de esta fogata ocupamos una porción de tierra y un instante de tiempo.

Frumencio irguió su espalda y habló, por primera vez en varias horas: —El tiempo es un navío, una embarcación, algo que fluye en acontecimientos y que enfrenta corrientes encontradas, tal y como dices, Mustafá. Tal vez por eso tenemos distintas concepciones sobre la muerte. Le he dicho a Ioannes que en Atenas podrá saber más sobre Aristóteles. Él solía decir que no puedes desatar el nudo si no sabes cómo está hecho. Puedo decirles que un solo pensamiento de aquel filósofo me costó noches de insomnio: «el tiempo es la imagen móvil de la eternidad inmóvil».

Con la primera luz del día escucharon algunos bufidos. De la fogata quedaban solo carbones humeantes. Frumencio se levantó para averiguar qué animal andaba cerca, caminó unos cuantos metros hasta que, entre los arbustos, encontró unos lechones: —¡Son jabalíes! ¡Súbanse al árbol!

Antes de que terminara de pronunciar la última palabra, la manada se arrojó sobre ellos. Corrieron y lograron trepar a un encino. Las bestias resoplaban inquietas.

—Creo que ya han probado la carne humana; no se irán —dijo Mustafá, mientras desenfundaba su alfanje. Con este comenzó a elaborar una puntiaguda lanza. Cuando la tuvo lista, escogió al animal más grande y se la hundió en un costado; la vara se rompió a la mitad y lo hizo perder el equilibrio. Un espantoso chillido acompañó la caída del musulmán, quien de inmediato volvió a treparse. El animal herido corrió y la manada gruñó siguiéndolo. Los tres bajaron del árbol y, tras asegurarse de que la manada se había alejado, buscaron a la presa. Entre las matas encontraron al jabalí muerto, tenía los ojos abiertos y la lengua de fuera.

—Es más pesado de lo que parece —dijo Xifias y con una sonrisa, prosiguió—: nunca pude cazar uno, me gustaría que me vieran en Constantinopla y, sobre todo, quisiera llevárselo a Zaira, mi hermana, una buena lectora del Corán.

Siguieron su camino, hablando tanto que ni siquiera se extrañaban de no encontrar a nadie a su paso. Así transcurrió una semana. Se turnaban las riendas, deteniéndose de vez en cuando a darle reposo a los animales, asar un poco de carne y continuar. El camino, rodeado de árboles, les daba la sensación de encontrarse dentro de una caverna sin fin. Conforme avanzaban, la vegetación era más tupida. Según Xifias, en poco tiempo llegarían a las grandes montañas. Pero, para Frumencio, el sendero semejaba cada vez más la entrada al mismo infierno: —No me gusta esto. Tengo años de experiencia atravesando zonas inhóspitas, pero nada se compara con lo que veo. Estamos en el lugar de las grandes fieras, sobre un carro tirado por dos caballos y con poco espacio para huir.

En un claro, y ya con escasa luz, se detuvieron para hacer una fogata. El fraile desató a los potros para que pudieran pastar. Xifias, en tanto, cortó una pata delantera al jabalí y, mientras la limpiaba, abrió la conversación. Le preguntó al benedictino con qué propósito se había ordenado.

—Nos interesa extender la palabra del Señor hasta los últimos confines de la Tierra.

—Nunca se unan a alguien cuyos problemas sean mayores a los suyos —dijo el musulmán mientras asaba la pierna—. Con esa visión de extender la doctrina, tendrán problemas de recursos y solo los obtendrán de los fieles.

Ioanna interrumpió al fraile, que ya tenía la boca abierta para replicar: —Él tiene razón, Frumencio. Si creemos tener grandes problemas, entonces no busquemos las grandes soluciones. Empecemos por lo más pequeño. Vemos la vida como un regalo y la muerte como un lugar al que tememos, cuando en realidad es la solución al sufrimiento.

Xifias, que cortaba la carne recién asada con su cuchillo, respondió: —Un poeta bizantino dijo: «si no estás implicado en los grandes problemas de tu tiempo, estás abierto al señalamiento de no haber vivido». Nuestro principal problema es que las religiones están cambiando la racionalidad por los dogmas; por las ideas discutimos y por los dogmas nos matamos. Todos tenemos contrariedades, por eso, para resolverlas, su formulación es más importante que las soluciones; y por ello pesa más la imaginación que la inteligencia. Y ahora que he limpiado y asado la carne, les toca a ustedes apagar el fuego y guardar las sobras.

Volvieron a la carreta. El benedictino conducía sobre un terreno fangoso, las ruedas semejaban peces deslizándose en un arroyo. A pesar de estar satisfechos, pellizcaban el asado mientras platicaban animadamente. Un ruido cercano los interrumpió.

—Han olido la carne, tenemos que apresurar el paso —dijo Xifias haciendo a un lado al benedictino y cogiendo las riendas con fuerza—. Si son lobos, se acercarán con calma, esperando que bajemos la guardia, pero si es un oso, nos atacará.

Poniendo la cimitarra en las manos de Frumencio, sin voltear a verlo, le dio un golpe con el fuete a los caballos. Como tambores cadenciosos escucharon las pisadas detrás de ellos. Ioanna, que bastante sabía sobre las bestias del bosque, imaginó de qué animal se trataba. Con el sable listo para ser descargado, el religioso se sentó en la parte trasera del carro.

La angustia se volvió colectiva y enmudecieron al sentir que las pisadas hacían vibrar ligeramente la estructura del carro. El benedictino giró la cabeza hacia el frente y sintió como si todo hubiese perdido el sonido; era incapaz de escuchar nada. Desde su sitio, veía a Xifias chicotear a los animales mientras Ioannes movía la boca, gritando en silencio. Un golpe de la carreta contra una piedra lo hizo saltar y, finalmente, escuchó: —¡Es un oso! ¡Es enorme!

Frumencio supo que la bestia los alcanzaría. Nunca había visto algo semejante; con la perfecta coordinación entre sus patas traseras y delanteras, el animal acortaba el trecho que lo separaba de sus presas. A la distancia en que se encontraba, la fiera podía tirarle un manotazo. Aferrado al sable, con las manos temblorosas, escuchó los gruñidos que precedían el ataque.

XIV

LA FIERA

¿Quieres saber qué piensan los musulmanes?
No escuches lo que dicen, examina lo que hacen.

Mustafá Xifias (821-865)

Con la cimitarra en alto, esperando a que el oso se acercara, Frumencio quedó petrificado al ver su tamaño. A pesar de que Xifias le gritaba que le asestara el golpe en la nariz, aquel solo sentía el vaho de la bestia en la cara. Por instinto, finalmente, hundió la cimitarra cerca del hocico del animal, el cual se detuvo y se talló la herida al tiempo que tosía sangre. A todo galope, se alejaron de aquella masa furiosa de garras enormes y colmillos afilados.

Cuando se encontraron a una distancia prudente, respiraron con tranquilidad y Xifias dejó de hostigar a los caballos. Continuaron sin descanso, avanzando a paso lento durante horas, hasta que encontraron un claro en el que pudieron apearse y preparar su campamento. Hicieron una fogata y, aunque sin soltarlos, descansaron los caballos, los habían forzado demasiado. En la madrugada, Frumencio se alejó, buscando ramas secas para alimentar el fuego. Apenas un instante después, Ioanna, sigilosa, le movió el hombro a Mustafá; en cuanto este se incorporó quedó sorprendido al ver al oso, erguido sobre sus patas traseras, como a ciento cincuenta varas de distancia.

—No hables y muévete despacio —le dijo él—; aún no nos ha visto.

El oso siguió husmeando; cada pocos pasos se detenía para restregarse la herida con las patas. Mustafá y la joven esperaban que Frumencio los viera o al menos levantara el rostro para percatarse de la presencia del animal. Ioanna lanzó una piedra en dirección contraria a donde se encontraban; la fiera se irguió. En una fracción de segundo, los tres corrieron en dirección del carro. Los caballos movían los cascos, inquietos.

Cuando la fiera vió al benedictino, se desvió para atajarlo. El animal se encontraba peligrosamente cerca de él cuando, de la maleza, salió un hombre con una ballesta, apuntando directamente al oso. Ioanna lo reconoció, era Hans, quien disparó una saeta, hiriendo a su objetivo en un costado.

En ese momento y frente a los tres, Hans desafiaba a la bestia que se levantó, altísima, amenazándolo. En su próximo tiro, tenía la obligación de darle en el corazón si no quería morir entre sus garras. El cazador cargó la ballesta nuevamente y, cuando la fiera gruñó, le clavó la flecha en un hombro. El animal se lanzó contra el tirador, derrumbándolo. Aún así, el hombre se defendió, clavando repetidas veces su cuchillo sobre el cuerpo gigantesco que lo aplastaba.

Desde la seguridad del carro vieron cómo el oso, con sus garras y colmillos, terminaba con la vida de Hans para, en seguida, caer muerto sobre su víctima. Apurados por liberar el cuerpo, se acercaron y jalaron a la bestia por las patas. Cuando por fin hicieron a un lado al pesado animal, encontraron al hombre desnucado.

Después de enterrarlo, tomaron su carcaj, la ballesta y el cuchillo. Cortaron una de las patas del oso; era tan pesada que entre los tres tuvieron que arrastrarla hasta el carro. Cuando amaneció, emprendieron el viaje con un sentimiento de culpabilidad y cobardía. A partir de ese momento hablaron solo lo necesario, consternados por no haber ayudado al trampero; sabían que esa mañana quedaría grabada en su memoria para el resto de sus días.

Un día después, llegaron a un puente resguardado por dos jinetes armados con arcos y espadas. Se detuvieron a una distancia prudente para averiguar la razón por la que custodiaban el paso. A los pocos minutos vieron a dos campesinos acercarse hacia los vigilantes; una vez ahí, extrajeron algunos bultos que entregaron, a manera de peaje.

—Hay que esperar el momento propicio para engañarlos, este es el único paso cercano y nos llevaría semanas buscar otro —aconsejó Xifias—. Cuando crucé, hace varias lunas ya, no había custodios, ¿me pregunto a quién servirán?

Volvieron sobre sus pasos hasta que encontraron un buen sitio para mirar el puente desde la distancia. Ahí esperaron un día, tiempo durante el que dos carros pasaron, pagando su cuota.

Mientras Mustafá se afanaba en sacar una trucha del río, escucharon una música singular que se acercaba cada vez más. Ioanna supo de inmediato que se trataba de una caravana de gitanos y lo comprobó cuando vio una carreta profusamente adornada, tirada por un buey. Cuando los viajeros se acercaron, una aguda voz emergió del fondo del carro:

—¡Ioanna! ¡Qué gran disfraz! —la joven se sorprendió al ver que Sasha se acercaba hacia ella, riendo a carcajadas, con los brazos abiertos. El gusto se sobrepuso al bochorno de verse descubierta tan fácilmente.

Junto con los miembros de la caravana, los tres viajeros asaron una pierna del jabalí y aceptaron el vino que corría, de mano en mano, dentro de una bota de cuero de cabra. Sasha propuso acercarse, junto a Ioanna, al puesto de los guardias del puente; les llevaron una porción del asado que aceptaron gustosos. Parecían conocer a la gitana.

Al atardecer, del lado opuesto del cruce llegaron dos carretas, también de gitanos. Sacaron instrumentos de cuerdas y empezaron a tocar.

Ioanna se acercó a Xifias y le dijo, en voz muy baja: —Algo traman, ¿no crees? Aunque los soldados no puedan distraerse para pescar o cazar, algo harán para burlarlos.

Los gitanos de ambos lados se conocían entre sí. Mientras tañían sus instrumentos cantaban de un lado y se respondían desde el otro, entre risas y palmas. Algunos se metieron en el río y, sin que los guardias los distinguieran, cruzaron y se subieron a las carretas de los otros. Entre tanto, el grupo de Sasha preparó comida; bebieron licor de cerezas silvestres y lo mezclaron con fermentos que traían en unas bolsas fabricadas con testículos de toro.

Ioanna siguió observando. Por el río, los gitanos de un grupo terminaron por pasarse completamente al otro. Burlaban a los guardias sin que se dieran cuenta. Animados por aquel cruce descarado, Ioanna, Frumencio y Xifias se acercaron a la aduana. El bizantino les mostró a los guardias la ballesta de Hans, pero no fue suficiente; les ofreció un cuchillo, pero ellos señalaron la pierna del oso; se la quedaron casi completa.

Después de unos cuantos trotes alcanzaron a la caravana en que viajaba Sasha. A pesar de que había crecido, seguía siendo menuda. Era su carácter sagaz y despreocupado lo que la hacía parecer extremadamente poderosa.

—Si quieres visitar Atenas, en poco tiempo tendrás que seguir otro camino —dijo la joven gitana, sin que Ioanna supiera bien a lo que se refería.

Hacia la madrugada, un viento ligero tiró, lenta y suavemente, las hojas de los árboles cercanos, imprimiendo un dejo de nostalgia en el entorno. Ioanna se acercó a la caravana de los gitanos para despedirse; en su corazón agradecía que la diosa Fortuna le hubiera permitido ver a su amiga de nuevo.

—Si algún día volvemos a vernos, espero que estés en ese lugar hermoso al que anhelas llegar —Sasha la mantuvo abrazada por unos instantes—. Lo que logres será de enorme beneficio para muchas mujeres.

XV

MONASTERIO DE ARLÉS

¿Crees que la mayoría de hombres con poder
son malos?

Filipo, El Ateniense (787-855)

Xifias convenció a Frumencio y a Ioanna de viajar durante la
noche, aunque había peligros, consideraba que serían menores
al amparo de la oscuridad. Condujo el carro por horas y, en
cuanto le dejó las riendas al benedictino, habló, con tanta seriedad, que parecía que lo hubiera meditado bastante:

—Les quisiera hacer dos preguntas, como cristianos que
son: ¿Jesús realmente permaneció soltero o estuvo casado? Los
sacerdotes dicen que era célibe, pero solo especulan ya que, según los últimos concilios, en ningún lugar se afirma que era
soltero y tampoco está escrito que fuese casado. ¿Por qué no había mujeres entre sus discípulos?

—Hasta hoy nadie puede afirmar si fue casado o soltero
—respondió Frumencio—. De acuerdo con los evangelios, Jesús
se rodeó de hombres, cosa inevitable dentro de la vida judía,
pero hay muchos pasajes en los que hay mujeres presentes.

—Por eso lo pregunto. Jesús siempre estuvo sometido a la
ley judaica, que despreciaba el celibato; era imposible imaginar

que un célibe pudiese alcanzar prestigio social. A la edad en que empezó a predicar, según la tradición, debía estar casado. En Constantinopla existe una copia manuscrita del *Iesu Canae Nuptiae*, que habla sobre su unión con María Magdalena. Cuando dejó Nazaret para seguir su llamado mesiánico, tuvo que abandonar a su familia, pero su mujer lo siguió. Según el patriarca Ignacio I de Constantinopla, los papas declararon apócrifos todos los evangelios que los contradecían. Incluso he visto escritos antiguos que llevan el sello de *Evangelia Apocrypha*.

Frumencio asentía al escuchar las palabras del bizantino y lo interrumpió brevemente: —Aun así, esas ideas han sobrevivido a lo largo de los siglos, custodiadas por las comunidades de iniciados. Los evangelios gnósticos las recogieron y sé que fueron escritos en copto hará cuatrocientos años. La Iglesia se ha tomado la autoridad de señalar que son completamente falsos.

Xifias siguió: —En cada concilio la Iglesia pretende desaparecer la vida de Jesús desde sus doce años y hasta que cumplió los treinta. No es creíble que, si se tienen registros de su niñez, no se tengan de su juventud. Aunque el papa niegue todo testimonio de la vida del joven nazareno, siempre habrá quien dude y lo cuestione. Si era un judío tradicional, no podía ser célibe; algunos escritos lo describen como un artesano, religioso y casado. Cierto es que no era un judío típico de su época: se manifestó contra la ley mosaica y el Imperio romano. Los poderosos de la Iglesia ocultan su vida para defender el celibato, para defender su dominio sobre la cristiandad. Seguramente terminarán por borrar la historia.

—Harían falta muchos concilios y hombres cabales que participen en ellos para que los obispos acepten revisar la historia del nazareno, para que reconozcan a las mujeres que lo rodearon. No quisiera ni pensar la calaña de religiosos que nos invadirá si ganan los pontífices celibistas que odian a las mujeres —Frumencio tiró un latigazo al aire.

Ioanna, que se había mantenido atenta, escuchando, se corrió la capucha hacia los hombros. Sus grandes ojos brillaban, como sucedía cada vez que las ideas se agolpaban en su mente, pugnando por ser enunciadas.

—Los evangelistas canónicos hablan de algunas mujeres. Cualquiera puede verlo y, sin embargo, se habla poco de ellas. En Mateo aparecen dos, en la resurrección. En Marcos las mujeres ya no son solo las dos Marías; a ellas se une Salomé cuando van a ungir el cuerpo de Jesús. En Lucas, las mujeres que llevan los ungüentos son las dos Marías; una de ellas es Magdalena. En Juan solo hay una mujer: María Magdalena, que halla la tumba vacía y avisa a los apóstoles que el cuerpo ha desaparecido. En esos escritos hay contradicciones interesantes y, pese a ello, los concilios se empeñan en imponer un solo criterio, sin detenerse a revisar las discrepancias, sin mirar a aquellas que acompañaron al Hijo del Hombre hasta el momento de su resurrección.

Dos días después pudieron ver, a lo lejos, unos altos muros. Frumencio les dijo que creía reconocer en ellos el monasterio de Arlés. Sugirió acercarse a pedir algo de comida, pero Ioanna se negó: —Nunca nos permitirán entrar si nos ven acompañados de Xifias, tendrás que ir tú solo.

El bizantino se rascaba la barbilla, con visible desconcierto. Al cabo de unos minutos, exclamó: —Si es Arlés, nos hemos desviado, y mucho. Anda, pues, hermano, aquí te esperaremos. Haz un buen trato y vuelve con suficientes viandas, que el camino será largo.

Frumencio no regresó. Ioanna y Xifias estaban hambrientos, sedientos y consternados ante aquella larga espera. Entrada la tarde, ella quiso acercarse, pero no deseaba arriesgarse con el musulmán y él estuvo de acuerdo. Mustafá la siguió hasta la entrada y esperó afuera.

Ioanna encontró la puerta del monasterio abierta. Sorprendida, se detuvo en el patio y ahí tuvo el presentimiento de que los sarracenos habían atacado. Caminó con cautela, sintiendo que su cuerpo se erizaba ante la incertidumbre. Encontró la puerta del refectorio y se atrevió a entrar. Ahí encontró a Frumencio acompañado de dos novicias. A una de ellas le abrochaba la muceta. Al ver a la recién llegada, las mujeres sonrieron amablemente, al tiempo que el benedictino esbozaba un curioso gesto de distanciamiento que Ioanna comenzaba a conocer bien. La joven no perdió tiempo y habló:

—Hermanas, somos tres viajeros: el hermano Frumencio, a quien ya conocen, nuestro cochero, que es sordomudo, y yo, mi nombre es Ioannes. Permítanos dormir en tres celdas para descansar de un largo viaje y el brutal encuentro con un oso.

Después de vísperas, las religiosas acomodaron a los visitantes en una celda. Les dieron pan, agua y una manta que apenas los cubría. Aun así, agradecían estar resguardados entre paredes, fuera del alcance de las bestias y los asaltantes.

Antes de la primera luz solar, llamaron a maitines. Los tres se incorporaron al rezo de la mañana. Ioanna observó que, a causa del encierro, casi todas las religiosas parecían mostrar una voluntad dócil. Un poco más tarde se acercó a ellas y les habló:

—Seguramente habrá entre ustedes hermanas que deseen incorporarse a la vida laica. Háganlo con convicción, tras sus años de encierro, e intégrense con una postura digna como mujeres. Que la desventaja de la fuerza física no sea impedimento para tomar las riendas de su vida allá afuera. Y a las que decidan continuar en Arlés, rehúyan a las tentaciones y no caigan en el torcido juego de sacerdotes y vicarios.

Frumencio la escuchó sorprendido. La exhortación fue

recibida con gran complacencia por las novicias, quienes la escuchaban sin la mínima sospecha de que, bajo el hábito benedictino, había una mujer.

Esa noche los tres viajeros siguieron su camino sin detenerse. Por la mañana llegaron a un puerto y pronto supieron que se hallaban en Tolón. Ahí, Xifias se encargó de la venta del carro y, tras desaparecer durante un par de horas, volvió con una sonrisa y la noticia de que un barco los llevaría rumbo a Corinto.

En la tarde del día siguiente, se embarcaron. Al principio, Ioanna sintió náuseas; se aferró a un arcón de madera hasta que pudo, finalmente, ponerse en pie. Durante el resto del viaje intentó conversar con los viajeros griegos; tenía vagas nociones de aquella lengua y en poco tiempo aprendió algunas palabras. Viajaron durante tres días hasta que, durante la cuarta noche, divisaron luces en la costa y supieron que se aproximaban a un pequeño puerto en Aleria, Córcega. Los lugareños habían prendido una gran fogata para ayudarlos a acercarse. Poco había en esa planicie que, siglos atrás, había sido arrasada por los vándalos.

Al alba volvieron a embarcarse. Después de ver tan solo la vastedad del mar durante largos días, navegaron frente a la isla de Cerdeña, cuyas peñas se levantaban, verticales, sobre las playas de arena blanca. Semanas más tarde, arribaron a Corinto. La embarcación atracó y sus tripulantes bajaron frente a una veintena de pobladores con antorchas.

Ioanna se sorprendió ante la algarabía: —Se parecen a los gitanos, esa alegría nunca la vi en Ingelheim; quizás el frío nos ha hecho más parcos.

Xifias, quien había custodiado las ganancias obtenidas por la venta de la carreta y los caballos, volvió a ausentarse con el propósito de aprovisionarse antes de continuar. Mediante sus artes de negociante, obtuvo otro carro y dos caballos. Antes de proseguir, conocieron las ruinas del templo de Afrodita, cuyas altas columnas seguían de pie. Decidieron seguir por la ruta de Megara. Aunque sus posesiones se reducían a un poco de comida, el cofre de Zacarías y el carro con los caballos, temían perderse y encontrarse con los asaltantes de caminos; esta vez pensaron que sería mejor partir temprano y así lo hicieron.

El cielo se teñía de suaves tonos azulados cuando Xifias, que conducía, despertó a sus compañeros. En el camino había dos legionarios atenienses y un hombre muy joven, quienes les propusieron cambiar el carro y una porción de queso por un *carpentum*, en el que viajarían más cómodos, ya que estaba cubierto. Los tres se miraron, un poco indecisos y, al percibir esto, los atenienses les ofrecieron, además, al joven esclavo que los acompañaba. Se llamaba Teonas, era de baja estatura y barba incipiente.

Un rato después, se concretó la negociación de la que Ioanna y Frumencio poco pudieron entender.

—Creo que con el trueque perdimos —Frumencio parecía irritado. De mala gana, se subió a examinar el carro—. El piso está apolillado, tendremos que arreglarlo. Y más nos vale empezar a recolectar comida y conseguir madera, ahora que somos más y tenemos menos.

Los tres hombres sacaron el carruaje del fango mientras Ioanna recolectaba plantas y raíces. El vehículo tenía una rueda maltrecha y la cubierta agujereada. Después de descansar, y a sugerencia del musulmán, acordaron que buscarían cambiar la cruz de bronce que colgaba del cuello del benedictino por algunos tablones. El religioso y el joven esclavo se alejaron rumbo a un caserío que se avistaba a la distancia.

Xifias se acomodó, perezosamente, pero Ioanna no lo dejó estar: había encontrado las cáscaras de algunas nueces y urgió a su compañero a buscar la nogalera, que intuía cercana. Se internaron en una arboleda; el primer árbol que encontraron estaba cargado, a una altura de diez varas. Tenía un tronco liso y alto; le habían quitado las ramas más bajas para evitar que los extraños se robaran los frutos. Estaba tan lleno que era probable que pronto apareciera alguien para hacer la recolecta.

Después del medio día, Frumencio y Teonas regresaron arrastrando algunos maderos. Habían ayudado a acarrear piedras en la aldea cercana a cambio de algunos trozos para reparar la rueda. Xifias se acercó a examinar el *carpentum* y espetó:

—¿Cómo es posible que no cambiaras tu cruz por tablones para el piso? ¿Tienes idea de cómo se hace un trueque? De haber ido yo en tu lugar, habría traído madera suficiente y comida para una semana.

El fraile no quiso discutir. Era claro que un musulmán no entendería el profundo significado de la cruz. Aquellos que no eran cristianos solo veían al sagrado símbolo como una representación de la tortura del desdichado nazareno.

Esa tarde, él y Ioanna vieron partir a Mustafá y Teonas por el sendero que conducía al caserío; sin darles importancia, siguieron recostados observando el suave movimiento de las copas de los árboles e intercambiando algunas palabras cada tanto. Cuando la noche comenzaba a caer, oyeron acercarse unas voces; eran tres escitas. A pesar de que no podían entender lo que decían, lograron comunicarse con ellos: también querían bajar los preciados frutos del generoso nogal. Suponían que la peculiar pareja de benedictinos era la que los recolectaba y, a cambio de permitirles subir a tomar unos cuantos, uno de los jinetes le dio a Frumencio su espadín.

En cuanto recibieron la aprobación, un escita subió a lo más alto del árbol, ayudado de los otros dos y una cuerda. Provocó una lluvia de duros frutos que animaba a los receptores a reír y congratularse. Los religiosos recogieron tantas que tuvieron que hacer varios viajes al carro. Como agradecimiento, los escitas los ayudaron a arreglar la rueda y se despidieron.

Comieron hasta saciarse, regocijándose con el viento que revolvía sus cabellos y el perfumado sabor de aquellas nueces recién cortadas. Ioanna presionaba algunas dentro de su puño hasta romper las gruesas cáscaras. Frumencio se metió varias en la boca y ambos rieron por las caras que hacía, abandonando por un momento la postura de altivo monje benedictino de la que solía hacer gala. Ella se recargó en un frondoso árbol dejando que, por primera vez, alguien diferente a su madre se acercara cariñosamente a su cuerpo.

Él le dio un beso en la mejilla. La joven se ruborizó y aunque no lo rechazó, tampoco lo aceptó del todo. La brisa jugaba con la hierba que cubría aquel campo y algunos insectos nocturnos comenzaban a acompañar el sonido del viento con su canto. Ella le acarició el cabello y él hizo lo mismo; perdiendo conciencia de lo que sucedía, se aproximaron uno al otro.

La sensación de un beso cuidadosamente depositado en su delgado cuello hizo que el tiempo se detuviera. Imaginó que su corazón se desprendía, dejándola indefensa. Era un embelesamiento sublime; no sospechaba en qué pudiese terminar y tampoco tenía la fuerza para detenerlo. Por primera vez supo lo que era unir sus labios a otros, que la buscaban, insistentes. La belleza de aquel contacto la llenó de curiosidad. Las caricias se mezclaron, se convirtieron en una suave melodía que recorría el bosque de nogales gigantescos. Cada uno hizo deslizar su balsa en ese río de aguas placenteras hasta que, poco a poco, se acercaron a un abismo turbulento. El cielo descendió sobre ellos, estallando en rayos de ocre. Se buscaron, acariciaron, besaron y entregaron.

Tendidos sobre la hierba, permanecieron callados durante largo tiempo. Ella sentía que todo había sido demasiado apresurado, pero no lo lamentaba; él pensaba en el hecho de haberse precipitado, sin estimar que las consecuencias podían cambiar el curso de sus planes drásticamente.

Xifias regresó cuando la noche estaba muy avanzada. No era precisa demasiada suspicacia para intuir, en la escena que encontró, que algo había sucedido. Sin embargo, como hombre práctico que era, le adjudicó aquel desparpajo a las decenas de nueces que sus acompañantes habían comido. Detrás de él, un jinete y Teonas llegaron con un burro cargado con tablones que habían cambiado por la cimitarra. Una vez que repararon el piso del carro y enlazaron a los caballos, prosiguieron su camino.

—Si conducimos a trote unas cuatro noches, en menos de lo que pensamos amaneceremos en Atenas —dijo el musulmán, tratando de romper el extraño mutismo en el que habían caído Ioanna y Frumencio.

Un grupo de frágiles tejados asomó a lo lejos, junto con los primeros rayos del amanecer. Un pastor atravesó su rebaño deteniéndolos; descendieron y, mostrándose amable con el lugareño, la joven se dirigió a él en su incipiente griego. Por su conversación, supo que estaban en una aldea en la región de Tesalia. Cuando el rebaño les abrió paso, la luz era suficiente para apreciar el amplio valle por el que debían continuar. El verdor era espléndido, tanto como los imponentes montes que delimitaban la planicie atravesada por un río serpenteante que, con aquella luz, parecía un hilo de plata.

Atravesaron por el poblado de calles bien trazadas y limpias. Al cruzar la pequeña plaza, un anciano salió al paso:

—Este *carpentum* es de Diomedes de Atenas, lo reconozco

bien. ¿Dónde lo encontraron, extranjeros? —pese a que quisieron responderle, el viejo continuó, cargando de advertencia sus palabras—. Alexis y Nicolás, los hijos de Diomedes, harán todo por recuperarlo.

XVI

ATENAS

¿Será mejor, en estas tierras,
ir a encontrar el peligro que esperarlo?

Fray Frumencio de Fulda (817-870)

Impresionados por la riqueza artesanal de los tesalios, quienes llevaban consigo bellas piezas de cerámica y artículos de bronce sobre los carros que esperaban aparcados afuera de los talleres, se acercaron a un horno y cambiaron parte de su cargamento de nueces por algunos panes. Frumencio se acercó atraído por los golpes metálicos a una fragua cercana, donde un hombre altísimo forjaba, hábilmente, piezas para los carruajes; las chispas se desprendían y volaban a cada golpe del martillo contra el metal incandescente. La vida en ese pueblo les hizo darse una idea de lo que les esperaba en la gran Atenas.

Después de tres días, llegaron a una pendiente pronunciada y decidieron descansar a los caballos. Ahí le preguntaron a un pastor cuánto faltaba para llegar a la ciudad; el hombre les hizo señas de seguirlo. Mustafá y Ioanna abandonaron el carro y, junto con el aldeano, subieron por un empinado sendero coronado por un cúmulo de rocas por el que tuvieron que trepar. Al otro lado de la loma se desplegaba una ciudad resplandeciente, salpicada de grandiosos monumentos. La blancura de las casas, iluminadas por el rey de los astros, ofrecía un escenario apacible y señorial.

Entraron a la ciudad y se detuvieron en una plaza frente a la que se levantaba una pequeña iglesia de anchos muros, coronada por un cimborrio cubierto de tejas; a pesar de su tamaño era una fina joya que invitaba a contemplarla; ahí averiguaron dónde se encontraba la biblioteca. Xifias, quien ya tenía puesta la mira en el viaje que lo esperaba, aceptó desviarse para acompañarlos. Fueron recibidos por una construcción sólida y de altas paredes; las piedras cubiertas de musgo denotaban la presencia de la temporada lluviosa. Ioanna se acercó a la entrada, donde preguntó por los escribas. Le señalaron un salón al final del pasillo, sobre el cual gruesas vigas soportaban el techo; dos hombres se encontraban inclinados sobre una mesa cubierta de pergaminos extendidos. Iban decididos a entrar hasta que un guardia los detuvo en la puerta.

—Esta es la Academia o casa de estudios —dijo Frumencio—, para poder ingresar deberíamos ser escribas, y eso nunca ocurrirá si no dominamos el griego.

Desde una de las galerías, un hombre de toga blanca se acercó hasta ellos; se trataba de un escriba. Con un tono serio, incluso impositivo, les preguntó quiénes eran y el propósito de su visita. Ioanna tejió una respuesta sencilla, empleando las pocas palabras que sabía y pronunciando el nombre de Aristóteles. El griego sonrió y le señaló una edificación oscura y lúgubre.

—Ahí, en el auditorio, se resguardan todos los escritos que han sido recuperados o donados.

El recinto parecía una cueva revestida de adoquines y exhalaba un aire fresco, cargado del suave olor a documentos guardados. Estando ahí, se acercaron a un digno anciano de larga barba plateada y cabello recogido con una cinta. En cuanto supieron que se trataba de Demetrio, el depositario de los manuscritos, le preguntaron por el paradero de los testimonios de Aristóteles. Les respondió que eran pocos, que estaban ahí mismo, pero que deberían consultarlos frente a él.

Abstraídos por sus descubrimientos y nuevos planes, Ioanna y Frumencio hablaban entre sí e intentaban formular preguntas para Demetrio. Se habían olvidado de su acompañante que, con suavidad, decidió interrumpirlos: —Ustedes ya han llegado a su destino; ahora ayúdenme a hacer lo mismo —Xifias señaló hacia el muelle.

Tras vender los caballos y repartirse las ganancias, el musulmán se dio a la tarea de buscar una embarcación que lo condujera a Esmirna; tuvo suerte, unos comerciantes partían esa misma tarde. El abrazo que le dio a Frumencio fue fraternal y cargado de la presencia de la inexorable bifurcación de caminos; sabían que nunca más tendrían noticias del otro. Con Ioanna, en cambio, fue afectuoso y algo ambiguo, como si deseara volver a verla, pero en otras circunstancias. Lo acompañaron a embarcarse en una corbita cargada de telas y ahí, en el muelle, vieron cómo se hinchaba la vela que condujo suavemente la nave en dirección del horizonte. El brazo de Xifias se perdía en ese mar devorador de imágenes. Ella recordó lo que aquel hombre le dijo, alguna de tantas noches junto al fuego: «nuestras creencias no se destruirán, ni por la hegemonía de Roma, ni por la fuerza de mil ejércitos».

La tardía lluvia evidenció las goteras del Auditorio. Demetrio aprovechó la presencia de los dos extranjeros para proponerles que le ayudaran a reparar el techo, pues amenazaba con agrietarse aún más durante esa temporada. Ioanna impresionó al griego cuando, con extraordinaria rapidez, hizo una pequeña fogata en el pórtico. Todos se disponían a acomodarse en torno al fuego, cuando dos jóvenes ingresaron en el recinto; buscaban a los viajeros.

—Somos los hijos de Diomedes. Mi nombre es Alexis y él es Nicolás. Hemos sabido que ustedes tienen el carromato de nuestro padre. Él está muy enfermo y el carro era su única propiedad; hace un año lo vendimos en lo que resultó un mal negocio y queremos recuperarlo. Con dificultades, Frumencio logró plantearles su propuesta: después de encontrar un sitio para instalarse, les regresarían la carreta mediante un trueque justo. Los hermanos se fueron; pero prometieron volver.

Bajo el hábito de fraile benedictino, Ioanna se sumergió durante tres días en una pila de documentos. Uno de ellos llamó particularmente su atención, el autor era Solón. La joven distinguió los caracteres: ἐκκλμσια, y, siguiendo con el dedo cada una de las letras, pronunció: *ekklesia*, eclessia, iglesia, la asamblea en la que se discuten asuntos políticos, sociales y religiosos.

Llamó a Frumencio y le mostró el manuscrito. Consideraba que la revisión de aquel concepto era lo que más necesitaban en Fulda, y en todo el territorio de Occidente, para retomar la idea original de la Iglesia como una asamblea cristiana que se expandiera a cada ciudad y aldea.

—A Sebastián le resultará interesante. Este es un escrito útil para argumentar en los concilios venideros, ¡y es solo uno! Imagina todo lo que habrá en este lugar. Por eso tenemos que ayudar a Demetrio a poner orden en todos los pergaminos que arrumba en la biblioteca a cambio de permanecer aquí un tiempo.

En cuanto se lo plantearon, el guardián de los manuscritos se negó rotundamente, pues no tendría ocupación para sí mismo. Pese a lo difícil que le resultaba comunicarse, la joven lo convenció: la aceptó a ella, pero no a su acompañante.

El benedictino y el joven Teonas se acercaron entonces al muelle en búsqueda de algo en qué emplearse; ahí ayudaron a descargar un navío repleto de telas para llevarlas a una casa grande. Esa misma tarde comenzaron a trabajar para Melissa, una afortunada viuda dueña de un taller de ropa. Al primero, le pagaría dos dracmas, mientras que a Teonas lo emplearía como vigilante a cambio de comida y un sitio para dormir.

Durante el tiempo que le quedaba libre, Frumencio volvía a la biblioteca y se instalaba a escuchar las conversaciones entre Ioanna y Demetrio. Así, supo de un tal Filipo, quien administraba la casa de estudios, y de un fantástico documento de Hesíodo, al que llamaban la *Teogonía*. El escriba lo había salvado de las incursiones de ostrogodos y hunos. Los visitantes escuchaban a su anfitrión y, cada que había oportunidad, insistían en conocer los testimonios de Aristóteles resguardados en aquel recinto.

Tras algunos días, Demetrio cedió un poco: —Está bien, pero tendrían que darme algo a cambio, quizá la caja que con tanto celo guardas, Ioannes.

La joven se sorprendió y replicó inmediatamente: —Lo lamento, Demetrio, ahí están guardados los restos de mi querido maestro, fray Teodoro de Siegen. Hice la promesa de enterrarlo en Roma —no se atrevió a confesarle que el sólido cofre, salido de las profundidades del bosque del ermitaño, contenía los restos del santo Zacarías, ni que a veces parecía contener todos los males del mundo.

Una carcajada sacó a Ioanna de sus cavilaciones: —¿Guardas restos mortales ahí? —había ironía en la mirada de Demetrio—. ¡Arrójalos al mar! ¿Has cargado a un hombre sin vida durante todo este tiempo?, es lo más absurdo que he oído en treinta años. Les voy a prestar los manuscritos de Aristóteles, ustedes son bastante raros, pero inofensivos.

Ahora que habían conseguido el favor del escriba, se dedicaron a estudiar la obra de Aristóteles. Durante aquellas tardes lluviosas se percataron de que la seriedad del griego solo se manifestaba en sus cabellos grises. Con sus sesenta respetables años, espiaba a las gimnastas y cuando podía y estaba de ánimo, se les acercaba hasta que le reclamaban; sin embargo, pese a su evidente debilidad por las mujeres, le molestaban las prostitutas. Era un buen intérprete y distinguía con facilidad las diferentes corrientes del pensamiento, además de conocer asombrosos detalles sobre su historia. Ioanna se dio cuenta de que aprendía más escuchando los vívidos relatos sobre la vida de algunos filósofos que gracias a sus incipientes traducciones. Así, supo que Aristóteles tuvo varias mujeres y que sus opiniones sobre ellas fueron recogidas por sus discípulos, especialmente cuando le iba mal con alguna de ellas y estallaba en rabietas.

Algunas tardes, cubierta por el rojo cielo crepuscular, la joven regresaba hasta las rocas para ver, desde ahí, el inmenso mar que la separaba de Constantinopla. Había escuchado que en el gran Imperio bizantino confluían todo tipo de gentes y tradiciones: persas, griegos, palestinos y de algunas regiones del norte de África. Trataba de imaginar sus calles y torres, muros y mercados; la multiplicidad de idiomas que se mezclaban en plazas y escalinatas. Una de esas tardes, cuando el sol ya se había ocultado y se hallaba de regreso en la precaria habitación que compartían, ella gritó como si un áspid la hubiese mordido: no estaba el cofre que había guardado por tanto tiempo.

XVII

DEMETRIO, EL BIBLIOTECARIO

La historia que contiene la biblioteca, émula del tiempo, depósito del pensamiento, testigo de nuestros ancestros, es la más seria advertencia de nuestro porvenir.

Demetrio de Acio (789-857)

Un par de sombras se deslizaron por las escalinatas del auditorio, esa noche de vientos fríos. Cubiertos por sus oscuros hábitos, observaban atentos la respiración irregular del custodio de pergaminos. Ioanna le hizo una señal a Frumencio, que estaba algo bebido, para que tuviera cuidado mientras buscaban el cofre; aunque el benedictino tropezó, provocando que un cántaro cayera, el viejo apenas se movió. Buscaron con más confianza, aunque en vano; no había rastro de la caja entre los manuscritos.

Después de pensarlo un rato, Ioanna sugirió que quizás Alexis y Nicolás podrían ayudarlos a recuperar el cofre a cambio de su preciada carreta. Entonces salieron del edificio rumbo a la casa de Diomedes, donde lo encontraron completamente borracho, en compañía de una joven semidesnuda; al parecer se había recuperado momentáneamente de sus achaques. Sin darle importancia al asunto, llamaron al hijo mayor, a quien la joven tomó firmemente por los hombros:

—Alexis, alguien nos ha robado. Mi cofre ha desaparecido y Dios sabe que no podré descansar hasta encontrarlo, pues contiene una promesa. Si nos ayudan a dar con él, regresaremos el *carpertum* para que tu buen padre lo use.

El muchacho llamó a su hermano y ambos estrecharon la mano de los benedictinos. Sin perder el tiempo, los hijos de Diomedes partieron en busca de Filipo, el administrador de la Academia. Lo encontraron tan ebrio que no pudieron levantarlo; la búsqueda sería inútil, al menos durante aquella noche.

Ioanna amaneció afligida y decidió salir a caminar para disiparse. Sin embargo, Frumencio la interceptó a los pocos pasos: Alexis y Nicolás los habían invitado a adornar el *carpertum*, pues era costumbre celebrar los acontecimientos felices. Lo cubrieron de flores, como hacían los gitanos, y consiguieron varios odres de vino para convidar a los vecinos. Filipo les prestó dos caballos de tiro. En todo Atenas se supo que Diomedes había recuperado su coche, y aceptó participar en la celebración a pesar de encontrarse enfermo.

Ioanna, Frumencio y los hijos de Diomedes, preparon carnes con hierbas y aceites; entre tanto, dos vecinos con sus propios carros se propusieron acompañar el recorrido. El retorno del carro del viejo pescador se transformó en una excusa para que los atenienses tuvieran un momento de regocijo. Después de los preparativos, la caravana festiva se dispuso a partir.

Filipo, ya sobrio y enterado de la pérdida del cofre, se presentó ante los benedictinos e intentó disculparse con ellos, contándoles que lo había tenido en sus manos, pues uno de sus guardias se lo había llevado. Sin embargo, después de su borrachera de la noche anterior, el cofre había vuelto a desaparecer. Para congraciarse, les ofreció una pequeña volanta y, aunque la aceptaron, Ioanna no pudo disimular su disgusto.

Filipo inició la marcha montado en su caballo. Diomedes subió al carro con toda su familia, Ioanna y Frumencio iban en otras dos monturas; detrás, los vehículos de los vecinos y la volanta. Los niños corrían alegremente junto a los carros. Tras darle algunas vueltas a la acrópolis, se encaminaron a la playa, donde Dinora, la mujer de Diomedes, los esperaba asando pescados a las brasas. Cuando llegaron, la mitad de los odres de vino estaban ya vacíos.

—Ioannes —Filipo habló, tratando de disimular su renovada embriaguez—, el regalo que le has hecho a Diomedes habla bien de ti. He sabido que te interesas por las lecturas, que eres un estudioso avezado. Pues bien, en adelante, tú y Frumencio serán escribas. Podrán tener acceso al Auditorio cuando deseen y ayudarán a Demetrio en lo que necesite.

La joven sonrió, agradeciendo el gesto, sin embargo, se sentía vulnerable. Sabía que al político le gustaban los hombres jóvenes. Él había puesto su mano sobre su delicado hombro y ella temió ser descubierta. La música interrumpió la conversación: una dama de ojos color arena, ataviada con una fina *palla* azul, apareció en la escena. Se movía graciosamente y era tan bella que todos los danzantes se detuvieron, al tiempo que los músicos la observaban.

—Su nombre es Helena y es esposa de Filipo —Diomedes se dirigió a Frumencio, con gesto preocupado—. Yo en tu lugar le advertiría a Ioannes que se aleje del viejo, porque ella es celosa y puede ordenar la aprehensión de tu muchacho.

Sin perder el tiempo, buscó a Ioanna entre la multitud y la encontró animada en una plática con Filipo. Se reían.

—¡Ioannes!, tenemos que irnos. Ha sido suficiente diversión para nosotros.

No había terminado de reprenderla, cuando Helena llegó hasta ellos, cogiendo del hábito a la joven y acercándosele amenazadoramente al rostro: —En verdad eres un joven delicado. ¡Aléjate de mi esposo! —El vino había hecho estragos en los invitados y el ágape declinaba.

Cuando se disponían a retirarse, Alexis, acompañado de una joven, se acercó a Ioanna. —Ella es mi prima; su nombre es Elha. Desde que llegaste a Atenas quiso conocerte, pues ha corrido el rumor de que tienes conocimientos de herbolaria.

Ruborizada y antes de que pudiera pronunciar palabra, se vio interrumpida por un molesto Demetrio: —Debemos ir al Auditorio, hermano —quien la tomó por el brazo y la jaló estrepitosamente. Mientras se alejaban le dijo al oído: —Es la hija de Lucio Korais, capitán de la marina griega, un mal paso y acabas bajo tierra.

El escriba y los benedictinos se disponían a volver cuando escucharon un grito; regresaron a ver qué sucedía. Diomedes yacía tumbado en el suelo mientras Dinora le sostenía la cabeza. Ioanna se acercó y le puso la mano en la yugular; tras unos minutos, cerró los ojos del pescador y miró a Dinora que lloraba amargamente.

En cuanto llegaron al Auditorio, después de una caminata silenciosa, la joven le dijo a su compañero: —Me aterran más los demonios que habitan en mi interior que los que encontramos en los escritos.

La noche en la biblioteca era contrastantemente apacible en comparación con la voluptuosa y trágica jornada que habían vivido ese día. Demetrio se había adelantado y los esperaba, ceremonioso, con un manuscrito desplegado sobre la pesada mesa.

—Entre tantos documentos encontré este: *De generatione animalum*, que recoge las ideas de Aristóteles sobre el origen de los animales. El filósofo dijo que solo el esperma del hombre es puro y contiene el principio del alma, mientras que la mujer es únicamente receptora de esa simiente masculina. El hombre es la semilla y la sustancia.

—Por lo que sé —interrumpió ella—, él no fue el primero en defender esa idea.

—Claro que no, Ioannes. Esquilo, en su *Orestiada*, expuso que no era la madre quien engendraba; pensaba que la mujer era solo una nodriza que recibe y nutre al germen que en ella se siembra. En su obra señaló que es el padre quien engendra al fecundar.

—Creo que esas afirmaciones forman parte del esfuerzo griego por establecer un gobierno patriarcal. Son desconocidos los ejemplos de la naturaleza en los que el macho procrea sin la hembra. La postura de Esquilo se deriva de un punto de vista mitológico, en cambio la de Aristóteles es biológica. Él fue quien estudió con más profundidad el comportamiento animal en los seres humanos.

—Sabemos de Aristóteles que se casó con Pitias, quien también estudiaba a los animales —el guardián del Auditorio hablaba con familiaridad, como si hubiese conocido al filósofo en persona—; después de un sinnúmero de disgustos, se separaron. En ese tiempo estuvo a cargo de la educación de Alejandro Magno y, después, a los cincuenta años, fundó el Liceo. Supe alguna vez que le molestaba visitar el templo de Afrodita en Corinto por la cantidad de prostitutas que ahí trabajaban. Puedo imaginarlo, discutiendo en sus caminatas sobre las ideas de Demócrito acerca de la Vía Láctea y enojándose hasta rabiar al ser importunado por aquellas mujeres. El problema aquí consiste en tratar de comprender *De generatione animalium* de manera aislada, lejos del entorno, las circunstancias y condiciones del filósofo en su vida.

Acompañados de un té turco endulzado con miel, conversaron hasta que el sol iluminó la brisa que acariciaba la piel. Los tres estaban complacidos por la información que habían compartido. Frumencio se disculpó y salió del recinto: tenía que ayudar a Melissa a cortar las telas recién llegadas. Ioanna supuso que su compañero de viaje estaba entusiasmado con la comerciante griega, pero decidió disolver su inquietud en otra más honda; deseaba escuchar la opinión del bibliotecario sobre la mujer más inteligente de la que tenía noticia:

—Maestro, Cleopatra, hija de Tolomeo XII, era superior a muchos estadistas romanos. Si bien no era hermosa, sacaba provecho de las artes cosméticas, que en Egipto valían tanto como la belleza natural. Mientras estudiaba lenguas, por disposición imperial tuvo que casarse, y lo hizo con sus dos hermanos menores, Tolomeo XIII y Tolomeo XIV, este tenía tan solo doce años. Se sabe que no hubo consumación de estos matrimonios. ¿Piensa usted, como yo, que es más extraordinaria que todos los hombres que la rodearon?

—A pesar de que se le identifica como astuta y de encantos exóticos, fue una figura dominante en asuntos de Estado. Su relación con Julio César, un hombre mujeriego de cincuenta y dos años, cuando ella apenas había cumplido veintiuno, le permitió afianzar una sólida posición política. Él le dio a Cleopatra lo que necesitaba: reconocimiento como soberana. Cuando colocaron su estatua en el Templo de Venus, el pueblo se enfureció y comenzaron las animadversiones hacia ella y hacia el propio emperador.

Frumencio regresó en ese momento; no había encontrado a Melissa. Se sentó y escuchó a Demetrio, que continuó:

—Cleopatra visitó Roma con su hijo Cesarión en busca de apoyo para quien, según ella, sería el próximo emperador. Ella no deseaba ser exhibida como amante del César.

—Él nunca le dio trato de estadista y jugó con ella; un juego peligroso… —Ioanna se había incorporado como hacía a veces, cuando deseaba arrebatarle la palabra a un varón—. Después del asesinato del emperador, se le presentó otra opción: Marco Antonio, quien tenía las mismas inclinaciones que su antecesor y ella, sabiéndolo, zarpó rumbo a Tarso a encontrarse con él. Se dice que llegó vestida de Venus, rodeada de laúdes y flautas. Nunca imaginó que en Roma se desataba una feroz lucha por el poder entre Octavio y el propio Antonio. Poco después, concibió a unos gemelos, pese a lo cual Marco Antonio desposó a Octavia, hermana de su enemigo político.

—Todo parecía ir bien, pero no era así. Cleopatra deseaba asegurar a sus hijos y lo asedió hasta que logró hacerlo regresar a ella, enfureciendo a Octavio, que terminó por derrotarlos en Accio.

—Demetrio, maestro, quizás hayan perdido una batalla, pero el tiempo que vivió con Marco Antonio en Egipto fue de lecciones de buen gobierno —Ioanna hablaba con cierta aprensión—, lo llevó a recorrer las obras públicas a las afueras de Alejandría. Egipto tenía buenas cosechas y un excelente comercio con Roma. Ella promovía obras teatrales de contenido político, pero él, de baja ralea, siempre tuvo una conversación obscena. Ella, para complacerlo, le organizó danzas impúdicas, con escenas orgiásticas; así de osada podía llegar a ser. Cleopatra estaba en el centro del huracán y era demasiado joven para entender el peligro de su relación con Marco Antonio, un hombre que podía llegar a odiar a una mujer. Ella buscaba en él a un aliado político, no a un compañero, pero Roma ya la había censurado. Todo era cuestión de tiempo.

—Puedo aceptar, Ioannes, que Cleopatra era más inteligente que Marco Antonio, e incluso que el propio Julio César, pero desconocía por completo a los grupos de poder que dominaban Roma en aquellos días. Sus pocos escritos, comparando las tradiciones helenísticas con las egipcias, superan lo que he leído de Herodes o Marco Antonio. Era astuta y perspicaz, pero subestimó la fuerza de las intrigas romanas.

Esa noche Ioanna pensó, una vez más, que su disfraz le había jugado a favor, esta vez con Demetrio. Había obtenido de él lo que quería. Seguiría, pues, siendo Ioannes de Maguncia.

XVIII

LOS MANUSCRITOS Y LA INUNDACIÓN

Hay que conocer el arte
de acercar el poder a la necesidad.

Filipo, El Ateniense (787-855)

Una noche, una tromba azotó la acrópolis. Con unos cuantos leños, Ioanna improvisó una fogata para acompañar la velada, que esperaba provechosa. Sabiendo que al joven fraile le fascinaba la vida de la reina, Demetrio había comenzado a narrar el levantamiento de Tebas contra Tolomeo IX y la forma en que Egipto fue convirtiéndose en un estado dependiente de Roma, a pesar de que consideraba que había estado cerca de alcanzar su independencia bajo el influjo de Cleopatra. Pasaron horas conversando hasta que Demetrio le pidió que hablara sobre los concilios cristianos.

—En el primer Concilio de Nicea, en el 325, surgieron seguidores de un sacerdote de Alejandría, llamado Arrio. El arrianismo generó polémica y creó conflictos políticos que el papa Silvestre no pudo controlar. En el concilio se discutió la afirmación del credo cristiano y acremente la igualdad de Dios con Cristo, que los seguidores de Arrio cuestionaban.

A pesar de haber dormido poco, el anciano se sentía animado y aprovechó que ya no llovía, para proponer una caminata por la Vía Triunfal al Foro de Teodosio. De ahí siguieron hasta el Foro de Arcadio y se detuvieron al pie de un muro largo.

—Esta es la muralla de Constantino. No solo es física —Demetrio señaló hacia las cisternas y dejó la mano extendida—; es, sobre todo, moral y cultural. ¿Deseas conocer el lado opuesto de la Roma eterna? Ve a Bizancio y encontrarás lo inimaginable. Atraviesa el Cuerno de Oro, aprende y memoriza todo lo que ahí escuches. Constantino trasladó allá la capital imperial y se necesitará alguien igual de grande para arrebatársela a Bizancio.

—He viajado tanto, y ahora estoy tan cerca. Pronto partiré, Demetrio. Pero ahora dime, maestro, tú que has tenido tantos manuscritos entre las manos ¿por qué algunos filósofos expresan tal odio hacia las mujeres?, ¿crees tú que son demonios?

—No lo sé, Ioannes. Creo que todo parte de la idea de Adán y Eva. Muchos hombres sienten que la mujer rivaliza con ellos desde los tiempos de la creación y por eso las prefieren aisladas y las critican con ferocidad. Ellas no siempre tienen la fuerza física ni el poder para enfrentarlos. Cleopatra, en cambio, superó a los tolomeos y abrió el camino para que otras continúen.

Esa noche Ioanna se acostó pensativa. Por sugerencia de Teodoro había llegado a Atenas y ahora, por consejo de Demetrio, iría a Bizancio. Sin embargo, tenía que cumplir la promesa de llevar los restos de Zacarías a Roma. Con estos designios se durmió y fueron lo primero que llegó a su mente al levantarse.

La lluvia apareció de nuevo. El viejo estaba agripado y Ioanna temió por su quebrantada salud. Salió a conseguir pescado y algunas hierbas, al regresar, le preparó una infusión de propóleo y cáscaras de limón, con miel y jengibre. Se mantuvo tres días cuidándolo y ofreciéndole el brebaje hasta que, al cuarto, la tos desapareció.

Cuando tuvo mejor ánimo, le propuso a Ioanna visitar el monasterio de Dafni. En el camino y, para sorpresa de ambos, encontraron a Filipo hablando con el panadero. Ella quiso retroceder, pero era tarde; él se levantó dándoles la bienvenida, los acomodó procurando que Ioanna quedara junto a él y abrió una garrafa de vino. La joven se extrañó al ver que Helena se sentaba junto a Demetrio. Además de los cuatro comensales, los acompañaban las intrigas amorosas que Filipo y Helena gustaban de urdir. El político terminó su garrafa y, con prontitud, pidió una más al panadero. El bibliotecario, en cambio, bebió poco.

—Lo necesario solo para reponer el agua del catarro —dijo cuando terminó su vaso.

Poco tardó Filipo en decidirse a entrar en acción: le acarició el muslo a Ioanna quien, disimuladamente, le retiró la mano. Helena se dio cuenta y sonrió con malicia. En un lance atrevido, el político bajó la mano, pero Ioanna se levantó pidiéndole a Demetrio que regresaran al Auditorio.

—Tenemos que irnos, hay mucho por avanzar —se levantó para enfatizar lo que estaba a punto de decir—: queridos Filipo y Helena, deben privilegiar lo que es correcto sobre lo divertido y lo fácil. Hacer lo correcto, aunque nadie sepa si lo hicieron o no, es la verdadera integridad, y la fuerza de una sociedad deriva de la integridad de sus gobernantes. La grandeza no radica en la riqueza o poder que se tenga, sino en la entereza y la capacidad de afectar positivamente a quienes los rodean. No pierdan el tiempo y la vida en caprichos; deben ser ejemplo vivo de los ideales de sus ancestros atenienses y liderar con integridad, carácter y humildad. A nadie asustan tus apetencias, Filipo, ni tu liviandad, Helena, pero desilusiona la vacuidad de ambos.

Filipo hizo un gesto de asombro y Helena simuló aplaudir. Después se hizo un silencio. Demetrio miraba a Ioanna, tocándose insistentemente la barbilla. Finalmente, la joven sonrió, ligera, como si nada hubiera ocurrido; se colocó la capucha sobre la cabeza y animó a Demetrio a retirarse.

La vida en Atenas contrastaba con la dura época en la que habían sobrevenido las muertes del padre Carolus y fray Teodoro; parecían pasajes de una vida lejana. Ioanna pensó que en la Acrópolis, con su capitolio, hipódromo, ágoras y dos puertos marítimos, nadie podía imaginar el mundo salvaje en el que ella había nacido y sobrevivido.

Durante dos días llovió con intermitencia y en el tercero las aguas fueron torrenciales. La lluvia hizo estragos en los cuadrantes más alejados de la ciudad y también en los que circundaban el acueducto. Frumencio ayudó a acomodar piedras para fortalecer el bordo que daba hacia el Foro de Teodosio. Entre tanto, Ioanna y Demetrio llevaron algunos de los escritos a sitios seguros; sabían que, si no se lograba controlar la crecida del afluente, muchos recintos se inundarían. Aunque parecía que todos se habían olvidado, ella sufría en silencio pensando en el cofre extraviado; temía que quien lo tuviese lo dejara expuesto al agua.

En pocas horas la Cisterna Real se desbordó, sumando su caudal a la corriente que los vecinos trataban de controlar. El retén en el que Frumencio había trabajado fue rebasado; los voluntarios fortalecieron la entrada con cuanta piedra pudieron encontrar. Brazo a brazo y mano a mano levantaron un nuevo bordo, impidiendo temporalmente la entrada de agua, pero la precaria barrera terminó por quedar en medio de una laguna como un monumento de preservación testimonial.

Por la noche, Frumencio volvió, empapado, a la Academia,

donde solo encontró más humedad, y a Ioanna y al viejo conteniendo la tormenta desde dentro del recinto.

—Haz una de tus hermosas fogatas, Ioannes —Demetrio le alcanzó una cajita llena de yesca y se dispuso a desnudarse para secar su ropa. Ella, con cierto recato, se quitó sus prendas interiores dejándose el húmedo hábito como único vestido. El fuego empezó a propagar su calor. La joven observó que el benedictino miraba sus pezones disimuladamente; a él no podía engañarlo, pero sí mantenerlo alejado.

—¿Saben ustedes quién era Tertuliano? —al ver que Frumencio lo interrogaba con la mirada, el bibliotecario sacó un manuscrito—. Esta es la apologética del filósofo cartaginés, escrita en el siglo II. En varias de sus obras defendió a los primeros cristianos, pero atacó a la Iglesia y después se volvió hereje. Siendo joven escribió que las mujeres debían mantenerse siempre de luto, arrepentidas, de modo que pudieran expiar la ignominia del primer pecado. Sin embargo, ya viejo, estuvo en contra de apartarlas de ese modo.

—Clemente de Alejandría también cultivó esa idea. Tertuliano, por su parte, tuvo grandes aciertos. Recuerdo dos frases suyas que alguna vez escuché de boca de mi maestro Carolus: «El tiempo todo lo descubre» y, esta otra, aún más interesante: «Es cierto porque es imposible».

—Clemente y Tertuliano eran contemporáneos, igual de brillantes, e igual de punzantes —el bibliotecario se acercó a la flama, frotándose las manos—, pero Clemente fue también quien escribió: «Nada es desgraciado para el hombre ya que está dotado de razón, pero el solo reflexionar sobre la naturaleza de la mujer, avergüenza». Él tenía formación platónica y, a diferencia de Tertuliano, su pensamiento no se enfocaba en Dios como figura principal, ni en Jesús como redentor del mundo, sino en el *logos* como principio activo y guía del hombre. Recordemos que *logos* pasó de significar palabra o lenguaje a *ratio*: razón, verbo.

Frumencio, que había estado afanado, tratando de calentarse los pies, intervino: —Por eso san Juan dice, en su evangelio, que en el principio existía el verbo, que es la traducción griega de *logos*. Después de Clemente, esta palabra comenzó a entenderse no solo como la razón del hombre, sino como la razón universal.

—En el convento de Santa Biltrude suelen enseñar que el verbo significa el habla o la razón —dijo Ioanna y añadió—, por eso retomo a Tertuliano y me permito añadir algo más: el tiempo dejará al descubierto que la *ratio* debe considerar a las mujeres en el manejo de la Iglesia.

Demetrio sonrió amargamente y agregó: —Sin embargo, lo que se retomó de Tertuliano en Nicea fueron pasajes de su obra *Sobre la vestimenta de la mujer*, justo en donde dice: «¡Mujer!, eres la puerta del demonio, cúbrete la cabeza y haz penitencia». Esta obra fue la más examinada y de fuerte influencia durante el concilio.

—Ese fue un error de sus primeros compiladores —dijo Ioanna, puntual—. No estimaron que se refería a una idea judaica obsoleta. De Tertuliano también es la sentencia: «Según el lector, los manifiestos tienen su destino». Pero ¿qué clase de lectores le dio el destino a ese documento?

Al siguiente día, la copiosa lluvia ablandó las paredes de las casas de los barrios pobres; algunos techos se derrumbaron, junto con los corazones de sus desdichados propietarios. Los muros del Auditorio trasminaban agua, causando temor entre los escribas. Si la techumbre o las paredes se desplomaban, sería imposible rescatar tantos pergaminos. Ioanna, además, no podía dejar de pensar que el cofre de Zacarías corría el peligro de quedar sepultado entre los muros de alguna edificación.

—¿Saben por qué me nombraron guardián de la biblioteca? Porque dicen que voy a vivir más que los pergaminos. Pues bien, ahora me tienen que ayudar a rescatarlos para que eso no se cumpla hoy mismo.

En cuanto la lluvia amainó, Frumencio salió con el propósito de conseguir una balsa, mientras Demetrio trataba de desviar el agua a como diera lugar. En un arranque de impaciencia, Ioanna buscaba el cofre de fray Teodoro en un edificio contiguo al patio, cuando el techo de la biblioteca se vino abajo.

Ambos regresaron a buscar al bibliotecario, temiendo lo peor. Lo encontraron entre los escombros, con los brazos llenos de manuscritos arrugados, como si nunca pensara desprenderse de ellos. Acordaron ir al palacio de Filipo, donde los papeles estarían a salvo. Helena los recibió, permitiéndoles entrar y asignándoles un sitio para acomodar los documentos. Mientras los apilaban, Demetrio leía en voz alta el título de cada uno. Se alegraba de haberlos rescatado.

Decidieron, entonces, tratar de sacar todos los papeles restantes durante esa misma tarde; se turnarían para hacerlo. Durante la primera expedición, Ioanna se quedó acomodando los manuscritos húmedos para que pudieran secarse; el trabajo era delicado, pues despegar las capas mojadas sin romperlas requería paciencia y atención. La joven, arrodillada, extendía un pergamino sobre el suelo cuando Filipo llegó, sonriente. La miró desde las alturas, pues no era un hombre pequeño. Rompió el silencio para decirle que tenía una caja interesante en un recinto especial; se la daría si lo acompañaba. Ella aceptó a regañadientes, supuso que era su cofre.

XIX

ELHA

Los griegos decimos que nada se desea
sin haberlo antes conocido;
yo corregiría: nada se conoce
sin antes haberlo deseado.

Elha Korais (827-851)

Una tormenta de evocaciones inundó la mente de Demetrio al ver cómo la lluvia penetraba la mezcla de grava y tierra que cubría aquellos pergaminos que tanto había estudiado. Tal parecía que esa calamidad tenía la encomienda de acabar con los testimonios de los antiguos griegos.

Mientras tanto, en el palacio, Ioanna caminaba detrás de Filipo, pensando en confesarle que era una mujer; quizá de esta forma le diera el baúl y se olvidara de sus deseos. El político estaba tan borracho que batalló para abrir una puerta: —Esta es mi bodega personal. Nadie entra, solo yo tengo acceso —cuando logró abrir la cerradura hizo una histriónica reverencia y añadió—: bienvenido al paraíso, Ioannes, aquí cosecharemos los deliciosos frutos prohibidos.

Cuando entraron, Filipo señaló un cofre acomodado sobre estantería alta. Ella intentó alcanzarlo sin hacer caso del asedio, sin embargo, excitado, el hombre le dio un grosero beso en la oreja. La joven montó en cólera y lo empujó; él trató de incorporarse y, apenas lo hizo, la abrazó sin importarle que la caja quedara en medio de los dos. Con la fuerza que surge del coraje, ella logró alcanzar una maciza lámpara de aceite y le asestó un golpe en la cabeza.

—¿Qué clase de demonio eres? —espetó Filipo, sujetándola por un tobillo—. Haré que te enjuicien por tratar de asesinarme.

Ioanna tomó la caja y notó que no era la que buscaba; sin poder contenerse golpeó de nuevo a su acosador, dejándolo inconsciente. El cofre contenía frascos con aceites y ungüentos. Después de recobrar el aliento, aunque aún agraviada, cubrió la herida de Filipo con uno de los bálsamos y, tras esperar que la sangre dejara de manar, arrojó un poco de agua sobre su rostro. El hombre comenzó a recobrar la conciencia y ella acarició su mejilla suavemente; al oído le agradeció las maravillosas atenciones y le dijo que se había desmayado.

Regresó al refugio de los manuscritos rescatados. Ni dos viajes más bastaron para terminar de trasladar los papeles. Exhaustos, mojados y hambrientos, partieron a la sencilla habitación que Ioanna y Frumencio compartían.

—Filipo almacena tanta comida que termina por echarse a perder.

Demetrio se mantuvo pensativo un rato y comentó: —Sé lo que piensas de los gobernantes. Hace cientos de años, con Pericles, hubo un cambio en la concepción del conocimiento y la política, y el cambio fue para bien. Aquel brillante alumno de Anaxágoras defendió la cultura griega, trajo salud, construyó casas y hermosos templos; ¿tendremos otro siglo como el suyo? Por eso es importante rescatar todos los testimonios de aquella edad de oro, para dejarlos a la espera de que surjan buenos intérpretes. Estamos en una época de envenenamientos, esclavismo, sometimiento y oposición a todo conocimiento; ¿en mil años habremos salido de esta oscuridad?

Se dispusieron a dormir. El fraile pensó que los atenienses analizaban tanto el pasado que no alcanzaban a discernir el presente. En su rincón, Ioanna imaginó la brillante época de Pericles y lo que habían traído los siglos posteriores, con sus turbulentas confrontaciones religiosas.

Temprano, recorrieron los alrededores de la biblioteca. Encontraron pergaminos sumamente dañados; tendrían que contratar amanuenses y trabajar en su restauración. Otros manuscritos quedaron francamente sepultados, por lo que les tomaría tiempo rescatarlos, si es que lograban llegar hasta ellos antes de que la humedad terminara por devorarlos. Observando la pesadumbre del anciano, Frumencio retomó un tema que habían discutido antes de la inundación; era un cambio abrupto, pero necesario para el ánimo.

—Somos energía, solamente energía que la naturaleza concentró en los animales llamados humanos. Todo es tiempo y espacio. Hasta el más insignificante animal tiene un tiempo y un espacio concedidos por *natura*.

—¿Por qué solo han de influir esas dos condiciones? —preguntó Ioanna, y añadió—: ¿Qué es el tiempo y qué es el espacio? ¿Encontrarán otros tiempos y otros espacios en dos mil años?

—Deben viajar a Constantinopla —el bibliotecario detuvo su marcha y se giró hacia Ioanna—. Un viaje así fortalecerá su apreciación sobre cuestiones trascendentes. Aquí, en Atenas, estamos en el lindero del Occidente. ¡Vayan al Oriente por la luz!

La lluvia le dio tregua a la ciudad y el sol comenzó a bañar las ruinas de la biblioteca. Durante días se mantuvieron ocupados rescatando manuscritos y pergaminos, los mismos que Filipo acosó a la escurridiza Ioanna. Era uno de los hombres más poderosos de Atenas y no tenía ningún recato en mostrar sus inclinaciones. Cuando los acosos se volvían insoportables, ella se refugiaba en la habitación que compartía con Demetrio y Frumencio.

—Mira esta joya, es de Juan Crisóstomo —Demetrio se dirigió a la joven y le mostró un manuscrito cubierto de barro—. Él tuvo una vida muy interesante: después de ordenarse, se fue a vivir a una cueva; fue obispo de Constantinopla; combatió a los herejes y atacó el lujo y la violencia de los gobernantes. Esta es parte de su obra principal *De sacerdocio*. Escucha el título de la tercera parte: «Entre todas las bestias salvajes, no hay ninguna tan dañina como la mujer».

—El padre Sebastián me habló de Juan Crisóstomo; me contó que había escrito centenares de obras y que la emperatriz Eudoxia lo había desterrado por sus críticas. Quizá por esa razón tituló así ese capítulo.

En ese momento Filipo los interrumpió. Ostentaba su habitual sonrisa. Ahí les propuso ocupar su bodega personal como aposento. Además, les hizo saber que, en adelante, los visitaría con regularidad, pues los documentos eran, también, de su incumbencia. A pesar de que la pérdida del cofre continuaba abrumándola, Ioanna supo que el tiempo de partir a Constantinopla estaba cerca. Se lo hizo saber a sus compañeros cuando Filipo se retiró. El bibliotecario le propuso buscar a Alexis y Nicolás, pues habían estado en Bizancio recientemente. Ella y Frumencio se dirigieron a la casa del difunto Diomedes y ahí los encontraron, en compañía de Elha.

—Hermanos, pasen y siéntense. Lamentamos mucho la pérdida de los documentos en la inundación. Hace unos días Elha me confió que posee un manuscrito de Zaid Ibn Thabit, el gran recopilador del Corán; es parte de *El Kitab* y está escrito en árabe. Mi querida prima desea donarlo.

La joven se sonrojó y bajó la mirada como era su costumbre ante la presencia de Ioannes, el benedictino. Frumencio pensó para sí mismo que, entre el acoso de Filipo y el bochorno de Elha, aquel disfraz comenzaba a ser una garantía.

—Caminemos, Elha —dijo Ioanna y le hizo señas a su compañero para que las esperara junto a Alexis.

En su paseo, bajo un verde y largo emparrado, hablaron de las últimas inundaciones. Cuando llegaron a la Necrópolis, atestiguaron el entierro de los muertos de dos familias. Recorrieron la Vía Triunfal y, finalmente, se sentaron en unas escalinatas. Ioanna sabía que la griega albergaba la posibilidad de negociar con su padre un sitio en alguna nave para embarcarse a Esmirna.

—Elha, mi hermano y yo necesitamos viajar a Constantinopla, he sabido que tal vez puedas ayudarnos. En cuanto al manuscrito que generosamente deseas entregar, puedes dárselo a Filipo, nosotros no podemos recibirlo y ni siquiera Demetrio puede aceptarlo ahora que la biblioteca está destruida.

—Te lo entrego a ti, Ioannes, o no se lo entrego a nadie —había un dejo de molestia en su bello rostro—. Si desean ir a Bizancio, mi padre tiene una embarcación, pero me gustaría acompañarlos.

—Bien, pues. Llevémoslo al palacio de Filipo.

Durante la caminata de regreso, la joven griega conversó con soltura y elocuencia. Parecía satisfecha al poder involucrarse con el objeto de sus caprichos.

—¿Qué tan grande es la embarcación de tu padre?

—Es lo suficientemente segura, ha navegado más allá de Esmirna. Pero solo los llevará si yo voy con ustedes.

—Elha, sabes bien que embarcarse es peligroso. Nosotros hemos estado cerca de la muerte tantas veces durante nuestra travesía que no creo conveniente que una dulce criatura como tú se ponga en manos del impredecible mar. ¡Iré con mi hermano en busca de Mustafá Xifias, y solo Dios sabe si volveremos!

—Sé bien quién es Xifias. Sin mí, tardarán en encontrarlo. ¿Deseas que me quede en tierra porque soy una mujer? ¿Temes el castigo del océano? Me sorprenden tus ideas, Ioannes.

De vuelta a su albergue, con la luna casi oculta, Ioanna buscó leña para enfrentar el frío nocturno. En su rincón, se cubrió la cabeza con la manta y cerró los ojos. Había llegado hasta ahí y estaba cerca de emprender el camino hacia lo desconocido. Podía pensar en dos cosas y en nada más: el cofre de Zacarías y el nombre de Petras Galanakis, el griego que había confiado manuscritos a Teodoro y a quien le sugirió buscar si alguna vez llegaba a Atenas. Se durmió con la mente clavada en los asuntos pendientes, como si fuese un cazador apuntando a su escurridiza presa.

Demetrio despertó a Ioanna y le dijo que Elha la buscaba. Le advirtió que fuera prudente con ella, pues su padre no era un hombre piadoso. Acercándose a la pileta, se acicaló con un poco de agua y saludó a Elha; se dirigieron al muelle. La griega le hizo saber que les haría llegar víveres suficientes y los pondría en manos del mejor capitán; su única condición: ella iría en el barco.

El húmedo embarcadero y el movimiento de los estibadores, avivaron su deseo por llegar a Constantinopla y encontrar a Xifias. Mientras observaban el vivo trajín de comerciantes y pescadores, un hombre alto y barbado las interceptó:

—¿Así que eres Ioannes? —sonriente, le extendió la pesada mano—. Soy el capitán Lucio Korais.

Las órdenes que salían de boca de aquel hombre, el intimidante tono de su voz y la forma en que era obedecido y respetado, le hicieron recordar las advertencias de Demetrio. Evidentemente, se trataba de una figura poderosa. Sin embargo, no tuvo temor. Su deseo de embarcarse era más grande; confiaba en su prudencia y en su alta capacidad para dominarse.

—Lucio Korais, a mi hermano de fe y a mí nos gustaría acompañarlo en su próximo viaje a cualquier puerto de Oriente. Seremos de utilidad, si usted nos lo permite. Sé que Elha desea embarcarse, pero yo solo deseo su bien: es conveniente que nos espere a salvo.

La hija del capitán no disimulaba su enojo. Ioanna sintió una punzada en el corazón, su disfraz comenzaba a apoderarse de cada gesto y de las palabras que salían de su boca. Pero su deseo era tan grande que un respiro le bastó para continuar.

—¿Usted conoce a Petras Galanakis?

—Mi memoria es excelente, lo llevé al puerto de Nápoles; lo recuerdo porque no se separaba de su faltriquera llena de manuscritos. Es un hombre enjuto, como parece que son todos los que gustan de cargar papeles. Ioannes, para el viaje deberán estar listos en dos semanas. El Kronos zarpará con trigo y recogerá telas.

En cuanto Korais se despidió de ambas, Elha estalló: —Lo que acabas de hacer es ruin, Ioannes. Te he vigilado y sé que Filipo te busca. También sé que has perdido tu preciado baúl. No podrás dejarme en tierra, sé demasiadas cosas, conozco a demasiada gente.

—Ese baúl alberga los restos de un hombre santo. Ayúdame a recuperarlo, tú que dices saber demasiado.

—¿Y por qué no lo has enterrado? ¿Viajas con ellos? Si los encuentro, les daré cristiana sepultura.

Como si los demonios del bosque de Teodoro revolotearan de nuevo a su alrededor, se sintió abrumada ante los caprichos de aquella joven. Se sumió en un largo silencio, tratando de no escucharla. Mientras caminaba, pensó que el contenido del baúl le era cada día menos importante, y su obsesión por

149

encontrarlo se había ido diluyendo ante las enseñanzas y experiencias que adquiría día con día. La materialidad del cofre, y también los temores que encerraba, tenían ahora menos valor y todo parecía apuntar a que seguiría perdiéndolo.

Desde que Demetrio había llegado a su vida, junto con aquella gran cantidad de documentos valiosos, nuevas luces habían iluminado su senda hacia el conocimiento, disipando las brumas que arrastraba junto con aquella caja que contenía los restos de un hombre muerto. Además, la idea de llevarse la caja a Bizancio abría la posibilidad de volver a extraviarla; poseer era el camino directo hacia la pérdida. Sin embargo, el peso de la promesa aún latía en su corazón. Tendría que regresar a buscarla.

Cuando salió de su abstracción, Elha ya hablaba sobre los preparativos del viaje a Oriente: —Las provisiones a bordo siempre deben ser: granos, tres quintas partes, carne salada, una quinta y la restante, frutos —sonriendo de nuevo y mostrando la blancura de sus dientes—. De ese modo equilibran la nave.

—Los peligros por los que he atravesado desde que salí de Maguncia no se igualarán a los que aguardan en esas tierras —se limitó a contestar, aunque la otra hizo oídos sordos. Cuando llegaron a la posada, Frumencio salió a recibirlas; al mirarlas, volvió a admirarse ante la visión de lo que a todas luces parecía un delicado joven benedictino, acompañado de una bella muchacha ateniense.

XX

NAUFRAGIO

Un mar agitado
nos muestra encantos desconocidos.

Capitán Lucio Korais (785-850)

Días después, en el palacio y a la usanza de Demetrio, fueron leídos los encabezados de nuevos documentos incorporados a la colección. Entre los asistentes no estaba Ioanna, quien en esos momentos escarbaba en un rincón de la bodega. Mientras removía la tierra, intuyó que el destino de la caja tenía que ver con Elha; tras no encontrar nada, se dirigió de vuelta a la ceremonia. Tenía las manos sucias y, en cuanto vio que la joven le sonreía, tratando de no interrumpir la entrega de documentos, se paró frente a ella. Vestía una palla blanca bajo la que resaltaba su tez apiñonada.

—¿En dónde está la caja? ¿Por qué la sacaste? —aunque hablaba en voz baja, su molestia era evidente y provocó que su interlocutora no pudiera contener la risa. Abandonaron el lugar ante la mirada de todos. Una reía mientras la otra reclamaba, agitando las manos, gesticulando demasiado. Frumencio trató de calmarlas, pero no fue posible.

—¡Iremos a Constantinopla, Ioannes!

151

—¡No irás! ¡Y de una vez dime dónde está el cofre!

La solemne lectura se convirtió en una fiesta; Filipo sacó varias garrafas de sus preciados vinos y decenas de atenienses de otros barrios llegaron entre risas y cantos. Las calamidades traídas por la inundación fueron conjuradas con danzas que aliviaban el alma y enterraban el sufrimiento.

Elha se acercó a Ioanna y le murmuró al oído: —El baile es más bello cuando es improvisado.

—¡Entrégame el baúl! —le dijo cerrando los puños, llena de furia.

La griega le respondió con un beso en la mejilla. Al observar que el rostro de su acompañante se transformaba, rebosante de enojo, su hilaridad fue mayor.

—Ya sabes el costo, Ioannes. En quince días zarpamos. He pensado en regresarte las reliquias en cuanto volvamos. Es una osamenta y no tengo prisa por entregártela, además no puedes llevarla contigo, sería un estorbo. La escondí bien, difícilmente la encontrarán.

Desesperada, le advirtió que la caja contenía las peores maldiciones, y se atrevió a pronosticar terribles desgracias para los negocios de su padre y la ciudad entera; pero nada intimidaba a la griega. Esa noche, tumbada en su lecho, Ioanna pensó que tendría que cambiar de estrategia.

Al siguiente día vio a la griega en el patio; se había recogido los cabellos en una delicada trenza ceñida por un listón con finísimos bordados; le pareció hermosa. Usando su voz más grave, con las manos entrelazadas bajo las mangas del hábito, se acercó a la caprichosa joven y le dijo, en tono sereno:

—Elha, no he dormido pensando en lo que puede pasarte durante un viaje tan peligroso, no podría seguir viviendo si te ocurre algo malo; se lo he hecho saber a tu padre, que también te adora y desea protegerte. Quiero confiarte un secreto, y para eso te pido con toda mi alma que cuides y guardes mi cofre hasta que yo regrese —la joven se dispuso a contestar, pero el fraile le selló los labios con el dedo índice y le dio un suave beso en la mejilla. Elha se ruborizó y fue incapaz de sostenerle la mirada.

A partir de ese día, comenzó a preparar el viaje con mayor confianza; en su corazón ya se habían soltado las amarras. Para su sorpresa, encontró cierta resistencia de Frumencio, que no le tenía miedo al mar, sino a los musulmanes; sin embargo, lo convenció fácilmente como era su costumbre.

El día del embarque subieron a la nave junto con innumerables sacos de verduras, maderas y granos. Demetrio reía desde el muelle al ver a los jóvenes benedictinos, con sus negros hábitos, cogerse de lo que alcanzaban a pescar sobre la cubierta mientras el barco se zarandeaba por el fuerte oleaje de esa mañana. Frumencio, a gritos, le rogaba a su compañero que desistieran porque tenía un mal presentimiento.

Desde el muelle, Elha les gritaba que no se preocuparan por la caja; la joven griega había adornado su cabello con pequeñas flores y su sonrisa despreocupada estremeció a Ioanna, que no pudo evitar sentir algo de cariño por aquella criatura tan voluble. Se despidieron haciendo señas con ambos brazos.

En cuanto perdieron de vista la costa, empezó a marearse; Frumencio la llevó cerca de la proa y la recargó en la barandilla mientras vomitaba. Los dos, junto con una mujer árabe, bajaron a la bodega que contenía sacos de sorgo.

Dos días más tarde, el aire, la lluvia y el oleaje hacían sentir al Kronos como una endeble cáscara de nuez a merced de una furia indescriptible. Los gritos y las órdenes se oían en toda la embarcación, mientras la marejada dejaba más agua en los rincones, arrasando con parte de la carga. Ioanna buscaba desesperadamente algo de qué asirse, cuando vio que una rata

153

también luchaba por treparse a una caja que, al poco tiempo, comenzó a flotar. Se aferró a una tarima y le gritó a Frumencio, quien no logró escucharla; la proa se elevó, altísima, y después todo fue agua y oscuridad.

Quedó a la deriva en medio de la negrura, altas olas que amenazaban con ahogarla y el rugido estremecedor del océano. Poco a poco la tormenta amainó. Y, aunque gritó y buscó a Frumencio, él nunca apareció; tuvo el presentimiento de que se había ahogado. Temblaba sin control, cuando el cielo clareaba y el mar se calmó, frágil en medio de aquel azul profundo. Así pasó todo el día hasta que, por la tarde, vislumbró una línea grisácea; el mar la acercó lentamente a una playa, donde la madera golpeó con una piedra.

Su hábito pesaba demasiado y tenía frío. Con las fuerzas que le quedaban, buscó a Frumencio, caminando torpemente por la costa. Después de un largo rato, desilusionada, se tiró en la arena y lanzó un grito desgarrador; segura de que no lo volvería a ver. Se quedó dormida.

En cuanto la calidez del sol cubrió su maltrecho cuerpo, abrió los ojos. Recordó que su compañero se había perdido y, probablemente, ahogado. Estaba sola de nuevo. Sin saber a dónde ir, se dejó guiar por su instinto hasta que dos hombres con amplios pañuelos de lino sobre la cabeza, se detuvieron junto a ella. Le hablaron en una lengua dulce que no entendió, pero su primera impresión fue de alivio porque, en lugar de atacarla o apresarla, la subieron en la parte trasera de un carro y se fueron hablando entre ellos sin siquiera mirarla.

Después de comer un poco y tratar de darse a entender, la llevaron con Fatih Akyel, un emir que hablaba latín. Le preguntó por Mustafá Xifias y el hombre le dijo que hacía más de tres años que estaba muerto. Sabiendo que aquello no era verdad, recordó las historias de Mustafá sobre las traiciones en Bizancio; seguramente una de sus tácticas era hacerse pasar por muerto. Después de hablar sobre el naufragio y las intenciones de aquel arriesgado viaje, él le propuso que trabajara unos días en sus campos y después él, personalmente, la llevaría a la ciudad.

Ambos cumplieron su promesa diligentemente. Después de una semana de abrir surcos y sembrar semillas, Ioanna recibió una capa y la subieron a una volanta. En el camino se detuvieron a recoger a dos hombres armados con las temibles cimitarras que en las más funestas ocasiones había visto ya.

Al arribar a la capital del imperio, quedó asombrada. Atenas era hermosa, pero nunca imaginó la riqueza de Constantinopla. Entraron por un arco enorme y se detuvieron cerca de las escalinatas de lo que parecía un palacio. Entonces, uno de los hombres le ató las manos, la amordazó y la cubrió con una manta.

XXI

CONSTANTINOPLA

Las religiones, como las luciérnagas,
necesitan de oscuridad para resplandecer.

Ignacio, Patriarca de Constantinopla (797-877)

Escuchaba los altercados verbales entre sus captores; pese al terror, se mantuvo serena y alerta para intentar huir a la primera oportunidad. Uno de aquellos hombres la ayudó a subir cinco escalones, hasta una puerta que rechinó al abrirse. El cuarto olía a fragancias y aceites hasta ese momento desconocidos. Trató de zafarse las manos, pero el guardia la sacudió, sentándola sobre un tapete y cerrando la puerta; a pesar del silencio, creyó percibir que su captor seguía ahí. La alfombra era mullida y agradable; la joven se dio unos segundos para sentir la textura de aquella fina pieza, aunque seguía tensa. Después de algunos minutos, logró descubrirse los ojos. Jamás había visto algo semejante; si el entramado era fino, los colores de aquella alfombra eran poco menos que fantásticos. Sobre la puerta había un escudo con dos cimitarras cruzadas. La ventana entreabierta permitía que los rayos solares iluminaran las partículas de polvo que cruzaban, perezosas, el haz de luz. Parecía encontrarse en un segundo nivel pues podía verse, desde una altura moderada, la extensión de un patio de mosaicos blanquiazules, enmarcando un pozuelo enclavado en el centro.

Un hombre entró en la sala y le dejó una vestimenta de varón para que se cambiara el hábito religioso. Sola y en tierras extrañas, el ambiente le parecía hostil.

—Mi fortaleza está en el control y la prudencia —murmuró para sí misma, varias veces, tras ver salir al hombre por la puerta.

Pasaron algunos días. La alimentaban con pan ácimo y verduras asadas y aderezadas maravillosamente, siempre por la mañana y, luego, al caer la noche. En una ocasión le llevaron carne envuelta en hojas de parra y un aceite delicioso. Ese día la sacaron para que caminara un poco. Quiso averiguar en dónde encontrar a Xifias, pero sin respuesta de por medio, la llevaron de nuevo a su habitación.

Tres días después llegó un musulmán de túnica desteñida y rostro apacible acompañando a la mujer que la alimentaba; hablaban en latín. Fingiendo torpeza, tiró la comida para retenerlos un poco y escucharlos; compartían impresiones jocosas sobre los feos hábitos con los que había llegado vestida.

Al siguiente día, en un descuido del guardia, le habló a la mujer pero ella, hermética y cuidadosa, no le respondió. Con suma discreción, cada día hacía nuevos esfuerzos, posando brevemente la mirada en los ojos de la mujer y tratando de ganarse su confianza con el sutil lenguaje de sus grandes ojos. Después de varios intentos, recibió respuesta. Se enteró de que el califa Wathiq pensaba venderla.

Una mañana, prudentemente se acercó a la mujer y le preguntó por Mustafá Xifias. Mirándola duramente, ella se limitó a repetirle que la venderían y que sería pronto; decidió huir en la primera oportunidad. Pocos días después, en medio de un fuerte aguacero nocturno y con el pretexto de ir a orinar, corrió hacia una zanja perdiéndosele de vista al guardia que la acompañaba.

Tras correr un largo rato bajo la tormenta, encontró a un sacerdote, calentándose al fuego debajo de un tejabán. Se detuvo y pronunció el nombre de Mustafá Xifias. El hombre se encogió de hombros y le pidió que esperara. Cuando regresó, iba acompañado de dos jinetes que la colocaron sobre las grupas como si de un costal se tratara, llevándola de vuelta y encerrándola en la misma habitación de nuevo. A partir de ese momento un guardia la cuidaba y la vigilaba de cerca durante todo el día.

En una ocasión, escuchó ruido en el pasillo; se asomó y vio que la mujer hablaba con el guardia en voz muy baja. Cuando entró, dejó caer sobre la alfombra un hermoso damasco maduro. Al agacharse a recogerlo, la mujer susurró el nombre de Xifias. Ioanna sintió que aquello era una promesa, y la idea le dio esperanzas. Finalmente, una mañana escuchó la voz del guardia conversando con Mustafá. Cuando abrieron la puerta y pudo verlo, no hubo palabras antes de un fuerte abrazo. Compungida, le dio la noticia de que Frumencio se había ahogado. Xifias se quitó un anillo y se lo dio al guardia, que desapareció dejándolos solos.

—Lamento escuchar lo de tu hermano; es terrible. Me dijeron que estabas aquí y que tienes un precio no muy alto —él no pudo reprimir una mueca de diversión—. Aun así, no puedo comprarte ahora, pero sé cómo tratar a los guardias —dijo, mostrándole dos anillos de vistosas piedras que traía en una bolsa y guiñándole el ojo en uno de sus habituales gestos para ufanarse.

Ioanna emprendió el relato de lo sucedido desde que se embarcaron en el Kronos, mientras el atardecer se pobló con los sonidos de las cigarras y esporádicos vientos ululantes.

—Serán opuestos nuestros mundos, Xifias, pero es cierto

que ambos son cautivantes —guardó silencio al escuchar que la puerta se abría; el celador le pidió a Mustafá que se retirara.

—Regresaré y pagaré el precio que pide Wathiq. Trabajo para Ignacio, el patriarca de Constantinopla, pero no deseo incomodarlo ni presionar al califa. Conseguiré algún salvoconducto para que no te detengan nuevamente.

Volvió a quedarse sola. Desde que se levantaba, mientras comía, cuando regresaba de sus caminatas por los pasillos y hasta que llegaba la hora de acostarse, se mantenía atenta, creyendo escuchar la familiar voz de su amigo a lo lejos, pero Xifias no aparecía.

Una mañana, mientras escuchaba las oraciones en el patio, abrieron la puerta; era el bizantino. Se plantó frente a ella, esbozando su sonrisa de triunfo y desenrolló una hoja que llevaba su nombre: Ioannes de Maguncia.

—Es el salvoconducto firmado por el patriarca Ignacio. No quiere problemas con Wathiq, así que me dio este documento para que no seas arrestada. Sin embargo, no le pide al califa que te libere porque estás en subasta. Cada que te sacan a caminar, te exhiben frente a tus posibles compradores; tu precio es bajo porque creen que eres un griego de tendencias extrañas —el gesto divertido de Xifias volvió a repetirse para irritación de la joven—. No puedo comprarte porque se vería mal que un funcionario de Ignacio pagara por ti. Cuando me parezca conveniente, le pediré al patriarca que le solicite al califa que baje tu precio aún más. Si le digo que eres un griego políglota y que nos puedes ayudar a interpretar algunos documentos antiguos, lo convenceré de adquirirte. Ha escrito varias obras y ahora mismo trabaja en una nueva a la que llama *Léxico*; es un repertorio de estatutos y preceptos legales. Puedes serle bastante útil, Ioannes; además Ignacio tiene poder.

Días después, el guardia la sacó de su habitación y la condujo a un patio en donde la esperaba un carro.

—Por fin lo conseguimos, joven Ioannes —Mustafá exhibió su amplia sonrisa al bajarse de la volanta para ayudarla a subir.

Mientras salían del palacio, Xifias pensó que el califa quizá tendría curiosidad de saber por qué Ignacio había intervenido para pagar un bajo precio por el monje. Se alejaban ya, cuando un guardia los alcanzó y le dio un pequeño papel a Mustafá; al desdoblarlo, leyó: «tengo mejores eunucos que el que estás adquiriendo».

Al fondo de la planicie donde se detuvieron, se alzaba una edificación impresionante, tanto por su altura, como por los finos detalles que la ornamentaban. Xifias le regresó el hábito benedictino y ella se enfundó en sus oscuras y queridas ropas. Tres jinetes se acercaron al carro y saludaron a Xifias con deferencia.

—Levanta la mirada, joven amiga, aquí necesitarás volver a ser fraile —dijo y extendió el brazo señalándole unos amplios y bellos jardines que se alzaban entre un paisaje rocoso.

Entraron a un lugar adornado con numerosas candelas e inciensos. La atmósfera era densa, a causa del humo de las velas y las maderas que se quemaban, esparciendo sus caprichosas fragancias. Al ver que se mantenía callada le aconsejó: —Te pido que te muestres como el religioso cristiano que sabes ser, y que digas que eres cercano al papa Sergio II.

Siguieron su camino hasta llegar a una habitación en donde una mujer con el rostro cubierto les dirigió un saludo gentil.

—Ella es Zaira, mi hermana. También se encuentra a las órdenes de Ignacio. Alguna vez te hablé de ella, es una gran lectora como tú, Ioanna.

La joven se sobresaltó; pensó que Xifias había sido el primero en violar sus propias reglas. La estaba metiendo en problemas y ahora, ruborizada, lo miraba fijamente como buscando una respuesta. Zaira dejó ver una sonrisa divertida, era el vivo retrato de su hermano.

—Ella lo sabe, Ioanna. Podrás ser mujer, pero solo para nosotros dos. Ignacio está ansioso por conocerte, quiere escuchar las sabias palabras del religioso de Fulda que cruzó el océano.

Entonces se prepararon para la audiencia con el patriarca. Zaira la condujo a un salón grande y se detuvieron en una puerta de altos arcos ligeramente apuntados, aderezados con detalladas grecas. Una bellísima alfombra rojo escarlata servía de guía entre la puerta y una sólida silla en la que no podía verse quién estaba sentado, pues varios sacerdotes la rodeaban. Cuando la gente se retiró, Ioanna vio al Patriarca, un hombre de tez morena, barba rala, ojos serenos y modales refinados. Este hizo una seña para que se acercara.

—Mustafá me ha hablado mucho de ti, Ioannes —dijo Ignacio en un griego cuyo acento era notablemente distinto al que la joven había escuchado—. Creí que eras más viejo. Sé que lees y hablas varias lenguas, podrás ayudarnos bastante.

Antes de que la joven pudiera responder, media docena de hombres irrumpieron conduciendo a un muchacho al que llevaban detenido; Zaira tomó a Ioanna por los hombros y, haciendo una ligera reverencia al patriarca, la condujo a una habitación confortable.

—Este será tu aposento. Cuando tengas hambre podrás dirigirte al comedor de sirvientes y tomar lo que quieras. Estos dos escritos son parte del *Léxico* y el *Uafiye*, en los que trabaja Ignacio, los dejaré aquí para que comiences a estudiarlos. Si me necesitas, le puedes preguntar a cualquiera por Hediye, que quiere decir regalo; así me llaman porque Ignacio dijo que yo fui el *hediye* de Mustafá para él. Mi hermano es el *Al-wazir* o ministro del patriarca. Y ahora que sabes todo, trata de descansar.

Antes de retirarse, le señaló la ventana y le aconsejó que

fuera precavida, y que cada vez que deseara caminar por el palacio, lo hiciera en su compañía o la de Mustafá. Cuando se quedó sola, sintió la alegría que proporciona la comodidad después de años de privaciones y penurias. Al principio le resultó casi penoso hacer uso de aquel espacio, pero no tardó en recostarse sobre unos cojines y una alfombra más cómoda que cualquier lecho en el que hubiera dormido hasta entonces. Leyó dos de las hojas que le había proporcionado Hediye. Al poco tiempo, un sirviente le llevó una pequeña canasta rebosante de dátiles, peras y damascos secos. Apenas apagaron las lámparas del pasillo, entró Xifias.

—Ignacio me ha dicho que le pareces un joven inteligente; debemos conservar esa apariencia. Si llega a descubrir que eres una mujer, no sé lo que pueda suceder y no quisiera perder su respeto.

Antes del amanecer, Zaira tocó a la puerta y la condujo al comedor, donde ya había nueve sirvientes sentados. Algunos la saludaron, haciéndole una graciosa reverencia. De vuelta a su habitación, se ocupó de revisar los demás papeles. Estaba concentrada en ello cuando la hermana de Xifias volvió y le dijo:

—Tendrás que acompañarnos en las lecturas del *Kitab* —al ver la cara de extrañeza de Ioanna añadió—. *Kitab* significa libro. A pesar de que Ignacio es ortodoxo, le interesa conocer otras tradiciones, y siempre ha procurado entenderse con los clérigos sin importar su procedencia.

Por la tarde, leyó varios pasajes del Corán y advirtió algunas de las influencias de este texto en varios documentos de origen occidental. Entonces se ocupó en escribir un poco sobre estas coincidencias y se preguntó, al tener entre las manos la traducción del texto, cómo sería leerlo en su lengua original. El tiempo pasó demasiado rápido; una vez más tocaron a su puerta.

—Es hora de asistir a la lectura —Zaira dejaba ver su blanquísima sonrisa. Iba envuelta en una bella tela verde, salpicada de bordados. Ioanna admiró el color de su piel.

El pasillo estaba en penumbras y solo unas cuantas teas iluminaban el salón. Un olor a fruta fresca impregnaba el lugar; en una pequeña mesa habían colocado un cesto con dátiles, ciruelas y quesos maduros. Reconoció a algunos de los sirvientes, quienes al verla la saludaron con gentileza. Por Zaira supo que uno de los asistentes a las lecturas era Miguel III, emperador de Bizancio, un hombre de semblante indolente. Había ascendido al trono ayudado por su tío Bardas, con quien, ahora, se hallaba enemistado. La hermana de Xifias bajó la voz y le confió que el emperador tenía fama de bebedor, tanto que le apodaban El Beodo.

Cuando los asistentes se acomodaron, Ignacio explicó el propósito de los primeros suras del Corán. Pocos intervenían. Ioanna propuso analizar las coincidencias entre el texto sagrado del Islam con las ideas de algunos filósofos griegos. Una hora después, el lector se levantó e hizo que todos se pusieran de pie, Miguel se retiró, saludando a Zaira con un breve gesto.

—¿Qué significa *rahim*? —preguntó Ioanna cuando cruzaban el patio.

—Quiere decir misericordioso. Y, ¿sabes?, esa inclinación, base de nuestra fe, parece estarse perdiendo en estos tiempos. Hay algo que quiero informarte: hay representantes de otros grupos de musulmanes que desean deshacerse de Mustafá; consideran que es joven y que trabajando con el patriarca los traiciona. Según ellos, el papel le corresponde a Zenón Amán. Incluso sus hombres han tratado de secuestrar a mi querido hermano. Cuando volvió a la ciudad, después de su largo viaje, me contó que te había conocido durante una escaramuza con los hombres de Amán. El mismo Ignacio sabe que salvaste la vida de su apreciado ministro.

—Le salvamos la vida. Mi hermano Frumencio también estuvo ahí —los ojos de Ioanna se rasaron de lágrimas.

—Lamento tu pérdida, Ioanna, sé que Frumencio era un buen hombre; ahora estará en la gloria. Nosotras en cambio… —Zaira hizo un breve silencio— tenemos que cuidarnos en este nido de traidores. Aunque Mustafá tenga la protección del patriarca, él no se atreverá a enfrentarse a los hombres de Zenón Amán o de Rifat Tahsin si deciden acabar con mi hermano. Ambos son traficantes de opio, influyentes y peligrosos.

Ella entendió la gravedad del peligro. Más tarde, Mustafá llegó a visitarlas y le pidió a Ioanna que no se separara de Hediye. El ambiente palaciego, lleno de comodidades, parecía ser tan peligroso como cualquier bosque habitado por bestias.

—Hay una guerra entre Amán y Tahsin. Ignacio es reconocido como patriarca, pero cuando sucedió a Metodio, ningún grupo lo aceptó plenamente. En Roma, el papa Sergio II, un vendedor de cargos eclesiásticos, también se negó a reconocerlo. Para contrarrestar este rechazo, Ignacio planea organizar un concilio ecuménico aquí, en Constantinopla —Xifias se rascó la barbilla, pensativo—, sin embargo, el peligro que representan aquellos hombres es más grande que la buena voluntad vertida en una reunión de jerarcas.

Ioanna entendió que el patriarca deseaba establecer un puente de comunicación en medio de un río de aguas revueltas. Oriente y Occidente eran mundos distintos, tanto en costumbres como en conceptos, pero conforme iba conociendo el amplio mundo, se daba cuenta de que, desde el Rin hasta el Bósforo, el poder desafiaba y corrompía la rectitud.

XXII

ZAIRA

La idea de que es un deber de todo hombre
procurar que el otro sea religioso,
ha sido el fundamento
de las más cruentas persecuciones.

Zaira Ayse Xifias (819-889)

Era una hermosa noche de brisa fresca, perfumada por las flores que crecían en los jardines. Zaira caminaba por los patios bañados por la intensa luz de la luna cuando Ioanna la alcanzó y le dijo que se le revelaba una concepción nueva, un camino distinto a todo lo que había aprendido con Carolus, Teodoro y Sebastián.

—Para nosotros la lluvia, por escasa, juega un papel distinto que para ustedes. He oído que en Sajonia siempre llueve —dijo Zaira y le señaló el sendero a seguir—. Ambas sabemos que la atmósfera contiene agua. En Europa hay más precipitaciones porque el sol, el viento y la temperatura permiten al líquido caer y ascender en ese continuo ciclo de vida, pero en Constantinopla y en los reinos vecinos, las circunstancias hacen que el valor de la lluvia sea enorme, debido a su escasez.

—Ese valor del que hablas, Zaira, determina una concepción particular de la vida entera.

—Así es, pero también de concebir la muerte. Dice Ignacio que el primer pilar que levantamos en nuestra vida es el del placer. La lluvia abundante puede ser perjudicial, sin embargo, cuando es poca resulta sumamente placentera.

—El placer se asocia a la satisfacción con medios limitados. Contrario a lo que pueda creerse, el placer es menor ante la abundancia.

Mientras caminaban por los patios de altas palmeras datileras, un guardia las seguía brindándoles protección. En cuanto se detenían a conversar, este también lo hacía a una distancia prudente.

—La primera enseñanza que a los niños debería transmitirse es la capacidad de entendimiento. Que aprendan a penetrar por sí mismos en los fenómenos del mundo, sin dejarse llevar por las imposiciones de doctrinas que los oprimen y los violentan, que los alejan del verdadero amor de Dios. Así, cristianos, judíos y musulmanes renovaríamos conceptos como eternidad, muerte y divinidad. Sabríamos que todos, hombres y mujeres por igual, tenemos dentro, incorrupta, la llama de la que nacerá el nuevo ser humano.

—Es así —Zaira bajó la voz—, y yo iría más allá: la religión, como cualquier creencia no probatoria, surge porque no estamos preparados para enfrentar a la muerte de manera natural. El hombre se refugia en sus creencias y las hace religiones. Si estuviésemos preparados, cada generación buscaría, con la luz original de la razón, cómo existir sin más, de renovarse en conjunto como un solo género humano.

Ambas guardaron silencio y siguieron andando, como si caminasen sobre cada palabra dicha, volviendo a discernir lo expresado. Después de un rato, se detuvieron frente al pozo; el espejo de agua reflejaba la blancura de la luna llena.

—Somos testigos de lo que nuestras religiones construyen —dijo Zaira mirando por encima de la vegetación y señalando hacia el minarete de una mezquita—. No hay más: nuestros hijos musulmanes y sus hijos cristianos serán feligreses con diferentes ideas de la fe; sin embargo, estoy segura de que si tan solo trataran de renovar sus concepciones con una mirada transparente, convergerían en muchos aspectos.

—Tu postura es osada —dijo Ioanna, que se descalzó para caminar sobre las piedrecillas del jardín—. Pero, ¿sabes?, desde muy joven he visto claramente un mal, muy tangible, y estoy segura de que se trata de nuestro primer obstáculo. Para mí, lo que los grupos políticos poderosos en ambas religiones pretenden es imponer un criterio de odio hacia las mujeres que nos impide el acceso a las cúpulas. Así no llegaremos nunca a nada.

—Es así. Pero no dejo de pensar que, a final de cuentas, las religiones son el mayor atavismo para que alcancemos una nueva etapa de libertad como género humano.

—Pero, ¿si no tuviésemos a las religiones, Hediye?, ¿cómo podríamos levantar un pilar en el vacío de no creer en nada?, ¿no sería eso una limitante para llegar a ese nuevo estadio del género humano?

En ese momento Zaira se detuvo. Miró hacia el cielo que se había cubierto de nubes. Después bajó la vista y examinó sus largas manos morenas, de cuidadas uñas ovaladas.

—He pensado que el hombre y la mujer de nuestro siglo se están formando con una limitación: a la humanidad le atemoriza concebir que todo sea un camino hacia la muerte como único destino y que, en ese trayecto, el ser humano solo busque el origen y el sentido en absurdos placeres —giró las manos extendidas, volteando las palmas hacia arriba; gruesas gotas, muy separadas entre sí, comenzaron a caer del cielo—. Empieza a llover, eso lo tomamos como un accidente; no lo concebimos como parte de las condiciones que se dieron para formar la vida

167

y, entonces, por incapacidad de entendimiento recurrimos a los dogmas. ¿Es por capricho o por arte de magia que la naturaleza ha creado este mundo?

—Los griegos lo han concebido a su manera. Han explicado la existencia de otros elementos naturales...

Zaira, que seguía recibiendo las esporádicas gotas sobre sus manos, la interrumpió: —No me refiero al agua o al fuego como elementos, sino a las consecuencias de un acto esencialmente natural, como vivir o morir. Podríamos engañarnos durante miles de años con los juicios religiosos que hemos creado. Habrá creencias que expliquen la vida, desde la concepción hasta la muerte. Sin embargo, el estudio del cosmos, la naturaleza y la transición de la vida a la muerte tendrían que ser nuestras bases. Los egipcios lo hicieron desde sus primeras dinastías hasta la época grecorromana, y ese conocimiento rigió su vida; las próximas generaciones deberían tomarlos como inspiración.

—Estoy de acuerdo contigo, Zaira. Agradezco escucharte hablar de ese modo, y más doy gracias por saber que la llama de la inteligencia se enciende en el entendimiento de una mujer.

El patio, reluciente por el resplandor de la luna reapareciendo después de esa breve lluvia, enmarcaba su conversación. La bruma empezaba a despejarse en el sendero por el que continuaron su caminata. Llegaron al patio Al-Hasiffe. Entonces Zaira retomó la palabra:

—Es necesario que veamos al *Kitab* como un medio, Ioanna, no como fin. Quisiera mostrarte, como contraste, un manuscrito de Pablo de Egina, un gran médico de Bizancio. Tradujo al árabe las enseñanzas de Galeno de Pérgamo, otro médico de enorme influencia. Lo cual representa un extraordinario ejemplo de los alcances de la filosofía natural.

Regresaron al palacio con una grata impresión del paseo que habían dado juntas. Cuando se despedían, Ioanna pensó, divertida, que Zaira sería una excelente compañera, por no decir un elemento explosivo, en las disertaciones que Sebastián compartía en el monasterio de Fulda.

Por la mañana, apenas desayunaron, Zaira le mostró el *Hypomnema* de Pablo de Egina con la intención de traducirle algunas líneas. Salieron a caminar por un sendero flanqueado por arbustos, rodeado de espléndidos jardines. No se percataron de que un hombre las observaba.

—¿Conoces a Aristóteles, Ioanna? Él solía decir que las oraciones y los sacrificios a los dioses no servían de forma alguna. Además, al igual que Demócrito, señalaba que no existía nada más allá del átomo y el espacio vacío. Que las oraciones no cambiaban la naturaleza de dicho átomo o de dicho espacio —al ver que Ioanna escuchaba con atención, prosiguió—. Ambos coincidieron en que las religiones buscan adeptos para difundirse como instrumentos de dominio, no hacen más que sembrar el miedo a lo sobrenatural y la muerte en aras de imponer su control.

—Pero, ¿cómo evitarías que un pueblo caiga bajo el dominio de un grupo a partir de la religión?

—Confucio solía decir que donde hay educación sobra la religión. Y esto es semejante a lo que expresaba el griego Epicteto, quien señaló que solo es libre el que está libre de toda creencia. La idea de un dios todopoderoso y superior únicamente se le pudo ocurrir a un ser débil, como es el ser humano.

—Un ermitaño al que conocí hace tiempo me dijo que los hombres temen a los dioses que ellos inventaron y que no hay nada por encima de la naturaleza —Ioanna levantó una hoja seca y la soltó frente a una ráfaga de viento—. En sus momentos de claridad, Teodoro afirmaba que Dios no existe fuera del hombre y que este crea instituciones para dosificar el miedo. Aun así, él era presa de momentos de terror febril. Es difícil, Zaira, concebir una verdad si no es colectiva.

Con un sinnúmero de cuestionamientos en mente, Zaira guardó silencio.

—Tenemos seis siglos dando fundamento a los preceptos cristianos sin siquiera cuestionarlos —continuó Ioanna—. No tengo duda de que a la religión se le ha dado un mal uso, pero, como te dije ayer, la única manera de corregir el rumbo es que la mujer intervenga, no solo el hombre. El papa dice que no puede haber mujeres a la cabeza porque en tiempos de Jesús no las había, pero, por Dios, Zaira, ¡tampoco había obispos, ni papas!

—No hago diferencias entre sexos. El día que el hombre y la mujer entiendan la naturaleza del cosmos, entonces entenderán que su concepción de Dios ha sido limitada hasta ahora.

—Y no podremos llegar a ello hasta que cese la opresión que unos cuantos ejercen sobre la mujer. Alguna vez leí que Jesús tomó por mujer a una aramea y la abandonó para poder predicar. Sin embargo, desde los concilios de Éfeso y Calcedonia, la pretensión episcopal era hacer desaparecer a la mujer de la vida de Jesús. Aunque Teodoro me aseguró que existe un manuscrito que demuestra que María de Magdala era su esposa. Sin embargo, en los próximos concilios se seguirá imponiendo una versión completamente distinta de su vida. Es preciso revisar todo lo que se ha escrito, desde el mismísimo génesis, pues si no cambiamos las cosas ya, seremos nosotras en quienes caiga la mayor opresión de todos los tiempos.

Al llegar a un jardín de pequeños prados, se descalzaron, disfrutando de la suavidad de la hierba regada la noche anterior. Al final de la parcela, se encontraron con un hombre que leía cuidadosamente un pergamino. Con una señal para que guardaran silencio, regresaron sin hacer ruido. En cuanto se alejaron,

Zaira le dijo que se trataba de un maestro y lector de los suras del Corán, encargado de trasmitir el contenido del libro a Ignacio.

Esa noche, Ioanna no pudo conciliar el sueño. La disertación de Zaira le hizo pensar nuevamente en las numerosas convergencias entre las creencias musulmanas y la religión cristiana.

XXIII

RIFAT TAHSIN

Tengo toda mi vida en el comercio del opio
y te puedo decir que en este negocio
no hay nadie que no sea peligroso.

Rifat Tahsin (800-866)

Desde su habitación, Ioanna contemplaba el patio, atestado de
adornos arabescos, cuando la distrajo una pelea de estorninos.
Así son nuestros conceptos…, se dijo a sí misma, recargada
en el antepecho de la ventana. Pensando en que si en los concilios hubiese gente que pensara como Zaira, o quien hablase
sobre las mujeres, la prescripción del celibato y la vida frugal
obligada, la Iglesia sería otra. Salió a caminar bajo un atardecer que abrazaba el alma con su explosión de colores radiantes.
Las nubes se encimaban unas sobre otras, igual que el cúmulo
de ideas en su mente desde que inició sus emocionantes inter-
cambios con Hediye.

El rostro del hombre que la seguía, se delató debido a un
sorpresivo asomo del sol; supuso, sin temor, que era otro de
esos silenciosos y discretos guardias y continuó su disertación
interna: ¿las religiones surgen porque no somos capaces, o no
estamos preparados para descifrar los fenómenos naturales?,

172

con este cuestionamiento en mente, se dirigió al jardín principal. Cuando empezó a llover, giró con la intención de volver al patio y vio que el hombre trataba de esconderse, lo cual lo delató. En ese instante dudó de que se tratara de un guardia, pero ya era tarde; junto con otros dos hombres la golpearon dejándola inconsciente. La subieron a un caballo y dos horas después llegaron a una cabaña donde la recostaron en el suelo.

Tras curar un par de heridas que tenía en la cabeza, le dieron una manta y le asignaron a un vigía. Al amanecer, le ofrecieron un poco de pescado. Se encontraban en un recinto de tamaño regular, cubierto por un techo de madera sobre el que se escuchaba el aguacero matutino. Alcanzó a escuchar el nombre de Rifat Tahsin, de quien Zaira le había contado que se oponía a que Ignacio y el emperador Miguel III tuviesen algún acuerdo. La razón: impedirían el tráfico de opio, principal actividad de Rifat y su grupo. Entre los vigías y otra gente que se agolpaba en un pasillo, alcanzó a ver a Hassan Sukur, a quien había conocido en las lecturas de Ignacio; ahora era claro que se trataba del hombre de Tahsin en el palacio.

En cuanto amainó la lluvia, varios hombres llegaron a la estancia. Ioanna imaginó que el de hombros anchos, barba negra y mirada inquisitiva era Rifat Tahsin. Dos de ellos hicieron una fogata y otro desenvolvió una tela con una gran pieza de carne para asar. El líder se sentó junto a ella.

—Sé quién eres, un discípulo de Demetrio de Atenas. También sé que te interesan los suras del Corán —Tahsin hablaba mientras mordía una costilla de carnero—. Parece que apoyas al patriarca y que él te protege. Por alguna razón, Wathiq te liberó y eso es extraño, porque el emperador y el califa se tienen respeto. Le hemos pedido a Miguel que quite a los guardias del puerto a cambio de tu vida y respondió que ni siquiera te conoce.

—Soy un humilde religioso benedictino y apoyo al patriarca Ignacio. Sería bueno que supieras, de una vez, que no me interesa el tráfico de opio.

Tahsin soltó el hueso que había estado mordisqueando, bebió un gran trago de agua y espetó: —Hablemos más profundo, griego. No creo en tu religión —al ver el rostro de extrañeza de su interlocutor, añadió—. Ustedes dicen que Dios creó al hombre en el sexto día, pero para mí, en el séptimo el hombre le regresó el favor creándolo a él, a su imagen, para servir a un propósito: dominar. Ignacio influye en el emperador, quien a su vez lo hace con el pueblo, ¿para qué? Para controlarlo por medio de la religión. Yo soy un hombre práctico y quiero hacer lo mismo, pero con el opio. Este adormece al hombre, que lo consume para aliviar el dolor y las penas. La religión, en cambio, genera dolor e impone penas.

Tras pronunciar esas palabras, el líder se levantó y se retiró. Entonces un hombre le dijo al fraile que lo acompañase. Cabalgaron durante dos o tres horas hasta que llegaron a orillas del mar; esa tarde el océano estaba embravecido. El hombre la hizo desmontar, se echó un bulto a la espalda y emprendieron camino por un peligroso sendero. En más de una ocasión, Ioanna estuvo a punto de caer hacia el bravío oleaje. La constante brisa mantenía su rostro mojado y resbalosos los filosos peñascos. Después de un par de resbalones, un paso en falso provocó que quedara suspendida, aferrándose a las rocas con apenas los dedos de una mano, hasta que el guía la auxilió. Se alegró al comprobar que no trataría de asesinarla. En cuanto llegaron a una gran oquedad, el raptor le dio una cesta con frutas secas y se alejó, abandonándola, sin siquiera voltear a verla.

La caverna estaba casi a nivel del mar y era amplia; el techo tenía la altura de dos hombres, había escurrimientos por las paredes y algunos charcos en el piso. En poco tiempo la marea subió cortando el paso a la playa, ella trató de relajarse y comió algunas frutas. Sin embargo, el nivel del agua subía incesante-mente. Hablando para sí misma, afirmó: —Denme cualquier religión para morir en este lugar, puedo hacerlo como cristiana o como musulmana, de cualquier manera, mantendré la misma dignidad con la que he vivido.

Pronto el agua le llegó a las rodillas, así que se subió a las piedras más altas, en el fondo de la caverna. No fue suficiente; la marea iba reduciendo, lentamente, su espacio vital hasta cubrirle la cintura. Sintió que, poco a poco, el mar le daba un abrazo mortal y cadencioso. Anochecía y los rayos de la luna se reflejaban como tonos de plata en las escurridas paredes; cientos de cangrejos que no había visto se amontonaban en las rocas, que parecían ser su hogar nocturno.

Durante horas y con el nivel del agua hasta los hombros, espantó a los cangrejos que, esporádicamente trataban de hundir las tenazas en su piel. Irritada, atrapó a uno y lo estrelló contra la pared, logrando sacarle algo de carne. Así se mantuvo, entretenida, cogiendo a los más grandes y devorando su contenido, aferrándose a la vida.

En cuanto empezó a descender la marea, se alegró. Aunque traía sus pedernales y había dos leños incrustados en una parte alta, no pudo hacer una fogata; todo estaba mojado. Tenía que salir a pesar del riesgo de caer; así pues, decidió avanzar por las húmedas peñas. Ya afuera, habiendo alcanzado otra cueva un poco más pequeña, se encontró con dos hombres que sostenían a una persona, al parecer un cadáver, envuelto en mantas.

La detuvieron y cargaron al amortajado dejándolo junto a ella. Entonces, al escuchar un quejido, supo que el hombre estaba vivo. Uno de los secuestradores le señaló al hombre envuelto.

—Este —dijo y tocó el bulto que todavía respiraba—, es un asesino. Si esperas a que suba la marea se ahogará y te salvarás, pero si lo desatas te matará y se irá, ¿qué harás, misericordioso cristiano?

Los hombres se alejaron, trepando hábilmente por las paredes de roca. Los vio sentarse lejos, en la playa, desde donde podían observarla. Tenía sed. Volvió a escuchar un suave quejido. Se trataba de un individuo pequeño. Por horas, temerosa, observó el bulto.

Al atardecer, la marea empezó a subir de nuevo; la cueva era una prisión perfecta. El fardo se movió al sentir el agua. Aunque ella aún tenía tiempo de ponerse a salvo y dejar que se ahogara, no lo hizo.

—¿Puede un hombre ser tan despiadado para no perdonar a quien le salva la vida? —preguntó en voz alta.

Al escucharla, el rehén se movió con energías renovadas tratando de zafarse y gritar. Su voz parecía aguda.

—Creo conocer la naturaleza humana y tomaré el riesgo —Ioanna hablaba en latín mientras le quitaba las amarras.

Estaban tan apretadas que, aun sin la marea, era evidente que en algún momento el rehén moriría de asfixia, además estaba amordazado. El supuesto asesino tenía los brazos y las manos delicadas. En cuanto logró quitarle la capucha la joven se sorprendió.

—¡Zaira! —exclamó al distinguir el rostro aceitunado de la hermana de Xifias. Sus ojos, llorosos, estaban inflamados. Le quitó la mordaza y la joven musulmana le agradeció repetidamente el arriesgado gesto de quedarse a ayudar a un desconocido.

—Mustafá vendió parte de nuestra propiedad para pagar tu rescate, Ioanna. Yo vine a entregarles el dinero y acabé aquí. Creo que esto es cuestión de los traficantes y no de Rifat, él solo desea libre paso para sus cargamentos. Estos asesinos quisieron ponerte una prueba y de paso divertirse.

Agotadas buscaron algunos resquicios para apoyar los pies y salir de ahí. Estuvieron a punto de caer varias veces. Cuando finalmente llegaron a la playa, Tahsin las esperaba junto con media docena de traficantes.

—No sé si subestimé al imberbe y piadoso monjecillo —exclamó, tras escupir en la arena.

Se alejaron por la playa a todo galope, dejando únicamente sus huellas, como el rastro de cientos de jinetes que huían.

—¡Cobardes! —gritó Zaira sin saber si la habían escuchado—. ¡Déjennos agua!

XXIV

EL DESIERTO

La falsa honestidad del hipócrita
es la que lo hace esconder sus fístulas contagiadas.

Zaira Ayse Xifias (819-889)

Caminaban por una zona desierta, sin agua ni comida. Debían llegar a algún caserío antes de debilitarse y sucumbir, sin embargo, el insoportable calor las llevó a acomodarse en una cuneta para protegerse de la aridez y la temperatura. Después de un breve descanso, continuaron su pesaroso andar durante horas hasta que oscureció. Se recostaron junto a un tronco cortado, despejando el suelo de guijarros y rezando para no ser alcanzadas por los famosos escorpiones de cola gorda que abundaban en la zona. Durmieron hasta que el sol iluminó el paisaje, despertándolas. Decidieron salir antes de que el calor fuese insoportable, pero a las pocas horas ya caía con fuerza, minándoles el ánimo por sobrevivir. Ioanna sentía que se le engrosaban los labios, hasta el punto de impedirle mojarlos con su saliva. Cayó desplomada, sin poder responder al llamado de Zaira que trataba de levantarla. Después de un par de intentos logró ponerse en pie y siguieron su camino.

Las trémulas imágenes no les permitían distinguir con claridad el horizonte en ese suelo seco y cuarteado. Ioanna volvió a caer de rodillas y Zaira continuó, cuando se percató del atraso de su compañera, regresó a ayudarla. En el fondo sabía que no debía quedarse a su lado porque las dos morirían.

—Tengo que buscar ayuda, resiste todo lo que puedas.

Zaira empezó a caminar. Ioanna intentó alzar el brazo, pero no pudo. Solo logró ver cómo su compañera se alejaba, su silueta era un punto en el horizonte lejano y se empequeñecía cada vez más.

—Sé que no me abandonarás —murmuró, varias veces, como si de un rezo se tratara. Se recostó cubriéndose la cara.

Despertó con la luz solar sobre el rostro; sentía como si le hubieran arrojado un balde de agua hirviendo. Tenía los labios pegados y no podía abrir la boca. Llegaron dos jóvenes que la levantaron para humedecerle los labios con un trapo que mojaban en un cántaro. La llevaron, en un carro tirado por un burro, a una pequeña casa de adobe donde la dejaron sobre un camastro al lado de Zaira, quien les agradeció el haberla salvado.

—La familia entera trabaja para Rifat Tahsin. Somos parte de la ruta del opio y todos aquí nos dedicamos a eso. Les salvamos la vida, así que esperamos que no nos denuncien —Zaira quiso responderle, pero el joven le hizo señas para que no hablara.

Dos días después las entregaron a tres hombres armados con enormes sables. Además de sus monturas, llevaban un caballo por las bridas. Ellas agradecieron a sus salvadores, pero cuando se dispusieron a montar, un hombre les pidió el anillo de rubí que Hediye portaba. Ella se los dio y entonces las condujeron hasta el palacio de Ignacio.

Ioanna se echó sobre el camastro de su habitación, sin desvestirse, y de inmediato se quedó dormida. Pasada la media noche alguien abrió la puerta. Unos pasos sigilosos caminaron en dirección de la ventana; ella escuchó cómo la cerraban. Eran Mustafá y Zaira.

—Siento que hayas tenido que vender tu propiedad para cubrir el rescate —dijo, sin disimular su malestar.

—Eso no importa ahora, Ioanna. Podemos pasar a lo que sigue, que el tiempo no espera. Me alegra verte con vida, y ahora que has vuelto necesitamos que ayudes al patriarca a organizar un concilio que acerque nuestras religiones. Es el momento indicado y, de no convencer a los jerarcas, las iglesias se distanciarán, quizá durante siglos —después le advirtió que Tahsin era un asesino despiadado; aunque agregó—, si su intención hubiese sido eliminarlas, no se hubiera tentado el corazón.

Esa noche fue, para Ioanna, de una quietud renovada. Durmió de corrido, hasta que la luz bañó la ventana de su cuarto. Xifias entró con algo de leche, dátiles y un poco de pan.

—Los demonios existen. Habitan en la ignorancia y son los que impiden que el hombre avance hacia su bienestar. El tráfico de opio se beneficia con la ignorancia del pueblo. Esos a los que tú llamas Astaroth y Asmodeo, para nosotros se condensan en Ibilís o Shaitán, el que causa desesperación, el que se opone. Hay quien dice que es un ángel caído.

Bebió un poco de leche y tomó uno de los enormes dátiles; para su sorpresa, estaba relleno con una mitad de nuez. Sonrió y, después de comerlo, le respondió a Xifias:

—Nuestra Iglesia es rabiosamente celosa en cuanto a incorporar creencias populares. Sin embargo, es generosa hasta con la más insignificante manifestación de deidad o figura angelical; aunque las reconozca como paganas, acepta todas aquellas ideas referidas al terror, la maldad o lo demoníaco. En medio de todo esto, es necesario desentrañar lo que ha entretejido para alejar a las mujeres del ejercicio de los servicios religiosos. Justifican el celibato como recurso para imponer su dominio, seguir atesorando riquezas y disfrutar de amantes que más bien son sus esclavas.

La puerta crujió levemente y Zaira entró; en tono jocoso y cómplice les dijo: —Alcancé a escucharlos. En mi opinión, el hombre se ha apoderado de la Iglesia y la usará sin recato para controlar al ignorante. Con ese objetivo usa al demonio como un arma para conquistar y someter. Con ese fin condiciona a sus súbditos a sentir temor y el miedo hacia su hermana, la mujer. Si el tiempo que se destina a crear demonios y otros terrores lo usaran para amar al prójimo, ni Shaitán ni Astaroth existirían.

—Creo que todas las religiones se basan, y se basarán, en infundir temores a muchos en provecho de unos cuantos —respondió su hermano.

—Sí, y en poco tiempo buscarán ejercer mayor dominio —dijo ella, tocándose el rostro quemado—. Se darán persecuciones tan salvajes que ni siquiera alcanzamos a imaginar. Todo envuelto en brumas de temores y demonios.

Esa tarde parecía que el cielo dejaría caer un fuerte aguacero. Cientos de relámpagos iluminaron hasta el último rincón del mal alumbrado salón. Con cada destello se revelaban los detalles de las grecas y los mosaicos con una nitidez que la luz del sol no conseguía. En cuanto Ioanna se acercó, algunos sacerdotes guardaron silencio en actitud de desconfianza hacia el religioso extranjero. Finalmente, el patriarca les pidió hacerle un espacio para que se sentara, haciendo que los incómodos oficiantes se movieran.

—Proseguiremos con la revisión de los primeros suras —dijo Ignacio al desenrollar un pergamino—. No deseo que nuestra religión se base en el miedo a lo desconocido ni en la idea de la existencia de un ser superior dedicado al ajuste de cuentas.

En ese momento Ioanna buscó los ojos de Zaira, quien le regresó la mirada como si la invitara a escuchar al patriarca. La joven clavó la mirada en Ignacio, pero llevó sus cavilaciones por otro camino, pensando que la hermana de Xifias podía ser una valiosa aliada si lograba convencerla de unirse a ella para luchar por una apertura religiosa en cuanto a las mujeres se refería.

Después de un largo rato, vio que ella abandonaba el recinto. Esperó unos minutos y, excusándose, salió. La siguió hasta la calle, en donde la vio entrar a una casa de baños de vapor.

—¡Zaira! —exclamó antes de que la joven entrara a una pequeña habitación, haciéndola detenerse—. Te recuerdo que si no discutimos los versículos en los que se habla de las mujeres, los oficiantes impondrán sus ideas.

No había terminado de hablar, cuando la musulmana la cogió del brazo, arrastrándola al interior de los baños. La estancia era amplia y de planta octagonal; una sucesión de esbeltas columnas sostenía los arcos que rodeaban el recinto. En el centro una plataforma, también octagonal, servía para tenderse. Con un cuenco, Zaira mojó unas piedras calientes que un joven les había llevado, provocando gran cantidad de vapor.

—¿Quieres que intervenga para que consideren a la mujer en algunos preceptos del Corán?

—Ahora mismo están revisando el sura IV. De los 175 versículos, puedo decirte que no hay más de diez que hablen en favor de nosotras. En el versículo 14 se lee: «las mujeres tendrán la cuarta parte de lo que sus maridos dejen». Y en el 19: «si la mujer llega a ser infiel, deberán encerrarla en casa hasta que la muerte la lleve ante Dios». En el siguiente se señala: «si el hombre comete la misma falta y se arrepiente, se le dejará en paz, pues a Dios le gusta perdonar».

Hicieron un prolongado silencio, soportando el calor opresivo del vapor. La reverberación de las voces en los recintos contiguos llegaba tenuemente hasta ellas, acompañado del constante ritmo de las gotas al caer y el agua evaporándose sobre las piedras calientes. Ioanna estaba segura de que el atraso de los musulmanes respecto de los concilios cristianos se debía a la poca intervención de mujeres doctas en la conformación de los suras. Volvió a la carga:

—Ignacio desea presentar sus aportes en el próximo concilio ecuménico de Constantinopla. Él cree que puede aportar bastante para lograr un punto de encuentro entre líderes religiosos, pero yo creo que no va a ser suficiente si se siguen sosteniendo ideas que nos perjudican. ¿Quieres oír algo? En el versículo 38 se ha propuesto que los hombres son superiores a las mujeres a causa de algunas condiciones por medio de las cuales Dios los ha colocado por encima, aunque en ningún momento explica de qué condiciones se trata.

Esa noche ambas se unieron al grupo de trabajo que dirigía Xifias con la finalidad de dar a conocer detalles importantes del Corán. Mientras discutían, entró Ignacio y se dirigió a todos:

—El emperador Miguel III le ha escrito una carta al papa Sergio II para que reconozca mi labor como patriarca de Constantinopla. Las relaciones con Roma han sido difíciles y espero que pronto entremos en una era de cooperación. Pensamos que Oriente y Occidente deben unirse para cultivar aquellos valores que le permitan a cualquier humano desarrollarse espiritualmente. Para el concilio, deseo que podamos conocer algunos preceptos de Alá y su profeta Mahoma. Me interesa que expongamos las ideas más deslumbrantes ante los representantes de Sergio II.

Durante semanas afinaron los cánones del Corán. Una noche, cansada del encierro y de presionar a Zaira para que hablara en nombre de las mujeres, Ioanna salió a caminar bajo una luna brillante. Por orden del patriarca, en el palacio habían tomado la costumbre de quemar teas en el piso para iluminar el paso de aquellos que deseasen recorrer los jardines después del ocaso. El efecto de la luz era bellísimo. A paso lento, con las manos entrelazadas bajo las pesadas mangas negras del hábito, se movía con familiaridad y todos ahí ya estaban acostumbrados a su presencia. Sintió curiosidad sobre el modo en que era percibida; durante los últimos tiempos había refinado gestos, expresiones y movimientos que le pertenecían exclusivamente al severo Ioannes; sin embargo, en el fondo, seguía sintiéndose la joven que en realidad era. En ese momento, más que nunca, sintió el peso del absurdo y la incapacidad de comprender aquel desequilibrio universal que le impedía mostrarse tal y como era ante el mundo.

Al día siguiente, durante las lecturas, Xifias entró al salón y, después de saludar al patriarca, fue a sentarse junto al benedictino. Una decena de sacerdotes escuchaba las palabras de Ignacio. En cuanto terminaron las lecturas y las discusiones, el jerarca se les acercó.

—Xifias, no desafíes a los traficantes —su mirada era grave y el tono de advertencia. No dijo nada más, se retiró bajando la mirada al suelo.

Ioanna se inquietó. Por la tarde, un jinete se acercó a Mustafá en el patio, pero ella no alcanzó a escuchar las palabras que intercambiaron. No pudo sino pensar que el musulmán ponía en peligro su vida y se levantaba cada vez que oía la llegada de algún jinete. Cerca del amanecer, soñó que el sol la asediaba, agrietando la tierra e impidiéndole llegar al pozo en donde Zaira estaba sentada. Hizo un esfuerzo sobrehumano por gritarle, pero no la escuchaba; sus palabras se perdían como si la atmósfera tuviese la densidad de un almohadón de plumas. Se despertó y se dirigió a la habitación de Hediye quien, con cautela, se asomó para verificar que no hubiera nadie más en el pasillo. Platicaron brevemente sobre algunos asuntos someros, hasta que la hermana de Xifias cambió el tono de su voz. Pese a ser una mujer templada, mostraba un dejo de preocupación:

—Ioanna, hablé con Ignacio sobre Focio. Quizás hayas escuchado su nombre, aunque nosotros no te hemos hablado de él. Es un hombre sumamente culto y contrario al patriarca. Para colmo, siempre ha sido cercano a la figura de Miguel. Pues bien, últimamente ha estado muy activo, ayer mismo fue visto en compañía del emperador y eso nos preocupa. La joven había ido bajando la voz, y después de una pausa provocó que Ioanna se sobresaltara al alzar el volumen, como si quisiera que la escucharan desde los pasillos.

—¡Empecemos a trabajar, aunque todavía no amanezca!

—¿Y Mustafá? —Ioanna no podía renunciar a su angustia, no solo apreciaba a Xifias, sino que sentía que su vida estaba garantizada mientras él se encontrase sano y salvo.

—Ya aparecerá, mi hermano sabe cuidarse.

Dos días después, en el salón de lecturas, al terminar la revisión de algunos textos, Ioanna se acercó al patriarca.

—Estando en Atenas estudié manuscritos que hablaban sobre las mujeres; también sobre la necesaria austeridad de los jerarcas de la Iglesia. Soy un convencido del gran peso de esos temas, Ignacio. Sé que las cosas en este lado del mundo son diferentes, pues allá no hay tribus dedicadas al tráfico de opio con las que lidiar, y entiendo que debemos ser prudentes e incorporar los consejos de gente avezada, como por ejemplo Xifias; sin embargo, me atrevo a decir que tenemos una oportunidad única para hablar de lo que se ha querido ocultar con tanto ahínco.

Un lector se acercó al escucharla, el patriarca lo tomó del brazo y lo presentó como el sacerdote Hasán Sukur. La joven sintió calor en las mejillas, aún así se sobrepuso y lo saludó, inclinando la cabeza.

Después de la sesión, su noche transcurrió entre duermevelas y franco insomnio. Ahora que había conocido a Sukur, pensó que era necesario formar alianzas para tener más influencia durante las discusiones. Pensó que tal vez debía presionar a Ignacio para incorporar a Zaira en la organización de las lecturas.

Alcanzó su cometido, parcialmente, tras un par de días de insistencia. Ignacio sentía debilidad por las ideas nuevas y permitió la presencia de Hediye, aunque limitó sus posibilidades de opinar. Durante las sesiones trataba de ocultar su animadversión ante la desagradable actitud que la presencia de una mujer causaba entre los sacerdotes. Sukur solía mofarse del aspecto de Zaira, haciendo toda clase de comentarios inapropiados en los momentos mas inverosímiles. Ioanna llegó a preguntarse si no estaba tratando de lograr un imposible ante aquella cerrazón de mentes. Le costaba trabajo controlarse y comenzó a hacerse fama de amargado.

—Debo cubrir este anhelo que me aprisiona el alma, Zaira, que me quema como nunca lo hubiese imaginado —la joven murmuró frente a la musulmana, durante una pausa para tomar el té—. Lo lograré: tenemos que buscar que las cúpulas de las iglesias de Roma y Constantinopla doblen las manos.

XXV

HASSAN SUKUR

Sufres por Zaira, griego, pero
quien no ha amado no ha vivido.

Hassan Sukur (810-876)

Pasaban las semanas y Ioanna seguía intentando convencer a
Ignacio de permitir una mayor participación de Zaira en las
lecturas. Estaba desgastada, presa de un ánimo alicaído. Hassan Sukur era quien más la criticaba. Fueron tantos los comentarios en contra de sus propuestas que, una tarde, decidió
convencer a Zaira de incorporar a Mustafá para confrontar al
opositor, quien le advirtió que no era momento para eso y le
contó que, curiosamente y a diferencia de Sukur, su jefe Tahsin tenía una idea más avanzada sobre las mujeres.

Cierta tarde, leía junto a una fuente cuando escuchó una
conversación cercana. Sukur se había encontrado con un hombre cuyo rostro no alcanzaba a ver. Parecía que el ministro le
daba algunas instrucciones, pues el sujeto asentía de manera
constante. Se sobresaltó al oír, vagamente, que mencionaban a
Mustafá. Cuando Sukur se retiró, reconoció en su interlocutor
a uno de los jinetes que llegaron a la pequeña casa de adobe
de la familia que las había rescatado de la insolación. Decidió

seguirlo; sacó un caballo de la cuadra, lo montó y fue tras el jinete. Tras andar un par de horas, guardando una prudente distancia, lo vio llegar a la misma casita. Esperó. Cuando el jinete salió, decidió acercarse. La familia la recibió con amabilidad.

—¿Por qué regresaste, cristiano? —le preguntó el padre de cuatro pequeños que la miraban con curiosidad—. Confío en que no has mencionado nada de nuestros negocios con Rifat Tahsin.

—He cumplido mi promesa. Ahora busco a Mustafá Xifias, debo reunirme urgentemente con él.

—Le podemos preguntar a Hassan Sukur; también es nuestro jefe y vendrá pronto. Él conoce a todo el mundo.

Con esa declaración, confirmó que Sukur era el infiltrado de Tahsin en el entorno del patriarca; tenía que ser cautelosa. Se arremangó el hábito e hizo gala de sus habilidades para el trabajo en el campo. Les ayudó a ordeñar cabras, a acarrear agua de la cisterna, a elaborar un poco de pan y, al final, se sentó a limpiar las bolsas en las que transportaban el opio. Deseaba ganarse la confianza de los traficantes y hablar directamente con Rifat. Sorprendidos ante la extrema habilidad de aquel menudo fraile, decidieron hacerle un sitio para pasar la noche.

Dos días después llegaron tres jinetes que jalaban sus caballos por las bridas; traían algunos sacos. Bajaron la carga y uno dio instrucciones de guardarlos. El padre de la familia les presentó a su invitado, explicándoles que se trataba de un sacerdote griego.

—Él es Hassan Sukur, Ioannes.

Hassan, que venía doliéndose de un diente, escupió unos cuantos clavos de olor, la miró y sonrió: —Eres audaz para arriesgarte a visitar a nuestros contactos. ¿Qué pensaría Rifat si se entera de que entraste en nuestro campo de acción?

—Soy un simple lector del *Kitab*, no me interesan tus negocios. Vine a visitar a mis amigos y, de paso, a echarles una mano. ¿Puedo examinarte la dentadura, Hassan? Sé algo de medicina.

Después de revisarlo, pidió a sus hombres que consiguieran algunos puerros y beleño, advirtiéndoles que este debía tener la flor negra, ya que la blanca era venenosa. A las horas regresaron con varias plantas, ella las examinó y, con gesto de aprobación, se dispuso a realizar el procedimiento. Pidió un alfanje que calentó y dejó enfriar. Después hizo una rápida incisión y sacó el diente infectado. Sukur sudaba profusamente y se tragaba los gritos que hubiera querido emitir. Ioanna le puso un emplaste que selló con propóleo.

En cuanto oscureció, los traficantes montaron a caballo y se llevaron al fraile para que atendiera a Hassan si la infección remontaba o regresaba el dolor. Siguieron hasta la costa, donde los esperaban seis hombres, entre ellos Tahsin, quien agradablemente sorprendido, le asignó a su huésped un sitio en una tienda.

Por la noche Sukur se quejaba; Ioanna se levantó y pidió, nuevamente, un alfanje. Tras darle una infusión de opio, le extrajo un segundo diente y le puso una mezcla de beleño, ajo y pulpa de cebolla. El hombre logró dormir a pierna suelta.

Por la mañana se presentaron unos veinte arqueros preparados para atacarlos. Pese a los numerosos asaltos de los que se había salvado, Ioanna nunca había visto algo semejante. Se encontraba en una pelea entre dos bandos dispuestos a matarse.

—Ya lo saben —dijo Rifat, demostrando su actitud de mando—, debemos atacar entre el primero y el segundo disparo de los arqueros. ¡Prepárense para cercenar las gargantas de los hombres de Zenón Amán!

—¿No será gente de Mustafá Xifias? —preguntó Hassan, mirando de reojo al fraile.

—Él no tiene por qué atacarnos, y aunque me lo aseguras, no creo que sea quien nos roba cargamentos; lo conozco. El ladrón es Amán.

Nunca había visto tanta crudeza. En varias ocasiones quiso demostrar algo de bravura, pero ni siquiera era capaz de blandir la cimitarra como ellos. Ocultando su terror, se apostó detrás de Tahsin, cubriéndole la espalda. El hombre era temerario, así que ella se propuso ser sus ojos en los puntos que él descuidaba. Lo siguió como si fuese su sombra. En dos ocasiones le advirtió de los atacantes, pero apenas alcanzaba a hacerlo porque él los aniquilaba al instante. En algún punto, el jefe cogió por el cuello a un enemigo y ella le aconsejó obligarlo a disparar la ballesta contra sus compañeros. De esa manera, él eliminó a un arquero y se libró de una flecha que terminó por hundirse en el vientre de su escudo humano. Los hombres de Amán, intimidados por la brutalidad con la que los recibieron, decidieron huir. Tres de los hombres de Rifat habían muerto, mientras que en el campo yacían nueve arqueros contrarios. Cuando terminaron de limpiar sus armas, el cabecilla tomó al benedictino por el brazo y se lo alzó.

—Es un auténtico griego; es inteligente y me enseñó a ganar una batalla con agudeza —dijo a sus hombres—. En un combate es tan necesaria la inteligencia como la bravura.

Cómoda entre la gente de Tahsin, esa noche celebró con ellos la victoria sobre los arqueros de Amán. Pensó en preguntarle por Xifias, pero desistió. Entonces, un traficante llegó en un carro acompañado de cuatro mujeres que empezaron a bailar.

Una de ellas, que parecía ser la más joven, le acarició la barbilla.

—¿Es cierto que eres griego? Los hombres de aquellas tierras tienen fama de ser buenos amantes.

Ioanna la tomó de la mano y la llevó lejos del campamento, a un bello paraje sembrado de grandes piedras. Ahí le mostró el cielo iluminado de constelaciones mitológicas y le contó que las hazañas de los dioses griegos se habían quedado grabadas en el firmamento. Durante horas le explicó el significado de algunas de aquellas agrupaciones de astros y, mientras hablaba, se dio cuenta del poder de esa forma distinta de apreciar la vida que había atestiguado durante su estancia en Atenas. Hablando de astronomía y mitología, les amaneció. Cuando se acercaron, era notorio el desvelo en ambas. Tahsin cruzó una mirada con su invitado; estaba complacido.

A partir de ese día dejaron que el joven religioso participara en las reuniones del grupo. En innumerables ocasiones les contó historias sobre la compleja situación política en Lombardía, las Galias y Germania, dedicada a ganarse la confianza de Tahsin. Él deseaba que Ignacio y Miguel III le dejaran libre el tráfico de opio; ella, averiguar en dónde estaba Mustafá y conseguir su apoyo en los planes que tenía para Zaira en las lecturas de los suras.

Durante una de las reuniones, la plática tomó un camino inesperado: Ioanna escuchó que planeaban un ataque contra Ignacio; aunque lo único que deseaban era intimidarlo para que no obstaculizara las rutas. Ahora que se encontraba tan cerca de otra de las piezas del tablero, supo que tenía que hacerse imprescindible para los traficantes.

XXVI

EL ASEDIO AL PATRIARCA

Aún con los mejores pensamientos
no podemos alterar el destino.

Patriarca Ignacio de Constantinopla (797-877)

Hassan Sukur se acercó al benedictino y le dijo que esperaba
que se uniera a ellos porque consideraban abrir una ruta hacia
Grecia; ella hizo como si no lo hubiera escuchado. En cuanto
él se retiró, pensó que lo mejor era informarle a Tahsin que
solo deseaba hallar a Xifias, pero temía una reacción hostil.
Entró a la casa de campaña del jefe, quien revisaba un plano y
sin levantar la mirada le dijo:

—¿Dudas del ataque a Ignacio, griego? —ensimismado en
los dibujos, le repitió la pregunta y añadió—: Quizá con ame-
drentarlo sea suficiente.

—No dudo que derrotes al patriarca o al mismo emperador
Miguel III, pero yo soy religioso y deseo encontrar una forma
de darle poder a la iglesia griega en Oriente. Sin embargo, Mustafá Xifias puede detallar la nueva ruta a Grecia.

—¿Xifias? —le respondió y luego guardó silencio; ella supo
que jugaba con fuego—. Ni siquiera sé dónde está.

Su silencio y sus gestos evidenciaban que estaba mintiendo; debía tener más cuidado que nunca. Cavilaba al respecto, cuando lo vio ponerse de pie y dirigirse a un rincón en donde guardaba, dentro de una bella cajita labrada, una pipa larga y ornamentada con algunas piedras brillantes. Después de acomodarse, aquel se dispuso a consumir una buena dosis de opio, ofreciendo a su invitado una calada, quien apenas lo probó y durmió durante horas. Al despertar, sintió como si hubiese hibernado por una larga temporada.

Por la mañana, mientras compartían el pan, escuchó a Sukur comentar con sus hombres que recientemente ciertos personajes de Constantinopla se acercaban a ellos para ser parte del negocio. Con esa confesión, decidió jugarse otra carta e insistir:

—Quizá sea gente de Xifias, que quiere apropiarse de la ruta hacia Grecia.

—¿Conoces bien a Mustafá Xifias, griego? —sin esperar que le respondiera, añadió—. Yo lo conozco perfectamente, le roba cargamentos a Rifat. Si deseas trabajar en Grecia, yo te apoyaré, pero grábate como un tatuaje que esa ruta es una de las más codiciadas por la tribu de Amán y que, ahí, Xifias solo estorbaría.

Cuando cayó la noche, se retiró a la tienda donde pernoctaba y se tiró en su rincón, escuchando los rítmicos ronquidos de sus acompañantes. Pensaba que tenía que averiguar si Mustafá había caído prisionero. No había pasado mucho tiempo cuando uno de los guardias la llamó porque Tahsin quería verle. Al entrar, lo encontró con las manos en las sienes, había fumado opio. Sus cercanos lo rodeaban y Sukur se unió a la reunión.

—Me extrañan, griego, tus argumentos respecto del *al-wazir* de Ignacio —dijo Rifat, acercándole un cojín—. Desde hace años Mustafá ha viajado a Grecia e Italia, los mismos que hemos perdido cargamentos enteros. Hassan cree que ha asesinado a los enviados y que se ha aliado con nuestros enemigos, pero tampoco me lo ha comprobado, y yo no actúo sin conocimiento de causa.

Ioanna buscó la mirada de Sukur, entonces, lo vio intercambiar una sonrisa con uno de los suyos. Hassan habló:

—Rifat, necesitamos abrir la puerta a todo el Occidente. Te lo he repetido mil veces: para no perder cargamentos tenemos que vigilar a Xifias. Él sobra.

Comprobó, entonces, que Hassan Sukur era quien quería deshacerse de Mustafá y sospechó que incluso era quien robaba los cargamentos y utilizaba a Xifias como chivo expiatorio para conservar la confianza de Tahsin.

Al día siguiente desplazaron el campamento por la costa. En el camino hablaban con los pobladores y algunos se les unieron. Después de cinco días de cabalgar, Rifat ya tenía un ejército mal armado, pero numeroso. Entonces decidió volver. Se apostaron frente a Constantinopla y Hassan ordenó reforzar los puestos de guardia. Ioanna, visiblemente nerviosa, le preguntó a uno de los hombres de Tahsin con cuánta gente contaban.

—La gente del jefe no llega ni a doscientos. Los que se nos han unido son mercenarios. No se asuste, griego, no entraremos en combate, esto lo hicimos hace años frente al patriarca Metodio, el predecesor de Ignacio, y no derramamos una gota de sangre.

Esa misma tarde, cuatro jinetes llegaron hasta el campamento con un mensaje de Ignacio. Los hicieron pasar a la tienda para entregar la nota al cabecilla y sus más allegados. Al griego le permitieron entrar. Cuando los emisarios salieron, Rifat los invitó a recorrer las filas de sus hombres. Ioanna notó la astucia del dirigente.

—Tenemos estrategas griegos y más de tres mil hombres, aun así, no deseamos agredir al patriarca, queremos paz en la región —finalmente, los despidió y llamó al fraile. —¿Qué opinas, griego, de la estrategia de ataque?

—Todavía no tenemos ninguna estrategia, Tahsin —señalando a los hombres que no estaban armados—. Necesitamos ocultar nuestras debilidades. ¿Qué hicimos en la trifulca contra Zenón? ¡Nada! Solo obligamos a un ballestero a disparar contra los suyos, eso no es ningún acierto militar. Es mejor hacerle creer a tu enemigo que cuentas con un ejército armado y sabios estrategas.

Rifat quedó complacido con su huésped, quien sugería mostrar la fuerza que no poseía; coincidía con él plenamente. Lo llevó a una tienda de campaña y, con una palmada en el hombro, le ofreció una infusión que a todas luces contenía opio. Ella pensó en negarse, pero también consideró que no era prudente flaquear en ese momento. Minutos después del primer sorbo, sintió un hormigueo que le recorría de los hombros a los pies.

—¡Nos atacan! ¡Nos están atacando! —Sukur entró gritando y sacudiendo a Rifat—. ¡No creyeron en nuestra ofensiva, regresaron con los arqueros y bastantes jinetes!

Quiso pararse, pero las piernas se le doblaban. Ni siquiera podía articular palabra. En cuanto logró salir para buscar ayuda, un arquero tensó la línea de su arco apuntándole directamente, ella levantó la mano tratando de cubrirse, al tiempo que Sukur le sumió al atacante un sable en el cráneo. Desesperada, pensó que si Tahsin no salía de la tienda lo eliminarían en minutos. Sin embargo, la defensa encarnizada que Sukur emprendió para protegerlo, le extrañó.

Todo era caos cuando, estrepitosamente, un hombre entró a caballo, con el arco listo. Al ver que preparaba el disparo directamente hacia Tahsin, Ioanna picó al animal con la punta de una cimitarra, enfureciéndolo; el atacante cayó de espaldas. El jefe se incorporó, cogiéndolo de los cabellos y le hundió el alfanje en la sien. Antes de que ella saliera del asombro, le arrancó la tiroides. —Es más salvaje que una bestia —se dijo la joven, en voz baja, al ver que se limpiaba la sangre en el pantalón.

Como un desequilibrado mental, gritando y maldiciendo, salió de la tienda y, de un pinchazo, hizo que un caballo tirara a otro atacante, tal y como había hecho el griego, y soltó una sonora carcajada. Cuando el jinete cayó, Tahsin se le abalanzó, hundiéndole las rodillas sobre la espalda, sacó la cimitarra y le dio un golpe seco a la altura de las cervicales. La cabeza rodó sobre el suelo.

—Aprende cómo se debe tratar a la gente de Amán, Ioannes.

A pesar de ser menos, los hombres de Rifat se envalentonaron cuando lo vieron combatir con tal bravura. Ioanna pensaba que solamente un poseso o un hombre drogado podía desplegar su fuerza con aquella crueldad. Los pocos infelices que no alcanzaron a huir, cayeron en las despiadadas manos de los sicarios del brutal Rifat, los cuales se acercaron para jactarse de la victoria. Todavía había dos prisioneros mal heridos; Tahsin se les acercó y dijo que los ayudaría; al amanecer debían partir a informarle a Amán que su enemigo los había perdonado. A uno de ellos le dieron una manta y se recostó; el otro pidió algo de opio y fumó hasta quedarse dormido, quizás intuyendo que no salvaría la vida, sin embargo, solo él logró pasar la noche. Por la mañana, lo dejaron partir. Mientras lo miraban alejarse, Tahsin recordaba, de buen humor, los detalles de la batalla del día anterior. El fraile lo tomó por el hombro y le dijo suavemente:

—Tu conciencia navega en un río de opio.

Tras alzar el campamento y enterrar a los muertos, decidieron partir. Ensillaron los caballos y emprendieron el camino.

—Nos informan que el nuevo papa duda en reconocer a Ignacio como patriarca de Constantinopla —dijo Rifat a Ioannes—. Eso es conveniente, así será más fácil controlar Bizancio.

—Pero, ¿qué pensará el emperador? —preguntó ella, mientras cabalgaban con rumbo a las montañas.

—No sé si a Miguel III le interese el conflicto entre el patriarca y el nuevo papa; aun así, estoy enterado de que tiene a alguien para suceder a Ignacio de ser necesario: se trata de Focio, un hombre culto, pero polémico. Si esto genera un problema entre las iglesias oriental y occidental nos beneficiará.

El terreno comenzaba a hacerse escarpado y un viento fresco despeinaba a Rifat, que siguió hablando animadamente.

—El año pasado llegamos hasta Hispania y saqueamos lo suficiente para tener contenta a nuestra gente. A inicios del próximo verano atacaremos la costa de Egipto y, con suerte, Roma. Pero si hay rompimiento entre las iglesias, podremos concentrarnos en las nuevas rutas. Pese a lo que aparento, soy un hombre razonable, Ioannes; quise demostrarle a Ignacio que unidos podríamos beneficiarnos, pero no aceptó.

Después de cabalgar toda la tarde, se detuvieron a acampar. En cuanto desmontaron, decidió mantenerse cerca de Rifat. A pesar de su violencia, le parecía un hombre al que valía la pena conocer; era una pieza importante. Recordó que Zaira le había contado que su idea sobre las mujeres se alejaba por mucho del odio y la ignorancia mostrados por Sukur. Cuando estuvieron sentados frente al fuego, devoraron grandes piezas de carnero asado.

—No te preocupes por Xifias, griego. He notado que te agobia no saber de él. No puedo aniquilarlo porque me enemistaría con el patriarca y con algunos hombres importantes. Has sido un buen compañero, así que te haré un obsequio: se encuentra preso cerca de Trebisonda, en el monasterio de Sumela. Para volver, tendrá que burlar a mi mejor guerrero, bajar de la montaña y atravesar los Montes Pónticos. Entre tanto, veremos si los cargamentos siguen completos.

—Pero es hábil —respondió ella mientras partía un pedazo de aquellos panes planos y suaves a los que ya era aficionada.

—Puede ser. Pero Yanik, que finge ser un sacerdote, es un guerrero experimentado que ha estado engañándolo, jurándole que lo liberará. Yanik me debe más de veinte vidas. Xifias tendrá que darse cuenta de la treta y atravesar los Pónticos; eso puede llevarle un mes o más, suponiendo que asesine a los otros guardias.

Rifat era un hombre astuto y complejo. Ioanna se alegró de conocer por fin el paradero de su amigo. Pensó que lo mejor sería entrevistarse con Ignacio y convencerlo de organizar una expedición para liberarlo; sin embargo, no estaba del todo tranquila, pues se preguntaba por la causa de aquella confesión; había algo que la hacía dudar. Se mantuvo en silencio hasta que les sirvieron el concentrado té negro con el que remataban las comidas. Como si aquel digestivo hubiera despejado también sus ideas, se resolvió a hablar:

—Iré a Constantinopla y convenceré a Ignacio de dejar paso libre al tráfico de opio; sé cómo lograrlo. El establecimiento del Islam y las nuevas rutas de tráfico no se contraponen. Si me aseguras que Yanik tendrá prisionero por un buen tiempo a Xifias, entonces tengo tiempo para persuadir al patriarca.

—Ve y convéncelo. Quiero que vea en tu liberación un gesto de buena voluntad.

Como era su costumbre, despertó con los primeros rayos de luz. Salió, sigilosa, y vio que la tienda de Tahsin seguía cerrada; era su oportunidad para volver a Constantinopla. Al acercarse a su caballo, encontró suficiente comida y una manta adicional para el viaje. El jefe había previsto su salida sin esperar que se despidiera. Al salir del campamento murmuró para sí misma:

—¿Qué hará Rifat cuando sepa que en realidad quiero convencer al patriarca de liberar a Xifias?

XXVII

MONASTERIO DE SUMELA

Sé que la paciencia es una virtud
innata en los flemáticos.
Triunfa mejor que la misma fuerza
y es testimonio de sabiduría.

Zaira Ayse Xifias (819-889)

Esa misma noche llegó al palacio del patriarca con la intención de pedir ayuda para viajar a Trebisonda y subir los Pónticos en busca de Xifias. Zaira la recibió con los brazos abiertos y, aunque solía ser poco expresiva, no pudo evitar el gesto de sorpresa al escuchar que Tahsin tenía preso a su hermano en el convento de Sumela.

—Tahsin lo apresó para protegerlo y, de paso, presionar al patriarca. Debemos sacarlo pronto. Si Sukur se entera, querrá asesinarlo, pues le dejará de servir como excusa de sus saqueos. Es mejor que vaya yo sola, Zaira. Si nos ausentamos las dos, levantaremos sospechas.

De vuelta a la sala de lecturas, los acuerdos y las disertaciones parecían los torrentes de ríos caudalosos que inundaban la

200

atmósfera con su ruido y les dejaban poco tiempo para planear la liberación de Xifias.

—Desde que te ausentaste te veo disperso, Ioannes. ¿Te sucede algo? —el patriarca las había retenido al final de una sesión—. Estás distante de las excelentes aportaciones que hiciste hace semanas.

Un mensajero los interrumpió. Le dijo a Ignacio que el emperador quería conversar con él de manera urgente. Ioanna se encerró en su habitación. Pensó que existía la posibilidad de perder esa lucha; no sabía cómo acercarse discretamente al patriarca, ni con qué armas defenderse de Hassan.

A la mañana siguiente entró al salón y, al tomar asiento frente a Ignacio, vio a Sukur. El hombre le sonrió; le faltaban dos dientes.

—Continuemos con la lectura del sura IV, particularmente de los párrafos que el griego expuso la última vez —hablaba como si fuera un hombre dedicado a la reflexión y jamás hubiera despedazado el cráneo de algún mercenario. Al ver que el benedictino contemplaba, perdido, la luz que entraba por la ventana, añadió—: Ioannes, ¿qué te distrae? Tenemos interés en trabajar con los musulmanes y los cristianos ortodoxos, no en perder el tiempo apreciando el paisaje.

En cuanto escuchó que todos reían, se disculpó y se retiró. Caminaba tan distraída que no se percató que Hediye la seguía.

—¿Qué pasa? ¿Cómo pretendes asaltar Sumela? Ignacio empieza a sospechar que traes algo entre manos. Si él o Sukur llegan a enterarse de que eres una mujer, la vida de Mustafá y la tuya no valdrán nada, y la mía tampoco.

Ioanna sintió que el aliento no le alcanzaba, tomó del antebrazo a la musulmana y reprimió el llanto. Supo que tenía que liberar a Mustafá cuanto antes, pero su cuerpo se negaba. Quería pasar la vida entera leyendo sobre la mullida alfombra que la recibía en su cuarto cada noche.

—¡Vamos! Sé que eres inteligente, pero subir a Sumela es arriesgado, no puedes ir sola, necesitarás un acompañante.

—Zaira, si tú te ausentas, Sukur mandará seguirnos y todo habrá acabado. Tengo que ir yo; tardará en notar mi ausencia, comienza a sospechar que me siento débil. Observó la expresión reflexiva de la musulmana. Estaba segura de que la había convencido; ahora era momento de decírselo a Ignacio.

Durante la siguiente sesión, se acercó al patriarca, asegurándose de quedar a solas con él. Sin muchos preámbulos le informó el paradero de Xifias y le pidió ayuda para hacer el viaje a Sumela. Él le respondió de manera breve:

—¡Olvídalo!

Ella insistió, haciendo uso de su irresistible poder para convencer a los viejos líderes religiosos de ayudarla en sus excéntricos planes y expediciones.

—¡Está bien! Si deseas liberar a Mustafá, buscaré ayudarte con un acompañante; los Alpes Pónticos son peligrosos.

El patriarca no dijo más y salió sin despedirse; era evidente que el asunto le molestaba. Desconcertada por su reacción —esperaba recibir no solo un espaldarazo, sino una compañía más abundante—, decidió hablar con Hediye. La encontró cerca del establo, cargando un hato de leña. Al verla, le comunicó la respuesta de Ignacio.

—Sé porqué se enojó. Él quiere mantenerse fuera de los conflictos entre las tribus y, aunque necesita a Mustafá, no quiere tomar ningún riesgo.

Las jóvenes se repartieron la carga de madera y caminaron, cruzando un crecido y descuidado jardín, situado entre las caballerizas y los cuartos de los sirvientes.

—Si crees que eres la única que podría ir a Sumela sin levantar sospechas, tienes que hacerlo pronto —dejó los leños sobre la hierba y señaló hacia la pequeña floresta—. Nosotros llamamos *yayla* a esta combinación de niebla y humo que, con el frío, huele a estiércol de res. Solo distinguimos la *yayla* quienes hemos estado en la alta montaña. Es probable que el patriarca te apoye, pero necesitarás un guía experto, capaz de diferenciar los aromas de la montaña y que pueda seguir la ruta sagrada.

—¿Podrías decirme quién me acompañará?

—Tardarás días en cruzar Trebisonda y llegar al pie de los Montes Pónticos; un guerrero llamado Naik irá contigo, trabaja para Ignacio. Pero bien sabes que si Hassan se entera que piensas liberar a Xifias, mandará bastantes hombres a eliminarte.

Ioanna abrazó a Zaira; no pudo ocultar su exaltación al saber que contaría con un buen acompañante; eso significaba que su travesía estaba cercana a comenzar.

Por la mañana, mientras preparaba el viaje, Hediye le pidió que fuese discreta, pues el patriarca no deseaba que los sacerdotes se percataran de los movimientos que estaban a punto de hacer. Comenzó a sentirse intranquila hasta que, horas más tarde, observó a Zaira cruzar el patio con un hombre corpulento, de barba crecida y armado con un largo sable.

—Ioannes, él es Naik. También te tengo una buena noticia, Ignacio accedió a ayudarte con otro de sus mejores hombres, un guía *tush*, llamado Khvicha Kudu. Se encontrarán con él en Kisilagac; más bien, él los encontrará a ustedes —Zaira hizo una pausa y continuó, bajando la voz—. Mi hermano ha estado preso en dos ocasiones y otras tantas ha sufrido atentados. Podrá salir cuando Tahsin negocie con Ignacio o el emperador. Llegarás al monasterio bien acompañado, pero si sientes que peligras, regresa.

A pesar de que llevaban suficiente comida para un viaje de varios días y de que Naik conocía el camino como la palma de su mano, ella estaba preocupaba por encontrarse con los hombres de Sukur o Amán. El primer día cruzaron varias aldeas; la gente los observaba con curiosidad. Quienes pensaban asaltarlos desistían al ver la complexión de Naik.

—No te separes de mí, Ioannes —le aconsejó el guerrero cuando se acercaron algunos lugareños—. Han de creer que vamos siguiendo la ruta de Jasón hasta Colchis; mucha gente dice que está vivo y que sus cincuenta argonautas deambulan por los Pónticos.

—¿En búsqueda del vellocino de oro? —preguntó mientras sacaba unas nueces de su talega y le ofrecía algunas a su acompañante—. Entonces hay que decirles que somos amigos de Jasón y del rey de la Cólquida.

Al darle las nueces, se sorprendió por el tamaño de las manos de su compañero, dos veces más grandes que las suyas; sin duda, él podía igualar a Jasón. Al atardecer decidieron descansar e hicieron una fogata. Naik se quitó las pieles con las que se cubría la espalda, le dio una a ella y se tapó con la otra. Pasaron una noche tranquila, aunque incómoda por el descenso de temperatura.

Al alba y con las pieles húmedas por el rocío, se levantaron. El guerrero le hizo señas de guardar silencio, se oían voces; eran dos muchachas que recogían fresas silvestres. Naik les gritó y corrió hacia ellas. Con pavor, Ioanna observó cómo intentaba violar a una; la golpeó dejándola inconsciente.

—¡Aprovecha! —el hombre se manoseó groseramente el miembro mientras le arrancaba la ropa a la cautiva—. Es carne fresca y joven. No son buenos jinetes y no nos perseguirán.

Ella lo miró severamente, reprobando su comportamiento. Sin pensar ni un segundo en el tamaño de aquel individuo, se acercó y le propinó una patada en el abdomen, dándole tiempo a la víctima para que huyera. La otra se quedó paralizada de terror. Naik la levantó y ella le hundió los dedos en los ojos, pudiendo zafarse y correr.

Estaba furiosa y trataba de contener el llanto. Su rostro se había tornado rojo y una vena le palpitaba en la frente. Pensó en regresar a Constantinopla o continuar sola, pero de ser así difícilmente lograría rescatar a Mustafá. Recogieron sus pertenencias y montaron. Poco hablaron esos dos días; se limitaron a intercalar el descanso con el ascenso a la montaña, hostigados por temperaturas cada vez más bajas. Al tercer día, entre árboles que guardaban humedad y arbustos rodeados de bruma, divisaron una columna de humo. Se trataba de una pequeña aldea.

—Antes eran solo tres casas, ahora son siete —dijo el guía al señalar los techos—. Se llama Obasi; aquí tenemos que comportarnos, aunque sus mujeres sean las más frondosas que he visto.

Él se encaminó a una choza que parecía abandonada. Abrió la puerta; todo estaba en desorden. Maldijo y volvió a cerrar el acceso. Ella se mantuvo montada mientras el guía hablaba con los pocos habitantes de la aldea.

—Aquí vivía mi hermano. Han saqueado su casa y tengo derecho a vengarme. La estirpe de mi familia deberá quedar sembrada en otras familias como recompensa —clavó la mirada en una joven que trataba de no hacer contacto visual con aquel gigante.

—¡No, Naik, basta! Busquemos a tu hermano —descendió del caballo y le dio una fuerte palmada en la espalda a su guía, tratando de distraerlo.

El más anciano de los lugareños le dijo que su hermano había caído en un barranco y que, tras estar todo un día pidiendo ayuda, había muerto. Varios vecinos habían intentado llegar a él durante horas, pero había quedado atorado en un lugar difícil de alcanzar.

Por insistencia de Ioanna, que temía que se desencadenara un acto de venganza del hombretón, partieron rumbo a Kizilagac con los primeros rayos de sol. Algunas partes del sendero estaban bloqueadas por la vegetación. Aunque lo convenció de resignarse ante el accidente de su hermano en lugar de tomar represalias, él continuaba molesto.

Las rocas húmedas, los troncos llenos de musgo que tapizaban el suelo y las continuas oleadas de aquella bruma que Zaira llamaba *yayla* no les permitían un ascenso cómodo. Los caballos podían desbarrancarse y cualquier descuido costarles la vida. Llegaron a un escarpado sendero y bajaron de sus caballos. Era poco lo que podían distinguir, la neblina era densa; subían despacio. En una planicie, el hombre le indicó que esperarían ahí hasta el otro día.

El viento de la montaña los hacía tiritar. Prendieron una fogata, extendieron las pieles y se acostaron. Ella se dio cuenta de que, al respirar, su acompañante producía un pequeño silbido. De tanto en tanto era atacado por una extraña tos que lo hacía quejarse. Reconociendo de inmediato un sauz, retiró con un cuchillo la corteza y extrajo la savia; se llevó un poco a la lengua. Afirmó con la cabeza y recogió más en un cazo. Hirvió agua con hojas de hisopo y escutelaria que traía en una bolsa de cuero y se la dio a tomar al guerrero.

Cuando estaban cerca de quedarse dormidos, un ruido la sobresaltó; no así a Naik, quien ya tenía el sable entre las manos. De la parte alta del sendero, les llegaron unos gruñidos; eran lobos.

—Ioannes, muéstrate seguro, si olfatean el miedo nos atacarán. Ellos saben que con mi cimitarra puedo hacerles mucho
daño, déjalos que se alejen.

Pronto apareció el líder de la manada, era un lobo gris
enorme. Se acercó lentamente, mostrando sus afilados dientes.
Ioanna provocó que el animal amagara con abalanzarse al mirarlo a los ojos. No pudo controlar su impulso y corrió hacia
un risco, hiriéndose con troncos y piedras, hasta que alcanzó
a meterse en una hendidura; ahí se cubrió con hojas y ramas.
Empezó a lloviznar, y sentía el agua fría y punzante. No veía
nada a causa de la densa neblina y la exuberante vegetación.
No supo cuánto tiempo estuvo agazapada; le dolía la espalda y
estaba entumida. Cuando regresó, Naik le sonrió mientras tallaba su cuchillo sobre su antebrazo.

—¿Por qué huiste, griego? Allá podías haber muerto de
frío. Tú no eres gente de montaña, no percibes la *yayla* como
nosotros y, por lo que veo, no estás acostumbrado al ataque de
las fieras —el hombre le hablaba divertido, mientras le señalaba un lobo muerto sobre una roca.

Mientras le hablaba, ella notó que Naik tenía una herida
en la pierna. Bajó a un arroyo cercano y regresó con un cazo
lleno de agua y bastantes hojas y raíces que maceró y puso en
un trapo húmedo. Después, con un poco de propóleo y otros
bulbos disueltos en el agua hirviendo, le vendó la pantorrilla.

Con el cuerpo del lobo colgando sobre el caballo, siguieron
el ascenso. La niebla los cubrió como si quisiera devorarlos. A
esa altura, sentía que le faltaba aire. Al escuchar que su guía le
decía que estaban justo en medio de la montaña, pensó que los
peligros en Sumela no se parecerían a nada que hubiera vivido
antes.

XXVIII

MONTES PÓNTICOS

El corazón del hombre se eleva
en cuanto aprende a perdonar.

Khvicha Kudu (792-853)

—¡Mira esas luces lejanas, es Kizilagac! Antes de que lleguemos, haz un buen caldo estilo griego —en cuanto la vio fruncir
el ceño, le dio un cazo—. ¿No sabes cómo, muchacho?

Con destreza, Naik cortó algunos pedazos de la pierna del
lobo, tiró unos cuantos puños de hielo en el perol y le pidió
que encendiera una fogata. En el agua hirviendo puso trozos de
carne y desprendió la grasa de los huesos. No le importó que
los pedazos llevaran, aún, pelaje de la bestia. Ella movió el gui-
sado, quitándole los residuos de piel y aderezándolo con laurel,
ajo y trébol rojo.

—Necesitamos alimentarnos bien, hay muchas mujeres en
Kizilagac. Por ahora, es mejor que pasemos aquí la noche. De
seguro verán la fogata; será como una señal de nuestro arribo
y es una manera de hacerles saber que no pensamos robarles.

—Espero que no ataques a nadie, Naik.

Envuelta en mantas y cubierta con la piel, le contó la lejana historia de la noche en que los lobos desgarraron a Teodoro. Siguió hablando hasta que el montañés empezó a roncar.

En la madrugada y antes de que los viajeros se levantaran, un hombre viejo de larga barba blanca y corta estatura, se sentó en una roca y, jugando con una varita entre los labios, los observó hasta que despertaron.

—Tengo días esperándolos, soy Khvicha Kudu; los vi anoche y creí que bajarían a Kizilagac.

—Sé quién eres, te envió el patriarca Ignacio para ayudarnos a liberar a Xifias.

—Tenemos que subir a Sumela —dijo Naik mientras preparaba un poco más de caldo— Ayudaremos al griego a liberar a un amigo de Ignacio.

—Aquí hay muchos lobos últimamente, veo que ya se han topado con alguno. Guarden esa carne; en Kizilagac encontraremos queso, pan y licor.

Conforme se aproximaban, la gente los observaba curiosa. Naik le pidió a Ioanna que encendiera una fogata para asar la carne. Notaron que su acompañante no le quitaba la vista de encima a una madre de mejillas sonrosadas y cabello rubio que cargaba a una niña pequeña, sin embargo, Khvicha creyó que él solo se limitaría a apreciar su belleza.

Mientras los aldeanos les acercaban un poco de pan, Naik siguió a la muchacha hasta la parte trasera de una cabaña. Ioanna se inquietó y corrió hacia ellos cuando oyó los gritos de la niña. Lo encontró a punto de violar a la joven, tal y como había hecho días antes en el campo de fresas. Entonces alzó una pesada piedra y le dio un golpe en la cabeza. Varios hombres aparecieron y ante su enfado, fue el anciano quien disculpó al guía con los lugareños, diciéndoles que su compañero había perdido recientemente a su mujer, que guardaba un tremendo parecido con la joven atacada. Con trabajo, entre él y el fraile, subieron al desfallecido hombretón sobre el caballo.

—Oye, griego, ese fue un buen golpe. ¿No lo dejarías idiota? —preguntó Khvicha y señaló al guía con la mirada, quien pese al zarandeo, continuaba inconsciente. Hacía frío y las cuestas seguían empinándose. A pesar del clima, continuaron hasta que las sombras de los escarpados montes se alargaron, cubriendo de penumbras el camino.

—Descansemos. El monasterio está ahí delante y no podemos acercarnos porque seguramente habrá guardias. Deja que nuestro amigo se recupere y no prendas fuego.

Entre los ruidos nocturnos y los ronquidos de Naik, escuchó una campana. No alcanzó a distinguir el origen, pero supuso que era del monasterio. Su sonido era claro y brillante, contrastando con la sobriedad de aquel paraje. Como no acordaron turnarse la vigilancia, pasó la noche dormitando sin abandonarse del todo a las profundidades del sueño.

Cuando Khvicha se levantó, la vio sentada sobre una roca y se acercó.

—¿Estuviste vigilando? No era necesario. Los ocupantes del convento se encierran en cuanto el sol se oculta. Aprende a este —dijo, dándole un ligero puntapié al durmiente—; escucha cómo ronca.

—Lleva muchas horas conmocionado, debemos despertarlo —Ioanna comenzó a moverlo hasta que el guerrero, perezosamente, se puso la mano en la cabeza y abrió los ojos.

Después de explicarle que un hombre lo había golpeado en

Kizilagac y que se habían visto obligados a huir para evitar que lo ahorcaran, almorzaron y prosiguieron el ascenso. A pesar de que el sonido de la campana había sido nítido, el monasterio aún estaba retirado. Las rocosas y enormes montañas que los rodeaban hacían que la distancia de los sonidos fuese engañosa. Todo ese día fue de ascenso. En la tarde llegaron a una hondonada, donde largos troncos se usaban para atravesar el abismo; pasaron los caballos con cuidado, sin embargo, el último lanzó un gran relincho.

—Tal vez ya nos detectaron, tendremos que quedarnos aquí; quién sabe cuántos arqueros haya.

Por fin, a la vista estaba Sumela. Era una construcción imposible. A cientos de metros de altura parecía haber sido tallado en la cara de la montaña. Sin embargo, se trataba de una construcción compleja, de roca y mortero, sostenida de las salientes de la imponente ladera. Ioanna había imaginado un modesto monasterio, en cambio lo que tenía enfrente era una fortaleza dedicada a la protección y no a la oración. Oscurecía cuando vieron luz en una de las torres.

En la madrugada, bajo una densa bruma, y antes de que sus compañeros despertaran, Khvicha se acercó, sigiloso, a la entrada del edificio. Cuando regresó, ambos lo esperaban despiertos.

—He visto a cuatro hombres bajar por aquel sendero —el guía le preguntó si eran todos y su interlocutor alzó los hombros—. Solo encontré huellas de dos animales, parece que son los únicos que han entrado desde hace días. Deduzco que salieron a cazar, es el momento de rescatarlo. Sobra decir que debemos ser silenciosos.

Ioanna y Naik desataron a los caballos y se escondieron detrás de una gruesa barda de piedra mientras el viejo hablaba con un sacerdote a través de una puertecilla.

—Soy un cazador y estoy extraviado. Por favor, obséquienme un poco de pan y permítanme descansar un momento.

—Aquí nadie se extravía, sigue tu camino, este lugar no es para cazadores.

Khvicha se dio la vuelta y caminó hacia el bosque cuando la puerta se abrió. El vigilante asomó la cabeza y Naik, que se había parapetado a un lado, le dio con su sable en el cuello. El hombre cayó de bruces con un continuo temblor en todo el cuerpo. Lo arrastraron y escondieron en un matorral; entonces entraron a la fortaleza.

Había varios cuartos cerrados alrededor de un curioso patio cubierto por el abrigo rocoso de la montaña. Ioanna se quedó cerca de la puerta, en tanto sus acompañantes subían por las escaleras a un segundo piso y revisaban las habitaciones. Un viejo religioso salió al paso; dedujo que se trataba de Yanik, el hombre de Rifat que se hacía pasar por monje. En un rápido ataque y antes de dejarlo hablar, Naik le arrojó su hacha de mano, hundiéndosela en el pecho, al mismo tiempo que, con un banco de madera, asestaba un fuerte golpe en la espalda a Mustafá, quien se asomó, confundido, desde la habitación del fondo. Ella gritó y trató de llegar hasta donde estaban, pero se detuvo cuando un hombre de casi dos varas de altura salió de la habitación contigua y, de un solo golpe, tiró a Naik atenazándole la garganta con sus enormes manos.

Khvicha intentó auxiliarlo, pero Ioanna le ordenó que la ayudara a sacar a Mustafá del monasterio, pues el bizantino no podía caminar. El gigante seguía asfixiando a Naik, que apenas movía las piernas y tenía la cara enrojecida. Tras subir a Xifias a un caballo, regresaron, pero para su sorpresa el atacante levantaba el cadáver de su compañero y lo arrojaba al suelo como si se tratase de un trapo. Sin salir de su asombro y aterrorizados, bajaron apresurados hasta los caballos. Un grito de guerra los hizo voltear; el hombre gigantesco se aproximaba enfurecido.

—¡Vámonos! —espolearon a los caballos—. No se detendrá hasta atraparnos.

Llegaron a Kizilagac y, sin detenerse, siguieron sendero abajo. Aunque ya oscurecía, continuaron su huida, pasando por alto el frío aliento del bosque y apretando el paso cada que escuchaban ruidos entre la maleza. Cuando el cielo clareaba, divisaron Obasi. Necesitaban caballos frescos y pagaron para cambiarlos. Mustafá se dolía del golpe en la espalda; Ioanna, en cambio, no sentía señales de cansancio, sino una obsesión que la hacía ver a su perseguidor en cada sombra. Khvicha les pidió que siguieran solos, mientras él regresaría por la montaña para despistar al gigante. Se despidió diciéndoles que los vería pronto en Constantinopla.

Después de andar a galope hasta el cenit, decidieron descansar a orillas de un río. Mustafá seguía sintiendo un fuerte dolor en la espalda. Ioanna buscó algunas plantas y encontró lino y primavera, que tienen propiedades analgésicas; cortó algunas raíces y hojas e hizo una pasta. Le untó la mezcla.

Él hizo la primera guardia, pero se quedó dormido. En la madrugada, Ioanna le movió el hombro suavemente, pues el asesino de Naik caminaba hacia ellos, silencioso. Todavía estaba a buena distancia y no había notado que ya estaban despiertos, observándolo.

Montaron apresurados y se dirigieron montaña abajo; su persecutor no pudo alcanzarlos. Continuaron con su huida frenética hasta el amanecer y, cuando creyeron imposible que el sicario se mantuviera cerca, dejaron que los caballos descansaran y bebieran en un pequeño arroyo, mientras ellos se refrescaban la cara. Ella se quedó paralizada al ver en el reflejo del agua una silueta humana. Reprimiendo un grito alzó la vista y lo vio; sobre una colina, estático, el gigante los miraba.

Volvieron a los caballos y viajaron tarde y noche hasta que, finalmente, llegaron a Constantinopla. En cuanto se apearon, en el palacio de Ignacio, el propio patriarca los recibió.

—Parece increíble, pero escapé de Sumela, con la ayuda de Ioannes. Por un sacerdote llamado Yanik me enteré de que Hassan Sukur quiere liquidarme para cubrir sus hurtos a Rifat Tahsin. Creo que tendré que huir por algún tiempo, pues no estaré seguro aquí.

—No creo que se atrevan a entrar —dijo Zaira cubriéndolo con una manta—. Descansen esta noche, mañana veremos qué podemos hacer para negociar.

Casi amanecía cuando un ruido en el patio hizo que Ioanna, desde una recámara, y Mustafá, desde otra, se asomaran por las ventanas. Él se puso la casaca al ver que unos doscientos traficantes formaban una hilera cerca del lado oriente del palacio. Llevaban antorchas, sables y cimitarras. Ignacio dio la orden de fortalecer la defensa.

—Ioannes, Mustafá, dejaré que los traficantes inspeccionen la residencia; ustedes salgan por atrás. Khvicha Kudu acaba de llegar; él y Zaira los acompañarán hasta la costa para que se embarquen a Atenas. No pueden perder tiempo.

—Ignacio —Ioanna se acercó al patriarca y lo miró seriamente, directo a los ojos—, no sé desde cuándo Sukur acusa a Mustafá de robar cargamentos de opio. Él es quien, en realidad, le roba a Tahsin. Ten cuidado con él, es venenoso y lo tienes demasiado cerca.

En cuanto llenaron las talegas con quesos, frutos secos y nueces, se dirigieron a la puerta poniente del palacio; ahí encontraron a Zaira y al montañés. Apenas se saludaron, salieron a toda prisa rumbo al muelle, donde alcanzaron un barco egipcio a punto de partir. Todo había sido demasiado rápido, pero en el

214

último momento, antes de subir a la nave, Ioanna sintió una punzada en el corazón; tomó de los hombros a Zaira y le pidió que se embarcara con ellos a Atenas.

—Este es mi lugar y mi momento; debo cuidar a Ignacio del asedio de Sukur. Adiós, mi querida Ioanna.

Desde la borda se despidieron de Khvicha y Zaira, agitando los brazos. El sol caía y sus destellos dorados sobre el agua irradiaban una calma total, como si diluyeran el peligro a su paso. En las bodegas, Ioanna y Mustafá saludaron a los viajeros. A pesar de la tos y los quejidos de los hombres que ahí se amontonaban, durmieron la noche completa; al amanecer subieron a cubierta, cuando escucharon a alguien gritar: —¡Puerto! ¡Puerto!

Desembarcaron en El Pireo. Apenas puso los pies en la tierra, Ioanna recordó con desagrado el asedio de Filipo. Mientras cabalgaban rumbo a la biblioteca, ya pensaba cómo escabullirse de aquel depravado. Cuando llegaron, encontraron al viejo Demetrio arreglando el techo. En la entrada estaba recargado un hombre alto, de gruesas cejas que le daban un aspecto de continuo asombro. Llevaba una túnica corta, ceñida con un cinturón.

—¡Frumencio! —Ioanna reía mientras lo abrazaba y luego lo retiraba para poder verle el rostro—. Creí que habías muerto en el naufragio —sin tratar de ocultarlo, se limpió las lágrimas.

—Pensé que tú te habías ahogado —respondió él, sonriente—. En la costa encontré a algunos marineros del Kronos y a su capitán, me les uní y regresé a Atenas. Me casé con Melissa, esperamos un hijo, y ahora trabajo con Demetrio.

—¿Cómo estás, viejo? —Xifias lo saludó, dándole un pequeño golpe en el hombro.

El guardián de los pergaminos bajó, sonriente; abrazó a

Ioanna y saludó a Mustafá. Mientras compartían algo de pan, vino y pescado, se pusieron al tanto de lo acontecido durante aquellos largos meses. Ioanna había estado posponiendo la pregunta, pero al final la hizo:

—¿Y Elha?

Demetrio y Frumencio guardaron silencio. Ante el mutismo, la joven insistió.

—Ioannes —le dijo Demetrio, cogiéndola de las manos—, después de que tú y Frumencio zarparon, ella y Alexis, uno de los hijos de Diomedes, se hicieron a la mar en una pequeña barcaza. Al regresar a Atenas, el capitán Korais salió en busca de su hija, navegando durante dos días por la bahía; dicen que enloqueció cuando le enseñaron los cuerpos ahogados de Elha y Alexis.

XXIX

LUCIO KORAIS

La felicidad que no se modera,
destruye al que la posee.

Demetrio de Acio (789-857)

Las sombras que formaban las ramas de los árboles a la luz de la luna le hacían imaginar que el espectro de Elha la seguía. Tenía el presentimiento de que el destino le haría pagar el desamor que le había causado. Ataviada con un nuevo hábito que le confeccionó Frumencio, fue a la casa del capitán Lucio Korais, pero estaba cerrada. Deseaba darle el pésame y pedirle el cofre que su hija había escondido.

Tres días después vio a Lucio en el muelle; daba órdenes para que sus trabajadores acomodaran una plataforma de desembarco. Cuando el barco atracó, una hilera de hombres y mujeres, como salidos de ultratumba y emanando olor a muerte, empezó a bajar por la rampa, mientras cuatro marineros cargaban a un muerto envuelto en una manta.

—Están desembarcando muchos enfermos en Atenas —dijo Mustafá al llegar junto a ella—, nadie sabe cómo se contagia ese mal.

—Los enfermos piden que los dejen en el convento de Dafni —dijo Korais al acercarse—. Todos estamos de acuerdo en que los atenienses que tengan esa terrible enfermedad vuelvan a visitar a sus dioses antes de morir.

En la hilera de cadáveres formados en el suelo, Ioanna distinguió, sorprendida, a Teonas. Se agachó a mirarlo, pensando en su vida desafortunada y en su lamentable final. Entre tanto, los soldados custodiaban a una docena de contagiados, agrupándolos en una especie de corral.

—¿No es inhumano encerrarlos como ganado? ¡Están muriéndose!

—No, Ioannes, no queremos que la epidemia se propague. Por nuestros abuelos sabemos lo que sucedió en tiempos de Justiniano. La plaga duró años, y se llevó a familias enteras.

—¿Y Filipo? ¿Qué piensa de tantos enfermos?

—Filipo fue asesinado —dijo Korais, mientras repartía algunas piezas de pan entre los enfermos—. Organizó una fiesta a su estilo y se quedó con tres muchachos. En la madrugada, Helena los escuchó partir y encontró a Filipo desnudo y acuchillado; no pudieron salvarlo.

No se atrevió a pedirle el cofre a Lucio en ese momento; lo vio cansado y agobiado, tratando de desembarcar y ayudar a los dolientes. Atenas estaba sumida en una terrible crisis. El asesinato de Filipo dejaba sin mando a la ciudad y el convento de Dafni era insuficiente. Los enfermos empezaban a deambular por todos los barrios; era común verlos vagar, pidiendo comida o cobijo. Algunos se acostaban en el suelo, agonizando y despidiendo un olor que carcomía las fosas nasales y parecía adherirse en la piel de quienes pasaban cerca.

—Tenemos que salir lo más pronto de Atenas, esta epidemia será peor que las fuerzas de los hombres de Amán y Tahsin juntos —Xifias contenía la respiración al caminar por el muelle.

—Mañana temprano iré a buscar el cofre a casa de Korais. Sospecho que su hija lo guardó ahí.

Al día siguiente, muy temprano, se presentó en casa del capitán. Una vez más, no lo encontró y temió que hubiera caído enfermo. Él la sorprendió mientras cavilaba; apenas volvía después de estar en el muelle toda la noche.

—Ioannes, qué gusto verte —el hombre lo miró dulcemente; sus ojos se volvieron vidriosos—. Elha estaba dispuesta a seguirte a cualquier parte, Delfos le ha dado su lugar y a ti te ha perdonado.

Abrazó al recio hombre de mar y él le acarició la cabeza afeitada, como si se tratase de su propio hijo.

—Muchos se contagiarán durante la peste. Sal de Atenas con el árabe o con Frumencio. Mi hija dejó una caja y una talega con documentos tuyos; los guardé con la esperanza de entregártelos. Pronto llevaré mi nuevo barco, el Kronos-Elha, al puerto de Durazzo y quizá consiga carga para Manfredonia, si quieres puedes embarcarte conmigo.

—Gracias, Lucio, pero me quedaré en Atenas a socorrer a quien lo necesite.

—No habrá más embarcaciones a Durazzo, Ioannes. Yo regresaré hasta dentro de cuatro meses.

Durante esos días, el marino la convenció de embarcarse con él. Parecía preocupado por ella; era como si el profundo afecto y el cuidado que antes procuraba a su hija, hubieran encontrado un cauce en la figura del joven a quien Elha tanto admiraba. Si deseaba proseguir su viaje a Roma, ese era el momento. En tanto, ella trató de convencer a Frumencio para que la acompañara, pero él distaba de ser el que había naufragado en el Kronos; le respondió que esperaba un hijo y que no abandonaría a Melissa.

—Yo te acompaño —le dijo Xifias mirando a Frumencio, quien elevó una de sus grandes cejas—. Quiero salir de Atenas ya. No esperaré cuatro meses para marcharme.

Dos días después, el capitán Korais hacía maniobras para zarpar en el Kronos-Elha. Desde la popa, Ioannes y Mustafá se despidieron del viejo guardián de los pergaminos. La calma con la que se hicieron a la mar, les hizo temer que en cualquier momento quedarían a la deriva. Comenzaban a alejarse cuando vieron a Melissa y Frumencio abrazados, contemplando la partida de la nave. Sin apartar la vista del muelle, entrelazó sus manos bajo las mangas del hábito; no sabía si volvería a ver a sus amigos.

—Que seas feliz con tu familia, querido Frumencio —murmuró, antes de darse la vuelta para entrar a las bodegas.

El deseo de gozar de un soleado y apacible día se extinguió en el ánimo de Xifias al observar que una nave hacía contacto por estribor con el Kronos-Elha y le pedía a Korais subir a bordo a varios enfermos, porque ellos no tenían espacio ni manera de atenderlos. Pese a las protestas entre algunos viajeros, el capitán desoyó los reclamos, dándole lugar a los contagiados.

Xifias se mantuvo en la proa hasta que oscureció. Contemplaba el mar como si así pudiera desentenderse del mal que comenzaba a azotar todo el continente. Entre tanto, Ioanna ayudaba a alimentar a los más enfermos. Entrada la noche, los marineros encontraron muerto a uno, y por órdenes de Korais lo arrojaron por la borda. Entonces, el bizantino empezó a angustiarse y la joven trató de sosegarlo.

—No te aproximes, bebe agua, trata de conseguir algunas frutas para comer y mantente limpio —le recomendó ella, con voz tranquila.

Al día siguiente, se alarmaron cuando uno de los hombres de la tripulación presentó los mismos síntomas que los enfermos. El propio capitán lo ayudó a recluirse en su cabina. El trato que le dio a su subordinado fue tan deferente que Ioanna pensó que lo que él deseaba era contagiarse. Parecía que, junto a Elha, también había perdido su deseo de vivir. La joven lo observó salir; ahora le daba agua a los infectados, sin precaución alguna.

Mientras tanto, en un rincón de las bodegas, Konstantinos, el timonel, manifestó su inconformidad ante la presencia de tantos enfermos; les propuso a los demás marineros echar al mar a los contagiados. En cuanto Ioanna lo supo, le informó al capitán y este, sin esperar un minuto, se acercó al marinero, lo golpeó y lo arrastró a la cubierta, en donde lo arrojó al agua. Tendría que nadar a una isla no tan lejana.

A la mañana siguiente, un trabajador de cubierta que aseguraba los soportes del mástil cayó al piso; fue el segundo contagio entre la tripulación. Korais tuvo que endurecer el mando ante la probabilidad de un motín a bordo; habló con Mustafá, pues nadie portaba un arma tan impresionante como su cimitarra.

—No podremos contenerlos —dijo el bizantino—, acerquémonos a la costa para que los enfermos que lo deseen, puedan irse.

—Sé quiénes fraguan el motín —dijo el capitán mirando a su alrededor, ignorando por completo las palabras de Xifias—, son los dos macedonios. Tú encárgate de uno, yo me desharé del otro.

Mientras los sublevados se preparaban para tomar el barco, los cuatro marineros del Kronos-Elha bajaron el único bote y se retiraron de la nave.

En cuanto vio aparecer a los amotinados, el capitán, sin más arma que un punzón bastante largo, se enfrentó al macedonio más fuerte. Mustafá se mantuvo alerta. Dos movimientos torpes del insubordinado le costaron que Korais le hundiese el punzón dentro del canal auditivo; cayó de rodillas tratando, desesperado, de desprenderse el artefacto. Su ejecutor sacó el arma y el hombre dejó de moverse, quedando con los ojos abiertos.

Cuando el otro agitador vio al capitán con el punzón y a Mustafá con la cimitarra, se echó por la borda. Segundos después, empezó a salir humo de la bodega; le había prendido fuego antes de arrojarse. Los pocos hombres sanos que quedaban se arrojaron al mar, la costa ya estaba cerca. Ioanna y Xifias se acercaron al capitán:

—Lucio, nos hemos quedado sin hombres y la nave se incendia. Tenemos que salir —sin hacer caso, tomó a Mustafá de las ropas y, tras preguntarle si sabía nadar, lo arrojó al mar. Ioanna se quedó atónita.

—Desde que murió Elha me contagié de una enfermedad peor que la peste: la abulia, el desgano por la vida. Lo he sufrido durante más de un año, y cada vez el dolor y el desánimo son mayores. Te deseo suerte, Ioannes, recuerda que Elha te tenía un cariño especial. Se acercó a un gran arcón y le mostró los papeles que había subido, junto con el pequeño baúl—: Sé que para ti representan mucho, así que voy a ponerlos en esta barrica, envueltos en ropa, para que la jales a la costa.

Mientras tanto, Mustafá, flotando en el azul profundo, le gritaba a Ioanna para que se arrojara al mar. Tras darle un largo abrazo a Korais, lo hizo, se arrojó por la borda y salió a flote. Desde la superficie, vio al capitán, que ni siquiera intentaba apagar el fuego. Solo tiró la barrica al agua y le gritó: —¡Recuerda a Elha!, a donde quiera que vayas reza por su alma.

El hombre se cogió de una soga, y se quedó mirando cómo se alejaban los marineros que por más de treinta años trabajaron para él.

Ioanna empezó a jalar el barril, pero el hábito le pesaba. De vez en cuando se detenía para ver el barco, envuelto en llamas. Al cruzar una ola, cerca de la costa, perdió la soga con la que sujetaba la barrica y por más que la buscó fue inútil. Nadó hacia la orilla y se echó sobre la arena, abatida por la inminente muerte de Korais y la nueva pérdida del baúl.

A lo lejos, el barco seguía quemándose. Los marineros se preguntaban qué pasaba por la cabeza de su capitán. Aunque sabían que era difícil que los escuchara, continuaban gritándole que se tirara al agua. Solo Ioanna sabía que no lo haría.

Al subir por un risco, vio que la gente llegaba para ver la nave arder. Después de media hora, el desconcierto empezó a disiparse en los rostros de los marineros, dejando en su lugar angustia y pesar. Korais, el hombre de mar, se retiraba para siempre.

Cuando bajaron de nuevo a la playa, Mustafá se acercó a Ioanna y le dio la barrica. Algunos manuscritos estaban mojados, pero había rescatado la mayoría, incluso la caja y la ropa. La joven le dio una palmada en el hombro que significaba mucho más que el agradecimiento y la camaradería que podía haberle transmitido con palabras.

Entre tanto, los marineros hablaban entre sí, azorados; recordaban viajes, penurias y alegrías, mientras veían cómo el fuego devoraba hasta el último madero del Kronos-Elha, dejando limpia la superficie del mar.

XXX

FUEGO AL FUEGO

Juez, el perdón nace de las almas generosas;
si el ajusticiado es inocente,
¿quién perdonará nuestro error?

Giuseppe Bazini (810-850)

Como era su costumbre, Mustafá usó sus artes de negociante
para cambiar dos monedas de oro por un carro tirado por dos
caballos; también consiguió un par de mantas y algunas manzanas. Ioanna se subió en la parte trasera del vehículo, apenas
se alejaron, se quitó el hábito cubriéndose con la frazada.

Al tiempo que el sol descendía lánguidamente, divisaron
las casas de una aldea. Preocupado, Xifias le dijo que desconocía la región, sin embargo, ella no pudo angustiarse, había
recuperado sus reliquias y eso la tenía de buen humor. Decidieron seguir.

Rato después, en una llanura y bajo la luz de la luna, se
arrojaron al césped. Tumbada, con las manos bajo la cabeza,
Ioanna recordó a Korais y a Elha. Sintió que Gerbert nunca le
había tenido tanto cariño como el capitán a su hija, a la que
amó hasta el último segundo de su vida. Estaba segura de que a

224

esas alturas, su padre ya la había olvidado. Se giró a observar a su compañero quien, sintiendo su mirada, le hizo saber que el triste canto de las cigarras no era más que la voz que anunciaba el tiempo de tormentas y que no tenía idea de lo que enfrentarían. Al ver que ella acariciaba el cofre, le preguntó:

—¿Por qué sigues cargando esa caja?

—Le hice una promesa a Teodoro y se la cumpliré. Una tarde me la dio diciéndome: he aquí los huesos de Zacarías y algunos testimonios que reuní. Yo he decidido creerle. Después de que los lombardos asesinaron al asceta me quedé en su choza y, en soledad, juré que la llevaría a Roma. Tal vez eso me dio fuerza para salir de aquel bosque.

—Espero ver el día en que te deshagas de esa carga. Es irrespetuoso traer los restos de un hombre como si se tratase de mudas de ropa.

Ioanna, molesta, cambió de tema abruptamente: —El día que salimos de Constantinopla, Ignacio prometió que nos ayudaría a volver, enviando a Khvicha.

—¿Y cómo nos va a encontrar?

—Viajará a Atenas y dará con Frumencio o con Demetrio. Le dirán que nos embarcamos al puerto de Durazzo. Él es demasiado hábil, sabrá encontrarnos.

Al día siguiente, llegaron a la orilla de un amplio río. Xifias echó a andar por la ribera, buscando la parte más baja del caudal. En el único paso que encontró había una carreta con dos hombres y una mujer germanos. Estaban armados con espadas rectas que trató de reconocer sin lograrlo. En cuanto llamó a Ioanna para disponerse a cruzar, los germanos les gritaron que debían pagar su peaje. Ella les contestó que eso era absurdo, dado que no usaban ningún puente. El más joven, alzando la voz, le respondió que no era necesario un puente para exigir el pago. Entonces el bizantino, exasperado, bajó del carro, se acercó a la carreta y les dijo que no traían nada. Eso fue suficiente para que uno de ellos tomara un largo palo y lo amenazara.

—¡Váyanse!, no contaminarán nuestras aguas, seguro son portadores de la peste.

—Sabemos a qué le temes, pero te aseguro que no estamos enfermos —Ioanna respondió afablemente y se quitó la capucha para que los hombres pudieran ver que se encontraba en buen estado.

Uno de los germanos, un muchacho obeso con el rostro enrojecido, se acercó a Xifias y le tiró un golpe directo a la cabeza, pero él lo esquivó y jaló el palo, derribándolo sobre el espejo de agua. Decidió que cruzarían a pesar de los insultos.

Empezaban a hacerlo cuando llegaron dos carretas con más germanos a bordo. Al ver el enfado de sus agresores, desengancharon los caballos, tomaron los pergaminos, el baúl y la ropa envuelta en las mantas, y cruzaron a galope el río, precipitadamente. Algunos germanos emprendieron la carrera tras de ellos, pero bastó un momento para dejarlos lejos. Xifias reía; para él parecía un juego, mientras que para la joven eso solo era una muestra de los peligros que tenían por delante.

A pesar de haber escapado con facilidad, no disminuyeron el paso. Durmieron en las faldas de un pequeño cerro. El amanecer reveló una pequeña aldea; pensaron que estarían más seguros si se acercaban. Llegaron, y en la primera casita encontraron al herrero; se presentó como Giuseppe Bazini, quien les informó que estaban en Tirana y que, para quedarse, debían pagar tributo.

—Traes un cofre, debe ser valioso. Sus vidas correrán peligro si no pagan los derechos de estadía.

—Esta caja contiene los restos de un religioso; hice la promesa de enterrarlo en Roma. El cofre responde bien a quien le facilita su camino.

—Si quieren ir a Roma tienen que embarcar en Durazzo. Los barcos no llegan regularmente, tienen que esperar uno; no hay otra forma de llegar al golfo de Manfredonia. Si no traen objetos valiosos y quieren pasar la noche aquí, deberán pagar con trabajo. Además, necesitarán pagarle al capitán que los embarque.

Supieron que su interlocutor era romano. Mustafá agradeció la información y le dio un modesto anillo. Al verlo apreciar la piedra a contraluz, le pidió un arco con cinco flechas y salió a cazar con la promesa de darle la mitad de la presa. Ioanna se ofreció a cocinar y a ordeñar vacas. Bazini les dejó dormir en la parte trasera de su taller.

Después de sus labores, Ioanna les enseñaba a los niños a hacer fuego con facilidad. Habían quedado fascinados al ver que el benedictino, con un par de movimientos rápidos, hacía fogatas vivas y chispeantes. Dos días después, Mustafá aún no regresaba de cazar.

Dos de las carretas de los germanos arribaron la mañana del tercer día. En cuanto los reconoció, Ioanna bajó el rostro y se mantuvo ordeñando a una vaca. Cuando terminó, observó que la mujer no se había ido y la veía con atención. Sin quitarle la mirada de encima, llamó a los hombres que, al reconocerla, la cogieron por los brazos y la llevaron al centro de la aldea. Entonces un lugareño gritó:

—¡Es un brujo! Saca fuego de las piedras y hace fogatas para el diablo.

Bazini quiso interceder; y aunque tenía autoridad, lo hicieron a un lado. Tal parecía que los aldeanos necesitaban una distracción.

Pobladores y germanos le exigieron al herrero ponerle unos grilletes. Le colocó uno de mala gana, y les dijo que hacer fuego era una sencilla habilidad de aquel extranjero, que no le temieran; de poco sirvió. La llevaron a un patio en el que había dos grandes postes y la ataron a uno. Después de un rato de insultos, partieron a deliberar sobre la muerte que le darían.

A media noche, una sombra se le acercó por detrás. Era la germana que no había resistido la tentación de ir a maltratarla.

—Soy germano como ustedes, vengo de Ingelheim, hermana, y no practico la brujería.

La mujer la miró asombrada y a gritos, le dijo: —Solo un brujo musulmán puede ser capaz de hablar en tantas lenguas y de manipular el fuego de esa manera. Entre nosotros hay un médico, él nos dirá si eres o no un demonio.

Los aldeanos regresaron y Bazini alejó a la agresora, rogándoles que esperaran a que algún pastor pasara por Tirana. Sin embargo, por los abucheos, Ioanna se imaginó que la mayoría deseaba deshacerse de ella; querían espectáculo, aunque fuera macabro.

Al amanecer, el herrero le llevó a Ioanna un poco de comer, pero la germana se adelantó y comenzó a abofetear a la joven.

—¡*Zauberer*! ¡*Zauberer*!

Ioanna supo que todo iría peor cuando vio acercarse al hombre obeso que Mustafá había golpeado en el río; él era el médico. El sanguíneo joven se sentó en un banco y comenzó a hablarle en un dialecto que ella desconocía.

—¡No! —gritó el herrero—. ¡Permítele defenderse!

El acusador se levantó y, sonriente, la señaló mirando a la multitud; todos se rieron. Entre los asistentes, algunos comenzaban a pedir que le prendieran fuego.

Por la tarde, Bazini se acercó y, a escondidas, le ofreció un pedazo de carne medio crudo; ella se lo tragó sin apenas masticar.

—No quieren darte de beber, desean secarte por dentro para que el fuego consuma tus poderes rápidamente. No sé qué ha pasado con tu compañero.

—Por favor, explícales que para hacer fuego solamente hay que golpear el pedernal junto a la yesca y que las chispas hacen el resto. No hay poderes oscuros en ello.

Bazini volvió hacia el sitio en el que se habían congregado los vecinos. Trataba de hacerles comprender lo que ella le había dicho, cuando un hombre bajo, enfundado en una casaca negra y un gorro de piel, llegó a la aldea. Lo acompañaban una larga daga, un alfanje en cada costado y una lanza atada por la espalda. Se le acercaron interrogándolo, pero no respondió. Sin embargo, sus armas y su extraño aspecto los forzó a respetarlo. Pagó peaje y le comentaron que, al día siguiente, quemarían a un brujo.

Ioanna pasó una noche de frío y angustia. Cualquier ruido la hacía creer que Xifias había regresado. Aunque no deseaba hacerlo, su ojos se cerraban a ratos cada vez más largos; unos puntapiés la hicieron volver en sí. Era la germana, sostenida del poste, que la pateaba y le recordaba que había llegado el día de su muerte. El herrero la detuvo y ella le devolvió un fiero gruñido, mostrando una dentadura llena de cavernas y defectos.

Al mediodía, el extranjero misterioso se acercó, llevándole a Ioanna un cazo con agua. Nadie se interpuso. Sostenido de su lanza de punta ennegrecida —por la sangre de alguna presa o enemigo—, usándola como bastón, levantó suavemente el rostro de la cautiva y lo limpió. Al verla en tan malas condiciones, le hizo una caricia en la cabeza. La germana interpretó el gesto como una intromisión, pero al acercarse, el extranjero sacó rápidamente el alfanje, deteniéndola. Ioanna, agradecida, trató de incorporarse, pero estaba muy débil.

El herrero sintió que tenía un aliado y que juntos podían detener a quienes deseaban llevar a cabo la macabra distracción. Volvió a dirigirse a la multitud, tratando de hacerlos entrar en razón, mientras un aldeano se acercaba al extraño, queriendo sorprenderlo; este cogió el alfanje y lo hirió en el antebrazo haciéndolo retroceder. Otro, indignado, se acercó con un palo y logró golpear al forastero, provocando su caída; entonces, la multitud se abalanzó sobre él. Lo ataron en el otro poste, justo enfrente de Ioanna. Cuando le levantaron la capucha, la joven se quedó helada; era Khvicha Kudu.

Por la tarde llegaron más aldeanos de los alrededores, la voz se había corrido. Quemarían primero al anciano, acusado de ser un engendro de Belcebú que había llegado para liberar a su amo. Comenzaron a apilar paja y leños para formar la pira. Khvicha levantó la cara, tenía el rostro sereno.

—Ioannes, ¿en dónde está Xifias?

—Salió a cazar hace días, lo he esperado y ahora temo que le haya ocurrido algo.

El germano más joven se acercó al viejo y le embadurnó sebo en todo el cuerpo. Otro levantó un tronco grande y se lo estrelló en la pierna derecha; el guía hizo una mueca de dolor, pero no emitió sonido alguno.

Un hombre con una bandurria se acercó a amenizar lo que sería el más espantoso, pero deseado, espectáculo para el pueblo de Tirana. Quemarían a un demonio y a su amo Mefistófeles; pocas veces se presentaba una ocasión tan especial. Colocaron un montón de yesca y ramas sobre la pira y, ante todos, la germana acercó una antorcha, prendiéndole fuego. Kudu empezó a toser; era espeluznante ver cómo se quemaba su cabello y oír sus gritos de desesperación.

Ioanna lloró, sin lágrimas, su cuerpo no tenía de dónde sacar una gota que se convirtiera en el llanto que acompañara a su amigo en su horrible muerte. Cada alarido, cada lamento, era correspondido con risas, aplausos y muecas de asombro. Algunos aventaron más yesca para apresurar el paso del extranjero hacia la expiración. Cuando los gritos agónicos de Khvicha desaparecieron, quedó el chisporroteo de la grasa corporal quemándose. El humo era gris y pastoso, una mezcla de pelo y cuero quemado. A Ioanna le quebró el alma ver cómo los reflejos de los leños iluminaban la negra figura. Anochecía cuando las llamas se extinguieron; un oscuro charco se había desparramado alrededor del cadáver.

En medio de la humareda, rodeados por el nauseabundo olor, los lugareños decidieron aplazar la ejecución del monje para el día siguiente; abandonaron lentamente el lugar, sin dejar de mirar la patética escena. Más tarde, cuando todos se habían retirado, el herrero se acercó con un martillo y de un golpe rompió el grillete que atenazaba la pierna del fraile, que se desplomó a sus pies y alzando el rostro, le mostró una profunda amargura; había perdido su sonrisa jovial y mirada alegre. Cuando Bazini lo ayudaba a pararse, el médico germano lo asaltó por detrás, intentando apretarle el cuello con una correa, a lo que aquél respondió con un martillazo, tirándolo al suelo.

Ioanna apenas podía sostenerse; aun así, Bazini la condujo a los linderos del poblado y, en silencio, se retiró. Sin saber a dónde dirigirse, comenzó a caminar, tambaleante. Sentía que solo se salvaría escondiéndose en el bosque, así que durante horas se alejó sin rumbo hasta caer rendida sobre unas matas; trató de dormir, pero el rostro de Khvicha envuelto en llamas se le aparecía cada que cerraba los ojos. Se levantó y siguió andando hasta que llegó a un claro del bosque, donde para su fortuna, Mustafá la vio deambular; llevaba un jabalí amarrado sobre las grupas de su corcel. Sin comprender por qué se encontraba en tal estado, se acercó y la subió al caballo, jalando las riendas en dirección a Tirana. Cuando ella alcanzó a ver, a lo lejos, las techumbres de las casas, se agitó tratando de hablarle con un hilo de voz. Él detuvo al caballo y escuchó el afectado relato.

Dio media vuelta, rumbo al arroyo en el que había estado cazando durante los últimos días, donde dejó beber a Ioanna, deshidratada e irritada por el humo. Conforme se iba recuperando, logró narrar con mayor detalle los cruentos sucesos. Xifias le dijo que debían dirigirse a Durazzo y embarcarse a cualquier lugar, pero para su absoluta sorpresa, ella insistió en rescatar al herrero romano, el otro caballo, el cofre y los manuscritos.

—Es lo más insensato que podemos hacer; si regresamos, no saldremos con vida. ¡Entiéndelo! En cuanto vean que la caja trae huesos y pedazos de tela, la quemarán también. ¡Has hecho mucho por esos restos, pero pronto nos costarán la vida!

—¿Y Giuseppe Bazini? ¡Me salvó de la hoguera, Xifias!

Esa madrugada, con una flecha incrustada en la nuca, el obeso germano cayó al suelo. Una sombra se escurrió hasta el taller del herrero y se apoderó de los manuscritos y el baúl. Al cruzar por el patio de la hoguera, Ioanna se estremeció al ver un cuerpo decapitado frente a los restos de Khvicha; era Bazini; una ira desconocida se apoderó de su espíritu. Tomó dos pedernales y un poco de la yesca que le tenían destinada, y prendió fuego a las carretas. El germano más joven salió y, al verlo, Mustafá le asestó un golpe en el cráneo con la cimitarra. De un certero tajo, le cortó la cabeza a la germana cuando se asomó. Finalmente, cogió un caballo por las riendas y soltó a los demás para que no los persiguieran. Espoleó fuertemente al corcel y alcanzó a Ioanna, que ya se alejaba sobre su montura. Esa noche no hablaron más.

XXXI

MUERTE EN ALTAMAR

La muerte de mi madre es el peor dolor que he sentido,
mi amor a ella pronto encontrará su camino.

Judith Logli (841-851)

Aquí estuvo el opositor Simionides.
(Consigna escrita en la cárcel de Nápoles).

Arístides Simionides (¿-?)

El embarcadero de Durazzo tenía un cobertizo y una bodega grande, donde sacos y madera se apilaban; Ioanna y Xifias
se sentaron un rato sobre aquellos armatostes. Después de un
rato, ella salió a caminar descalza por la playa de piedras pequeñas; el mar Adriático acariciaba sus pies. De regreso, sacó
de la talega una túnica dalmática que Zaira le había dado; en
Manfredonia no convendría pasar por religioso.

—Son muchos los manuscritos que llevas —dijo el musulmán tratando de disuadirla de dejar algunos—. En mi tierra
decimos que cuando conoces un texto es porque lo has leído y
releído hasta que llega a ser parte tuya.

Ella no le respondió; volvió la vista hacia la playa: unas personas caminaban con dificultad hacia ellos. En cuanto él los vio, se alarmó; estaba seguro de que eran enfermos de peste y quería alejarse cuanto antes.

—¿Cómo te sentirías tú en su lugar? ¿Por qué no te compadeces y los dejas tranquilos el poco tiempo que les queda? —preguntó recriminándole—. Si la salud es un bien, no te ufanes por poseerla, en todos es efímera.

Los caminantes llegaron al embarcadero y se detuvieron, dudando en entrar. Se trataba de una familia; una niña y sus dos padres enfermos. La pequeña, harapienta y desnutrida, se acercó a Ioanna al ver que le sonreía. Mustafá le pidió que se alejara, pero la joven se levantó y volteó a ver a los padres con una expresión amable; la mujer le dijo que la pequeña se llamaba Judith. Al escucharla, sintió una marejada de recuerdos, de Ingelheim, su infancia y su madre. A pesar de las secuelas de debilidad por los sucesos de Tirana, ayudó a la familia encendiendo una pequeña fogata y llevándoles agua; Mustafá refunfuñaba.

—Soy el maestre Antoni Logli, somos italianos —les dijo, cautelosamente, el padre de la niña—. Eternamente estaré agradecido por la ayuda que nos han dado. Queremos abordar mañana para curarnos en Roma.

Toda la noche estuvieron quejándose. Ioanna no sabía si lo hacían conscientes o dormidos. Se levantó al alba y, en el cazo de hierro, puso agua a calentar echándole hojas de filipéndula, artemisa y polvo de mejorana. Se acercó para ofrecerles la infusión y encontró que Judith lloraba; su padre había muerto.

El bizantino envolvió el cuerpo en costales y salió al bosque. Al regresar, observó que la madre se dolía en silencio.

—Tenemos que llevarlas a Manfredonia, Mustafá. Recuerdo que tu hermana me dijo que la naturaleza no hace nada en vano y creo que en algún rincón guarda la causa y el remedio de esta enfermedad; quizá en un hongo o corteza que no hemos descubierto. No podemos darles más oportunidad que la que la naturaleza les brinde, pero tal vez la cura esté del otro lado del mar. Anoche llegó una embarcación, es momento de intentarlo. Si se dan cuenta que están enfermas, no las dejarán abordar, tendremos que ser muy hábiles; no encontraremos a otro Lucio Korais.

El capitán del Mare Nostrum les puso todo tipo de trabas porque Xifias y ella vestían como musulmanes. Mientras alegaba, no se dio cuenta de que las enfermas subían a bordo. Al final de la negociación, le dieron el arco de Bazini y uno de los caballos para que les permitiera abordar. Les asignó un sitio en la bodega.

Una vez ahí, se mantuvieron todos juntos, en el lugar más apartado. Poco después, veinte esclavos fueron bajados a la misma bodega. Xifias pensó que podrían cambiarse de lugar o viajar en cubierta, pero dos marineros le dijeron que ese era su sitio. Ioanna se tranquilizó al pensar que, entre tantos esclavos, las enfermas pasarían inadvertidas. Por fin la nave empezó a moverse, con ese característico vaivén acompañado de crujidos de sogas y madera hinchada. Sin haber comido y con el mareo que les causaba la oscilación, madre e hija empeoraron. Después, cuando la madre dejó de quejarse, Ioanna se alegró pensando que mejoraba, pero Mustafá comprendió que había fallecido. La cubrieron para aparentar que dormía profundamente.

El barco navegaba en aguas tranquilas; los caballos y los cerdos se mantenían serenos, pero los presos empezaron a jalonear sus cadenas. El ruido atrajo a un hombre robusto y a su ayudante; quienes escogieron a tres de los esclavos y se los llevaron para que ayudaran a los remeros. A los demás les aventaron algunos panes viejos, llenos de moho. Cuando uno de los cautivos se dio cuenta de que ocultaban el cadáver de la mujer, estiró la mano, ofreciéndole su pan a la niña.

Mustafá no comprendía por qué no le rehuían a la enferma, por qué no hacían un escándalo para que los aventaran por la borda. Quizás eran tan ignorantes que no sabían que podían contagiarse. Ioanna, en cambio, lo percibía de manera diferente: aun con los mejores grilletes nunca esclavizarán el corazón de un hombre que conoce en carne propia el látigo del sufrimiento y la opresión.

—Tenemos problemas con la arboladura, así que iremos directo a Bari —el capitán, desde las escaleras, se dirigió al fraile y al bizantino.

El viento se intensificó y los resquicios que la bodega tenía como respiraderos empezaron a zumbar. La pequeña se acurrucó y, tiritando, cerró los ojos, cogiendo la mano de Mustafá. Las órdenes para que arriaran las velas y recogieran los remos para enfrentar la tormenta les llegaban cortadas entre el estruendo de mar, que se agitaba con fuerza. Al ver compungida a Judith, le dijeron que no se preocupara; sin embargo, ella estaba segura de que el viento era el espíritu de sus padres.

Como si quisiera darle la razón, la tempestad arreció y el agua entró a la bodega; los esclavos pedían que los soltaran de sus grilletes para, al menos, morir en libertad. —¡Nos vamos a hundir! —gritó uno de ellos ante los embates, provocando que todos los demás golpearan rítmicamente sus cadenas contra la madera. Mustafá les pidió que se tranquilizaran, pero el terror colectivo se había desatado. La niña puso una mano temblorosa en la mejilla de Ioanna:

—¡Mis padres vienen por mí ahora que ya están juntos!
—entonces le entregó una bolsa de cuero, cuyo contenido consistía en unos sencillos abalorios y dos collares.

Los marineros luchaban sin tregua para que el mar no devorara el Mare Nostrum. El agua golpeaba fieramente el casco y la madera crujía ante cada embate; los animales respondían inquietos a los gritos que iban en aumento. El único corazón sosegado era el de Judith. De pronto, se escuchó un espantoso tronido, seguido de voces de alarma; se había roto el mástil. La nave quedó a merced de los vientos durante el resto de la noche.

Al alba regresó la calma. Los esclavos trataban de sacar el agua de la bodega. Xifias le movió el hombro a Judith:

—Ya pasó, estamos fuera de peligro, pequeña —el silencio y la quietud les hicieron notar que había amanecido muerta. Ioanna la abrazó una vez más, sin miedo al contagio. Los esclavos guardaron silencio mientras le limpiaba el rostro y le cerraba los ojos; tenía una expresión bondadosa, la de quien ama sin condiciones, solo por el hecho de sentir amor.

—Ya estás con tus padres, Judith Logli.

Después de informarle al capitán lo sucedido, subieron los cadáveres a cubierta. Dos marineros sostuvieron una tabla por la que deslizaron a la madre y a su hija. El mar las recibió en un abrazo de amor eterno; las vieron desaparecer en la negrura de las profundidades. Ioanna no habló el resto de la travesía. Cuando gritaron que Bari estaba a la vista, Mustafá se levantó y le dijo que alistaría el caballo.

—Espero que en ese corcel llevemos los escritos y el baúl a Roma —le respondió ella, con la mirada fija en la costa, mientras una lágrima recorría su mejilla.

XXXII

LOBOS

Si no entendemos que la naturaleza lo equilibra todo, siempre creeremos que las epidemias son maldiciones.

Ioanna de Maguncia (822-857)

En el muelle de Bari encontraron más enfermos, hombres con vestimenta bizantina custodiados y sentados en el suelo. Caminaron cubriéndose la nariz, pues el olor era profundo y adherente. Ella se puso de nuevo el hábito. Un comerciante árabe se les acercó y les propuso cambiar el cofre por un corte de tela de fino estampado:

—Le conviene, padre; puede sacar lo que contiene, lo que me gusta son los herrajes —al recibir un no por respuesta, aumentó su oferta: dos cortes por la caja. Llamó a uno de sus hombres y le acercaron un caballo en el que cargaba más telas. Era un alazán de buena crianza; Xifias lo observó con detenimiento, mientras los oía murmurar acerca de que algo valioso debía contener el cofre, si el religioso viajaba con un bizantino armado.

—La caja no se vende porque contiene los restos de su madre —dijo Mustafá—, pero yo les doy estos collares y esta bolsa con pedrería por el corcel. El comerciante le propuso que lo jugaran en carreras de caballos. Quien ganara se llevaría lo que quisiera, él la caja y los collares o, ellos, el alazán. Xifias le dijo que escogiera al animal con el que correría.

—¡No, Mustafá! Cueste lo que cueste, enterraré sus restos —él soltó una carcajada por el arrebato con el que ella lo amonestaba y el comerciante se unió a la algarabía.

—Somos hermanos —dijo el árabe—, por eso aceptaré tus collares por el alazán.

Tan pronto como aseguraron las talegas, espolearon a los animales. Cuando salían del puerto, él observó que dos jinetes los seguían.

—Quieren tu cofre; de seguro que el comerciante los envió y no se rendirán hasta que lo obtengan.

Ella lo miró, molesta, y haciendo un gesto con la cabeza para que la siguiera, golpeó al alazán como nunca se hubiese atrevido. Corría como un demonio; él intentó alcanzarla, pero le estorbaba la talega con los manuscritos y fue rezagándose hasta perderla de vista. Los árabes apresuraron la persecución al verla correr entre matas y arbustos, lo cual le confirmó a Mustafá que primero querían recuperar el caballo para, después, quitarle la caja; así el comerciante tendría los collares, el alazán y el baúl.

A casi media legua de distancia, Ioanna perdió el control del corcel; estaba desbocado. Atravesó una aldea causando pánico entre sus habitantes, quienes creyeron que se trataba de bárbaros o sarracenos y cerraron puertas y ventanas. Algunos de ellos la persiguieron, pero era tal su velocidad que le gritaron:

—¡Démone! ¡Diavolo! —desistieron a las pocas varas. Cuando el bizantino se acercó blandiendo la cimitarra, se replegaron para dejarlo pasar y regresaron a la aldea.

El caballo se precipitaba sobre los arbustos hasta que llegó a un río. Aun así, siguió su vertiginosa carrera; ella se mantenía agachada, abrazada a su cuello, y por eso no podía tirarla. Se había vuelto una jinete hábil. Poco a poco el animal fue calmándose, hasta que se detuvo casi a mitad del afluente. Ioanna sintió el corazón tan precipitado como la carrera del corcel.

—Así, pronto llegamos o pronto matamos a los animales —dijo Mustafá al alcanzarla.

Esa noche se quedaron a orillas del río. No se dieron cuenta, pero los dos hombres que los habían perseguido los acechaban desde lejos. Tan pronto como ella hizo una fogata, unos lobos se acercaron a una distancia prudente. Pensó que sería mejor cruzar al otro lado, pero Xifias no aceptó.

—¡Hay lobos en las dos riberas!, será lo mismo estar de un lado que de otro.

Después de acomodarse frente al fuego, oyeron que las fieras atacaban a alguien en la espesura. Los gritos de ayuda los hicieron incorporase y mirar hacia todos lados. Estaba oscuro y no distinguían de quién se trataba. Escucharon que un caballo salía a galope y que otro relinchaba mientras era atacado.

—Al menos uno huyó, es una manada grande —dijo él, al tiempo que un lobo se le arrojaba encima. Con unos reflejos inauditos, le asestó un golpe a la altura del cuello, haciendo rodar su cabeza. El tajo fue tan rápido y tan limpio que la fiera decapitada todavía dio unos pasos hasta caer al suelo—. Cenaremos lobo —dijo al limpiar el arma. Con su alfanje le desprendió una pata trasera y la puso sobre una roca. Le quitaron la piel y la colocaron sobre el fuego.

—Te estás comiendo a un verdadero luchador, en los circos verás osos, tigres y hasta leones, pero nunca lobos.

Ella apenas probó la carne.

—Es como comerse a un perro.

—¿Y?

—Quizás en Bizancio coman carne de rata, pero esto es demasiado. Además, me recuerda a Naik.

—En esta época de ataques y batallas sin piedad, en las que

el objetivo es aniquilar a la mayor cantidad de hombres, una pierna de lobo a las brasas es un manjar.

—¿Crees que si alguna de las jaurías cruzara el río pelearía con la otra o se haría una manada más grande?

—Desde niño he observado a los lobos, siempre hay un macho líder que va acompañado de una hembra; después tienen exploradores y guías. Si llegaran a mezclarse, sin presas de por medio por las que pelear, se olfatearían y seguirían su camino.

El reflejo de la luna sobre la apacible superficie del río la hizo imaginar que en los recónditos astros no había lugar para iglesias, hombres o bestias que rivalizaran. Cuando se perdió en el sueño, un ejército de elegantes hombres de blanco saludaba a los astros con sus lanzas, mientras que otro, igual de numeroso, se inclinaba hacia el firmamento y levantaba sus sables. Los batallones se aproximaron con feroces expresiones e hicieron formación de combate. Los astros se entristecieron, perdiendo su brillo por los que lucharían hasta morir. Los ejércitos iniciaron la batalla, gritándoles vivas.

Cuando no quedó nadie de pie, todo volvió a la calma. El silencio estático del firmamento se apoderó de todos los rincones de su sueño. Los astros siguieron en su lugar hasta que aparecieron nuevos ejércitos, que volvieron a gritar vivas y a pelear hasta despedazarse. Al despertar, apenas recordaba lo soñado, pero al ver a Mustafá afilar su cimitarra, le dijo:

—El firmamento, Xifias, es el gran espectador de la vanidad de los seres humanos.

XXXIII

NÁPOLES

Ingentes animos angusto in pectore versant.
(En su angosto pecho late un inmenso coraje).

Virgilio (Geórgicas 4,83)

Con los primeros rayos del sol se acercaron al lugar donde los lobos atacaron la noche anterior. Encontraron restos de huesos, sangre y pedazos de la pata de un caballo. Las bestias se habían comido a uno de los árabes y a su montura.

Con la poca pedrería que les quedaba en el saquito de Judith, el baúl y la talega, en Nola decidieron vender el alazán, prosiguiendo el viaje en un solo caballo. Tras atravesar amables montañas durante dos días, divisaron un río y tres carromatos en la orilla. Seis hombres con arcos salieron detrás de ellos, cercándolos y obligándolos a desmontar y dejar todo en el suelo: la talega, dos mantas y el cofre. Quien los comandaba, un hombre al que le decían el condotiero Conti, ordenó que ataran a Mustafá. Le levantaron la casaca y el mismo Conti le propinó tres latigazos. A Ioanna la forzaron a sacar todos los documentos de la talega.

—Somos sacerdotes, yo cristiano y él musulmán —dijo ella señalando a su compañero como si así fuera a detener la

242

agresión. El hombre le pidió que abriera el cofre. Y aunque ella simuló no entender, observó que un soldado intentaba abrirlo; lo encaró sin amedrentarse.

—¿Por qué no debe abrirse? —le preguntó Conti.

—Contiene los restos de un santo religioso y, si se atreven a perturbarlo, ni la sagrada Iglesia a la que represento, ni la institución que respalda al docto Xifias, *al-wazir* del patriarca de Constantinopla, responderán por sus almas. Estarán perdidas en el infinito espacio —dijo, señalando al cielo.

Conti se rio, pero no pudo ocultar su temor. Era visible que los soldados no deseaban que abriera el cofre, temían que algún hechizo les cayera encima. Sin embargo, uno de ellos intentó levantarle los herrajes con un cuchillo.

—¡Deténgase, soldado! ¿No escuchó que se trata de los restos de un santo? —Conti lo detuvo y después se dirigió a Ioanna—. Padre, entienda que somos respetuosos y que no deseamos perturbar a un muerto.

A ella le regresó un soplo de tranquilidad, no obstante, quería auxiliar a Xifias, a quien encaraban diciéndole que los árabes no volverían jamás a saquear los recintos cristianos.

—Somos soldados de Lotario, tenemos órdenes de apresar a todos los musulmanes que encontremos y, si presentan resistencia, debemos ejecutarlos.

—Él ha custodiado y defendido las reliquias de ladrones, saqueadores, violadores y asesinos. ¡Yo respetaría a quien ha arriesgado su vida por cuidar los restos de un santo que ha demostrado ser milagroso!

Dos soldados subieron al musulmán en la parte trasera de uno de los carromatos, junto a la talega y el baúl. A Ioanna la dejaron ir al lado del conductor y amarraron al caballo atrás.

Conti les ordenó a sus soldados que, como deferencia a los restos del religioso, no los llevaran a las catacumbas de San Genaro, sino que los encerraran en la basílica de San Giorgio

Maggiore. Echaron a andar y siguieron un sinuoso camino que apenas se distinguía hasta que, con el crepúsculo, llegaron a un convento de muros de cantera y altas puertas de madera labrada. Las paredes estaban cubiertas de detalles bizantinos similares a los de Constantinopla. El musulmán observó que algunos de sus moradores vestían como él, y se extrañó por lo que les habían dicho sobre la orden de Lotario de apresar a todos los que viniesen de Oriente.

—¿En qué parte del territorio estamos? —preguntó ella.

—En la colonia más importante del Mediterráneo, el puerto más grande del mundo, en Nápoles. Los encerraremos hasta que el duque Sergio I nos indique qué hacer, porque tu compañero es moro. Si cree que no es un asaltante, como dices, los soltará.

Los condujeron a una celda húmeda, a la que entraron a tientas. Mientras se adaptaban poco a poco a la negrura dominante, un pestilente e intenso olor horadaba sus fosas nasales. Mustafá iba a expresar su desagrado cuando la mano de Ioanna le tapó la boca y le señaló unos ojos que los veían con pavor.

—¿Cómo te llamas? Somos amigos, no te haremos daño.

El joven agachó la cabeza mirando hacia el piso. Ninguno de los tres volvió a hablar; trataron de dormir hasta que lo consiguieron. Xifias despertó al sentir que alguien le ponía una cobija encima; volteó y vio que el joven de no más de trece años lo observaba desde un rincón. El bizantino le sonrió sin lograr que le respondiera. Ioanna despertó y le preguntó su nombre en latín, germano y griego, pero siguió sin responder.

En la tarde les llevaron pan y cuencos con agua. El joven devoró el suyo antes de que ellos dieran la primera mordida. Xifias sonrió cuando se dio cuenta de que el chico se había sentado sobre la caja de Zacarías. De repente, el joven habló:

—Soy Maxentius —dijo y les señaló hacia el otro rincón en donde estaba la talega con los documentos—. Traes algunos papeles escritos en griego.

En la tarde, cuando escucharon que Conti se acercaba, ella colocó la manta sobre el camastro y la caja encima. Se hincó y empezó a rezar; Mustafá hizo lo mismo, pero a la usanza musulmana. Cuando entró el condotiero, se quedaron en oración unos instantes, dándole importancia a la improvisada celebración. El hombre los miraba, sin saber qué hacer.

—No está el duque y la duquesa me ha dado libertad para que decida qué hacer con ustedes —dijo una vez terminado el solemne rito—. Si me prometen que no regresarán, los dejaré ir —al parecer, quería deshacerse de ellos lo más pronto posible.

—Él debe venir con nosotros. Hemos tenido una revelación del santo y nos pide que liberemos al joven.

—¿A Maxentius? Aquí ha vivido desde que su padre lo abandonó. Dijo que volvería por él y como no lo hizo, se dedicó a robar comida en todo Nápoles. No sabe cómo vivir, tuvo dos compañeros, primero Arístides Simionides y después Petras Galanakis. Lo encerramos con los griegos para ver si se lo llevaban, pero es un mozo demasiado difícil. Cuando escuchó el nombre de Galanakis, ella sintió un golpe de calor en las mejillas.

Conti les informó que los dejaría libres y que el joven podía ir con ellos a Roma. Usando su influencia, les había conseguido espacio en un barco. Irían a Civitavecchia, a un paso de Roma. A Xifias le devolvió su cimitarra.

Al salir de la penumbra, el muchacho experimentó un dolor punzante en los ojos. Ioanna arrancó una planta de manzanilla y, mientras le aconsejaba que mantuviera los párpados cerrados, hizo una pasta que envolvió en un trapo húmedo y le colocó a manera de antifaz.

El puerto de Nápoles tenía tanto movimiento como no lo vieron en Durazzo; era el lugar más vigilado que habían visto. Había cientos de sacas, cajas de madera, ganado y esclavos. Antes de que subieran al barco y previendo que acusaran a su joven acompañante de portar alguna enfermedad, lo llevaron a una pileta, lo hicieron desvestirse y tallarse todo el cuerpo. Esperaron sentados en el muelle con el baúl y la talega. Conti llegó y ordenó a dos de sus hombres que los vigilasen para asegurarse de que se marchaban. Por fin, casi al oscurecer, abordaron el barco Cesare, el cual llevaba de todo y era mayor que el Kronos y el Mare Nostrum.

En cierto momento perdieron de vista a Maxentius. Xifias se aterró al pensar que se había escapado, al tiempo que Ioanna, sonriente, le señaló el bauprés del barco; el chico se había encaramado y dos marineros trataban de bajarlo. A media noche, se acomodaron en cubierta. Las mantas no alcanzaban a cubrirlos, así que el bizantino se levantó y se sentó en el piso a escuchar como Ioanna le explicaba al muchacho cómo leer las estrellas.

—Has aprendido bien. Ahora te enseñaré a entender la fuerza de los vientos. Mira las nubes, muestran las rutas a seguir según su velocidad. Nuestros ancestros decían que eran soplos de los dioses y les pedían que los ayudaran a navegar sin ser inclementes. Cualquier navegante sabe que debe haber equilibrio. La calma y tranquilidad fortalecen al ser humano, mientras que la prisa lo debilita como si fuese una brizna frente a un vendaval. Muy poco viento detiene la nave y un torbellino la hace zozobrar.

Con ese inmenso sosiego y el susurrante golpeteo de las olas, hablaron hasta que ella sintió, pesada, la cabeza de Maxentius sobre su brazo. Se había dormido.

XXXIV

ROMA

En San Giorgio no podía encontrar felicidad.
Ahora estoy contento porque no estoy atado a nada.

Maxentius de Grecia (837-920)

Dos días estuvo el Cesare frente al puerto de Civitavecchia sin
que le permitieran atracar. Para evitar alguna epidemia, les ordenaron arrojar al mar toda la comida, no solamente la des-
compuesta. La escasez de agua provocó algunas riñas entre la
tripulación. Los nobles amenazaban al capitán por no desem-
barcarlos mientras él se mantenía callado, soportando todo tipo
de insultos. Por fin se acercó una lancha con dos hombres que
subieron a bordo y, después de examinarlos a todos, ordenaron
el desembarque.

—Señores, señoras, les pido una disculpa por no bajarlos
antes, pero tengo que obedecer a las autoridades de la ciudad
—dijo el capitán en voz alta para que todos lo escucharan—.
Bajen seguros, me informan que no hay peste ni atracadores.

Los primeros en descender a la lancha fueron los nobles.
Ioanna los observó cuidar sus modales hasta la exageración. En
seguida transportaron a la tropa y después al resto. En cuanto
llegaron a tierra, unos menesterosos los jalonearon, pidiéndoles

una limosna porque no habían comido en días; ellos tampoco habían probado bocado.

Al entrar en un recinto que parecía un comedor público, unos uniformados los rodearon, creyendo que Mustafá era enviado del emperador Miguel III. Los condujeron frente a un militar que se presentó como el pretoriano Celio, un hombre alto que los llevó a un salón con bancas mal talladas y paredes llenas de salitre; ahí les dieron de comer.

—Soy Mustafá Xifias, *al-wazir* de Ignacio, patriarca de Constantinopla. Acompaño al padre Ioannes de Maguncia que busca audiencia con el papa.

—*Al-wazir*, puedes acompañar al padre Ioannes con el papa León IV o con algún cardenal. Al joven sugiero que lo dejen aquí, es más fácil que sobreviva en el puerto. Cuando terminó de hablar, Celio hizo una seña para que les dieran unas mantas. Agradecieron el gesto y le solicitaron un caballo—. Eso no puedo hacerlo —les respondió, mirándolos con extrañeza. El bizantino puso sobre la mesa la moneda que el Conti les había pagado por su caballo al salir de Nápoles. El pretoriano la recogió sin responderle.

—Tengo orden de Ignacio de entrevistarme con el papa León IV. Me haré acompañar del padre Ioannes y su sobrino Maxentius. Su santidad nos espera, por lo que le pido el caballo que le he pagado. El militar ordenó a los guardias que los sacaran; les dijo que cuando terminara de comer decidiría qué hacer con ellos. Mientras esperaban que Celio saliera, intercambiaron los últimos abalorios de Judith por avellanas y piñones con los hombres del pretoriano.

Mustafá entró de nuevo a reclamarle el caballo o su moneda. El militar le respondió encolerizado:

—¡Insensato! En Bizancio podrás ser ministro del patriarca, pero aquí eres un moro más. ¡Espera afuera! —Le hizo señas a uno de sus oficiales para que lo echara. Ioannes se paró frente a Celio y le dijo que el papa León IV lo había llamado para asistirlo en el próximo concilio—. ¡Váyanse!, y no vuelvan si no quieren ser encerrados —el militar se giró hacia sus hombres—. Entréguenles un carro y un burro.

Se retiraron a bordo del modesto carro y salieron de la ciudad, avanzando entre verdes llanuras. Habían acordado no detenerse hasta llegar a alguna aldea, pero Xifias se quejaba de la espalda; los latigazos le reavivaron el dolor del golpe que le había dado Naik en Sumela y deseaba reposar un poco. Echados en el césped y junto a un riachuelo, hablaron sobre la cárcel de Nápoles y se enteraron de que Maxentius había vivido ahí durante más de siete años. Les contó que había sido compañero de prisión de Simionides, un detractor de la República. Después había llegado Galanakis, el principal detractor del papa Sergio II, quien mandó apresarlo porque le había dicho, a gritos y frente a los obispos, que estaba ignorando testimonios valiosos.

Al escuchar de nuevo el nombre Galanakis, Ioanna se remontó a los días que vivió con Teodoro y recordó el momento en el que le recomendó que lo buscara en Atenas.

—Sé quien es Petras; sabe cosas que me interesan. De haberlo encontrado en Nápoles, habría intercambiado más información con él que la que se comparte en un concilio lleno de cardenales.

—Ioannes —dijo Maxentius mientras lanzaba una piedra al arroyo—, Galanakis me dijo que, en cuanto quedara libre, se iría a Roma; quizá lo encuentres. Es alto, tiene una barba cerrada y el pelo largo. ¡Ah!, también es fuerte, pero está algo loco; creía que podría abrir los barrotes de la celda de San Giorgio.

—¿Y los abrió? —preguntó jocoso Xifias.

Ioanna había perdido sus pedernales; inútilmente trató de hacer una fogata. Entonces, junto al muchacho se apartó para buscar piedras similares. Cuando se alejaron, él le preguntó si confiaba en el musulmán. Al ver al fraile desconcertado, le explicó que había prometido a Petras buscarlo si alguna vez salía de la reclusión.

—Pero, Maxentius, a Xifias lo conozco desde hace años. ¿Cómo podría no confiar en él?

—No quiero traicionar a mi amigo, Ioannes, y me parece que tú también eres un buen hombre —era evidente que el joven estimaba a Galanakis.

Volvieron en silencio. Ella lo vio clavar la mirada, dubitativo, en las ondas que hacían las piedras que arrojaba al agua. Recordó el pequeño documento escrito por Teodoro, donde apuntaba que le mostraría a la joven disfrazada un testimonio revelador; tenía que continuar cuidando el cofre y los manuscritos. Rompió el mutismo:

—¿Galanakis vive en Roma o en el *Ager Vaticanus*? ¿Alguna vez te dijo si vivía dentro de las murallas?

—Me dijo que viviría en una villa de Roma y que era descendiente del papa Zacarías; le enorgullecía que fuese el último papa griego. Les confieso que nunca pensé salir de San Giorgio, por eso nunca puse mucha atención en el sitio en el que me dijo que podría encontrarlo.

Ella no habló más; la supuesta relación entre Galanakis y el nombre del santo cuyos restos transportaba la dejó sumida en profundas reflexiones: el muchacho parecía ser la llave de una puerta importante y peligrosa.

Mientras caminaban a lo largo del cauce del Tíber, y Ioanna pensaba que lo que contuviera el cofre sería relevante si lo abría frente a uno o más cardenales, escucharon voces, gritos y ladridos. Mustafá ya había estado ahí, huyendo de los hombres de Zenón Amán, pero no conocía ese barrio. Ella tenía ciertas referencias, pero Maxentius no tenía ni la más remota idea de cómo era aquel sitio. Ninguno de los dos imaginaba el esplendor de la Ciudad Eterna. La gente vestía de las maneras más diversas, portando desde una sencilla túnica hasta pallas de seda de vistosos colores. Algunos portaban togas y caminaban acompañados de mujeres y niños. Otros llevaban perros esbeltos, incluso uno sostenía una cuerda con un pequeño tigre. Los edificios eran majestuosos y ella posaba su mirada atenta en cada uno, tratando de localizar la biblioteca.

El joven se rezagó, impresionado con la actividad de la enorme y cosmopolita ciudad. La joven regresó por él y lo tomó del brazo.

—En la celda oscura de San Giorgio, nunca imaginé lo que me contaste sobre los astros, las estrellas y el viento, y todo lo que veo aquí. Nadie sabe lo valiosa que es la libertad hasta que lo encierran en una celda.

Pese a la magnificencia de sus construcciones y amplias avenidas, Ioanna pensó que Roma parecía tener cierto abandono en comparación con Constantinopla.

—Este es el teatro de Marcellus —dijo Mustafá, señalando una mole semicircular de varios pisos—, ahí estuve escondido alguna vez. Aquel es el templo de Juno. Tenemos que preguntar qué villa hay cerca de aquí y ubicar a Galanakis.

XXXV

EL JESÚS DE CONSTANTINO

No porque hagas enmudecer al contrario
creas que has ganado la discusión.

Petras Galanakis (800-854)

Una mujer les dijo que lo que buscaban era la villa de Adriano, pues ahí vivían algunos griegos. Al escuchar el nombre, Maxentius creyó que ese era el lugar del que Petras le había hablado. En el carro, se dirigieron a la Columna Trajana, atravesaron el Foro y, tras volver a preguntar en la basílica Aemilia, les indicaron hacía dónde debían encaminarse.

La villa era un enorme espacio abierto con una sucesión de columnas plantadas alrededor de un estanque, donde varias estatuas observaban su reflejo en la superficie del agua; eran las mismas que, durante aquellas tardes veraniegas de esplendor imperial, atestiguaban el descanso del emperador. Unos patos que caminaban de los arbustos al estanque llamaron la atención del muchacho, en tanto Ioanna y Mustafá fueron en busca de Petras. Preguntaron por él a dos griegos que parecían comerciantes y se refrescaban los pies en una pileta; ellos respondieron que el griego seguramente estaría en uno de los baños interiores. Xifias también les ofreció en venta el carro y el burro y, tras pagar el vehículo y el animal, se retiraron.

—Yo soy Petras Galanakis —respondió un hombre desnudo que estaba acostado en la orilla de una pileta; no era tan alto como Maxentius lo había descrito, adornaba su cabeza con dos largos rizos y lucía una barba corta que mostraba algunas canas. Aunque era joven, aparentaba mayor edad.

Sin recato y sin imaginar que uno de sus visitantes era mujer, se levantó para ponerse la túnica. Los invitó a tomar el sol en el jardín contiguo y se echó sobre el pasto. Con una mano sostenía su cabeza mientras preguntaba, con cierta descortesía, qué era lo que deseaban. Después de contarle que habían conocido a Maxentius en la prisión de la basílica de San Giorgio y que deseaban intercambiar información que traían de Atenas y Bizancio, cambió su actitud, pero se transformó por completo cuando el chico llegó, cargando un bulto envuelto en una manta.

—¡Petras! —le gritó y corrió a saludarlo.

—¡Te escapaste de las garras de Conti! ¡Ven acá! En cuanto pueda, te llevaré a la basílica de San Juan para que veas en dónde está enterrado el viejo Zacarías. ¿Qué traes ahí? —Maxentius les mostró un pato muerto que había atrapado y el griego soltó una carcajada.

Mientras seguían a Galanakis, ella pensaba en los restos del santo Zacarías que le había confiado Teodoro. Quizá todo era una coincidencia. Después de cruzar dos calles empedradas, llegaron a una edificación que, aunque algo lóbrega, tenía un aspecto señorial y confortable.

253

—Estos son los baños de lo que fue el palacio de Marco Aurelio Antonio Basiano Caracalla; un largo nombre para un romano de baja estatura. Esta edificación es más reciente que la villa, aunque está más derruida. Aquí podemos instalarnos sin que nos molesten los legionarios.

La luna llena iluminaba el recinto; había fuentes, jardines y una escalera que daba a una estructura oval que, a juzgar por el tamaño de sus restos, había sido una construcción importante para la nobleza romana. Siguieron y llegaron a la palestra, un sitio destinado al ejercicio y la relajación. Mientras Maxentius y Mustafá recorrían el antiguo edificio, Ioanna encontró un montón de pedernales, escogió dos y empezó a hacer una fogata. Galanakis desplumó el pato y acercó los pedazos al fuego.

—¿Qué guardas ahí, hermano? —le preguntó Petras a Ioannes, al tiempo que señalaba la talega y el baúl—. ¿Son joyas? Te las pueden robar, el mundo está infestado de ladrones —después de enterarse que el cofre se lo había dado Teodoro de Siegen y que contenía las restos de un religioso de nombre Zacarías, el griego, gratamente sorprendido, dijo—: comparte el nombre con mi abuelo, aunque él está enterrado en San Juan. Conocí a Teodoro, era un gran recopilador de manuscritos, yo mismo le di algunos —al decirle Ioannes que seguía la tradición del eremita y transportaba documentos antiguos en su talega, el griego le comentó que cerca de ahí estaban los restos de la biblioteca del palacio de Caracalla.

—En las ruinas clausuradas hay pergaminos valiosos, pero Sergio II siempre rechazó su rescate.

Ella no pudo disimular su interés, sentía ganas de asaltar a su interlocutor con decenas de preguntas, pero prefirió reservarse.

El olor a pato asado hizo acercarse a dos menesterosos que deambulaban cerca. Ella les ofreció un poco de carne mientras que Maxentius trataba de enseñarle a Petras lo que había aprendido sobre la manera de orientarse por las estrellas. Después de terminar la cena, Ioanna le preguntó al griego qué documentos había extraído de la biblioteca.

—¿Y cómo sabes tú que rescaté algunos? —respondió misteriosamente, intuyendo que el benedictino padecía la misma obsesión por leer y recopilar a la que él solía dedicarle tantas horas—. Los manuscritos son antiguos e interesantes; entre los más importantes que rescaté se encuentra una parte del libro de Taciano, el de las Sentencias, también los escritos complementarios a las Actas de Pilatos y el Evangelio de Nicodemo.

—¿Por qué son interesantes o importantes? ¿Qué has leído en ellos?

—El papa Liberio llevó a cabo el Concilio de Laodicea, en el año 363. Ahí se acordó que deberían ser solo cuatro los evangelios. Algunos obispos aprobaron, pero otros criticaron la resolución. ¿Por qué desecharon más de sesenta evangelios y aceptaron las presiones de Liberio? ¡Para tener el control! Dijeron que era más fácil arreglar y difundir las ideas de esos cuatro textos. ¿Cuáles impusieron? El de san Marcos, basado en sermones de Pedro y opiniones de Pablo; se sabe que quien terminó ese evangelio fue el romano Aristón. Después el de Mateo, escrito hacia el año 90 por alguien que no conoció a Jesús, copiando versículos enteros de Marcos —al ver que Ioanna ponía interés en lo dicho, se irguió y se inclinó hacia ella—. También el de Lucas, el más antijudío y prorromano de los evangelios, escrito cien años después de la muerte de Jesús para Flavio, un alto militar romano amigo de san Pablo. Y, por último, el de Juan, escrito por un griego cristiano de Éfeso, también cien años después. ¿Por qué en los concilios de Nicea y Laodicea no aceptaron los valiosos escritos presentados por varios obispos? Tampoco se incluyeron testimonios como la correspondencia entre Jesús y Abgaro, rey de Edesa, o el evangelio de Pedro, o el libro de la natividad de

María o las enseñanzas de Policarpo. Cuando se lo dije al papa Sergio, meses antes de que falleciera, ¿qué hizo?, ¡me insultó y me mandó a la prisión de Nápoles!

Ella deseaba decirle que Demetrio, el bibliotecario de Atenas, le había dado algunos documentos sobre María de Magdala para que los presentara en el Colegio Cardenalicio, pero se mantuvo callada. En cuanto Mustafá y Maxentius empezaron a acomodarse para dormir, Petras la invitó a conversar al *Tepidarium*, un baño cubierto por el que corrían aguas templadas.

—¿Por qué no existen manuscritos originales de los cuatro evangelios canónicos y, por qué, yo sí conservo parte del libro de Taciano? Cuando se lo dije al pontífice, ¡ni siquiera se dignó a responderme! Se dedicó a construir la basílica, a tergiversar los testimonios y a mandarme preso a Nápoles.

—Y sobre la vida de Jesús, ¿qué sabemos directamente?

—¿Te has dado cuenta de que a Jesús primero se le designa hijo de carpintero, luego hijo de David, después profeta y salvador, hijo de Dios y mesías? Los evangelios se modificaron al gusto, primero, del papa Silvestre en Nicea y, después, del papa Liberio en Laodicea.

—¿Hay algún testimonio o escrito del propio Jesús?

—Es muy extraño que en Laodicea no se hayan considerado los documentos presentados por tantos obispos y que, de pronto, a Félix II, que encabezaba la recuperación de testimonios, lo declararan antipapa. Se han dedicado a tergiversar la imagen y figura histórica de Jesús. ¿Por qué? Porque a quien domina el *Ager Vaticanus* le interesa erigir a la Iglesia como la única religión verdadera. Estoy seguro de que, con el tiempo, se van a encontrar testimonios y manuscritos más antiguos que los escogidos por los papas Silvestre y Liberio. Me han dicho que muchos se escondieron en el alto Egipto. En los próximos concilios descalificarán todo lo que surja o harán que coincida con los evangelios oficiales. Estoy seguro de que en el futuro saldrán a la luz los testimonios escritos en copto y muchos más. Siempre tendrán documentos a los que enfrentarse en su batalla contra la verdad.

Ella guardó silencio un momento. Su mente corría, en una sucesión de ideas, a la velocidad de un caballo desbocado. Parecía que Galanakis sabía muchas cosas, que tenía piezas importantes de ese gran mosaico incompleto que era la vida de Jesús y los testimonios de sus seguidores. Petras siguió:

—Tengo en mi poder documentos que contradicen lo expuesto en Laodicea. Sé que los escritos rechazados por el papa Liberio en el concilio fueron recuperados por varios obispos valientes para evitar que mandara destruirlos. Las generaciones futuras deberán rescatarlos.

—Algún día aparecerán en una tumba o en una cueva y, quienes los encuentren y los estudien, sabrán que las posturas tomadas en los concilios no coincidían con la realidad. Petras, estoy convencido de que el odio hacia las mujeres, el enriquecimiento de la Iglesia y el celibato no son más que oscuras artimañas para mantener el control de la cristiandad por parte de unos cuantos poderosos.

El silencio que se hizo después de aquella conversación, coincidió con el paso de una furtiva nube que cruzó sobre la enorme luna de octubre. A pesar de sentir el cansancio del viaje, no pudo dormir. Estaba absorta, reproduciendo en su mente las palabras de su interlocutor sobre los evangelios. Estaba tan bien o más documentado que Teodoro. Cuando se levantó para avivar el fuego, tuvo un deseo irresistible de ir a la biblioteca derruida en la que Petras le había dicho que yacían manuscritos importantes. Con un leño encendido caminó por los jardines, pero temió caer en alguna zanja. Antes de volver, entró en una sala abandonada y, en un hueco que le pareció

257

adecuado, depositó la talega y el baúl; encima colocó algunos tablones que había encontrado y los cubrió con ramas secas.

Se anunciaba el alba y Galanakis, apenas despertó, se acercó a Ioanna preguntándole para qué quería los testimonios. Si en verdad estaba a favor de impulsar la participación de las mujeres en la Iglesia, de cuestionar el celibato y la opulencia, tenía que relacionarse con obispos y cardenales y, sobre todo, juntar más textos originales que pudieran respaldar sus ideas.

—Petras, estoy seguro de que esa es mi misión en esta tierra. Es importante rescatar la figura histórica de Jesús y la verdad sobre el nacimiento del cristianismo. Como dices, la jerarquía eclesiástica trata de perpetuar al Jesús de Constantino y al papa Silvestre.

—Entre ciertos cardenales hay conciencias críticas, pero no tienen acceso a los manuscritos. ¿En cuántos concilios ha ganado la postura papal? ¿Quién defiende las enseñanzas de Jesús? Todos y nadie.

Xifias y Maxentius seguían profundamente dormidos, así que, con el propósito de continuar discutiendo, decidieron apartarse. Caminaron bajo las gruesas columnas que sostenían elevados arcos, formando una estructura que rodeaba los jardines. La luz solar iluminaba el césped y las piletas creando un efecto refulgente, mientras que los lugares que se conservaban bajo la sombra lucían bastante oscuros.

Ioanna le contó a Petras la historia del benedictino Frumencio, quien conocía al dedillo la historia del celibato y le había transmitido sus puntos de vista en contra de aquella práctica. Estaba convencida de que encontraría obispos capaces de poner en tela de juicio los acuerdos que, al respecto, se habían tomado en los concilios pasados. También le habló de su estancia en Bizancio, bajo el patrocinio del patriarca Ignacio. Sin embargo, solo hizo mención de los aspectos más superficiales. No quiso darle más detalles pues, a pesar de percibir que la plática era fluida entre ambos, temía que Petras le robara los escritos o el cofre.

—Entonces, hermano Ioannes, vayamos al Vaticano. Es preciso que conozcas a algunas personas.

—No sin antes buscar los manuscritos del palacio de Caracalla; sería bueno tener a la mano cualquier papel que pueda ser útil.

—Te diré algo. Inocencio y Bonifacio, siendo cardenales, pagaron bien a quienes les llevaron escritos antiguos. He sabido que muchas familias romanas los guardaban como si fuesen reliquias. La Iglesia tenía con qué pagarlos y, entonces, todo el mundo los vendió. Inocencio fue el primero que catalogó los libros canónicos, sin embargo, siendo papa tuvo que lidiar con el saqueo de Roma por los godos; durante aquella incursión, quemaron el recinto donde se guardaban cientos de testimonios. Después, Bonifacio aprovechó el trabajo que Inocencio había hecho con los manuscritos. Casi todos los textos sobre la vida del nazareno estaban en poder del papa. No sé si tenía en su poder el *Iesu Canae Nuptiae*, quizá sí, pero el tema de la unión de Jesús con María de Magdala no convenía a la Iglesia. Varios obispos, al ver que Bonifacio quemaba manuscritos, decidieron esconderlos para que en el futuro los encontraran y se recuperara la verdad histórica.

En ese momento se les unieron Maxentius y Xifias. Se veían frescos; la tranquila noche en la villa, libre de peligros y sobresaltos, les había sentado bien. Aunque no era temprano, la gente seguía en sus casas.

—Lo que no se analizó en el Concilio de Nicea, porque era tema concluido, fue el *Patrimonium Petri*. Después, en 417, tras la muerte del papa Inocencio, vino Zósimo, quien ocupó un año y algunos meses la silla papal y estipuló que los hijos ilegítimos no podrían ser ordenados sacerdotes.

—¿Eso formó parte del concilio?

—Sí, pero no como postulado. Cuando se inició, los puntos de acuerdo ya estaban decididos. Ese concilio fue hábilmente manejado por Constantino. En él se prohibió el matrimonio de los sacerdotes y a la mujer se le excluyó de los derechos canónicos.

—¿Cuántas mujeres participaron en ese concilio?

—Ninguna, Ioannes, todos los integrantes eran obispos. Tampoco participaron en el de Iliberis en el año 300, aunque la totalidad de obispos se declararon a favor de la eliminación del celibato. En ese tiempo el papa Marcelino fue duramente atacado por el emperador Diocleciano, el cual, además, incendió iglesias, asesinó religiosos y quemó textos considerados únicos; fueron los tiempos de la famosa «persecución de Diocleciano». Marcelino, en lugar de congraciarse, se dedicó a rescatar la labor de los cristianos asesinados por el emperador, como Lucía, Inés, Bibiana, Sebastián y Luciano. Tanto les enojó que, a la muerte del papa, decapitado por órdenes de Dioclesiano, la silla pontificia quedó vacía durante cuatro años. Hubo asesinatos, traiciones y persecuciones y, después de varios intentos por celebrar el cónclave, en mayo de 308 quedó como papa un obispo romano llamado Marcelo. Él decretó que ningún concilio se podía celebrar sin su autorización y que dejaría pendiente el asunto del celibato. Después, se buscó a alguien con más autoridad y liderazgo, por supuesto a un griego: Eusebio.

Guardaron silencio cuando pasó frente a ellos un cortejo fúnebre. Entre seis cargaban el cuerpo, mientras obispos y cardenales marchaban rezagados, como si no desearan que los viesen en ese funeral. Petras, rascándose la barba, observó la marcha.

—Están temerosos —dijo y volvió a rascarse—, acompañan al difunto, pero no desean que los vean.

Ioanna y Xifias prefirieron observar desde lejos. Entonces Galanakis se mezcló en el cortejo y lo siguió hasta que llegaron a la basílica. Al salir de las exequias, Petras le dijo a Ioanna que el obispo Carmine había muerto, según había escuchado, en circunstancias sospechosas, tal vez envenenado. Aquel hombre defendía la derogación del celibato y era la mano derecha del cardenal Anastasio. Además, le informó que era sabido que más de veinte cardenales pugnaban para que el papa León IV se enemistara plenamente con el cardenal.

—¿Por qué no excomulgaron a Carmine, en lugar de envenenarlo?

—La excomunión dejaría ver que el pontífice no tiene un control absoluto; aunque el Colegio Cardenalicio apoya al papa, para conservar la silla, necesita dar escarmientos. El poder se ejerce o se pierde; nunca se sabrá quién lo asesinó y, ahora, León IV preserva el control y el poder. No lo comparte con el Colegio y tampoco con Anastasio.

—Jesús no excluyó a ninguno; él siempre buscó el diálogo para llegar al convencimiento.

—Los obispos podrían revisar la ordenanza sobre el celibato, pero no les interesa. Ahora, con referencia a la marginación de la mujer, ¿en dónde está la que levante la voz por ellas?

—Petras, tenemos que buscar con quién trabajar, con algún cardenal u obispo que al menos desee escucharnos.

—¿Con algún cardenal? No lo sé. Pero sí sé que hay nuevos obispos que le han dado visiones más críticas al Colegio. Uno de ellos está preparado, llegó de Maguncia; es un benedictino llamado Sebastián.

Un vuelco en el estómago y una ráfaga de recuerdos, le hicieron a Ioanna pedirle al griego que repitiera lo que acababa de decir.

XXXVI

PETRAS GALANAKIS

Los religiosos que seguirán al Colegio,
serán semejantes a los que los precederán.

Petras Galanakis (800-854)

Recorrieron las calles de lo que había sido el mayor imperio del mundo; visitaron el Foro de los Emperadores, la Escuela de Gladiadores y el Arco de Constantino. Ella recordó alguna conversación sobre los aportes de Constantino y su madre Helena, cuando ambos apoyaron la conformación del Vaticano.

—La vida en Roma no es fácil, Ioannes —dijo Petras cuando pasaban por el Acueducto de Claudio y veían que una niña colocaba un odre junto al escurrimiento de una fisura para intentar llenarlo—. Hay una fuerte rivalidad entre Letrán y Bizancio, pero dejemos de hablar de adversidades, mañana se presentará en el *Septizodium* una obra musical —al ver las caras de desconcierto añadió—; irán obispos y cardenales, aunque para nosotros es riesgoso asistir, será interesante.

Ioanna ardía en deseos de solicitarle a Galanakis y a Mustafá que la ayudaran a encontrar al obispo de Maguncia. Xifias ignoraba por completo esa historia y, ahora que tenía la oportunidad de encontrarse con el prior de Fulda, temía que el musulmán la criticara por la falta de confianza.

Al otro día, cuando llegaron, el lugar estaba casi vacío. Poco a poco llegaron sacerdotes de distintas órdenes religiosas. Se enteraron de que se interpretarían estrofas de los famosos cantos que Gregorio IV había catalogado. Los que tanto le gustaban al padre Sebastián, pensaba Ioanna, barriendo con la mirada cada rincón del recinto.

—El *Septizodium* es un monumento construido por Septimius Severus. Es un sitio bastante antiguo —Galanakis le hablaba sin notar su inquietud.

Ella observó que a los religiosos les ofrecían bancos de madera; casi todos eran ancianos. Aunque habían pasado más de diez años, pensó que Sebastián no estaría tan viejo. Cuando todo terminó y caminaban hacia la salida, Petras señaló a tres religiosos.

—Aquel que va en el centro es el obispo Lombardi, ahora sustituye al obispo asesinado, Carmine, la mano derecha del cardenal Anastasio. A su derecha está el obispo Rossi, a quien le he comentado que hay suficientes evidencias para proponer un nuevo concilio y discutirlas, y está de acuerdo, vamos a saludarlo.

No alcanzaron a hacerlo, porque monseñor Lombardi se subió a un carro y fue seguido por Rossi.

Aunque Mustafá ya había estado en Roma, desconocía el rumbo por el que los llevaba Petras. Quería evitar a los legionarios. Ioanna solo podía pensar en la probabilidad de encontrar a Sebastián; tenía que presentarse en la mayor cantidad de eventos públicos para tratar de verlo. En la mañana, frente a la fogata, Galanakis les dio un poco de pan y les informó:

—Presentarán dos obras musicales en la villa de Adriano; podemos escabullirnos, pero es peligroso, si nos descubre la guardia del Vaticano, nos arrestarán.

—Cuando mencionaste que el obispo Sebastián de Maguncia era un hombre de mente abierta —dijo dirigiéndose al griego—, me alegré porque hace años lo conocí, cuando era prior del monasterio de Fulda. ¿Crees que se presente?

Al bizantino pareció importarle poco. Pensaba, en realidad, que con los sucesos en Tirana y la muerte de Judith junto a sus padres, la joven merecía un poco de esparcimiento, así que propuso asistir.

—¿Por qué no nos escabullimos, Petras?

—¡Está bien! La única manera es encerrarnos en la villa desde temprano para que, en la tarde, cuando lleguen los religiosos, podamos salir en silencio y escuchar a los músicos.

Ioanna tenía tanto interés en ver a Sebastián que le mostró a Galanakis su agradecimiento dándole una fuerte palmada en el hombro. A Mustafá le agradó verla entusiasmada.

Al subir por una escalinata se encontraron con una partida de soldados; Maxentius, con el recuerdo de la cárcel fresco en su memoria, se escondió detrás de Petras, mientras que Ioanna los saludó con cierta deferencia. Los uniformados vieron la escena con extrañeza: un religioso menudo, acompañado por alguien tan extravagante como Galanakis, que usaba esos dos rizos largos a cada lado del rostro, y por los otros dos, que no eran menos raros. Los soldados no pudieron evitar girar la cabeza hasta perderlos de vista.

Ya en el palacio de Caracalla, escucharon voces en un patio. Encontraron acostados a los dos menesterosos a los que días atrás les habían ofrecido un poco de pato asado, quienes se levantaron haciendo aspavientos y felices por recibirlos. Entre tanto, ella, disimuladamente, se dirigió a donde había enterrado el cofre y la talega; el lugar seguía intacto. Cuando regresó, arreglándose el hábito de modo que pareciera evidente que había estado cumpliendo los designios de su vejiga, se sentó junto al griego, que hablaba animadamente.

—Cuando vayamos a la basílica de San Juan de Letrán observarán el naciente poder de la Iglesia. Se siente en todas partes y todos difunden su símbolo.

—¿A qué te refieres? —preguntó ella, al acercarse a calentar sus manos en el fuego.

—¡Hablo de la cruz, naturalmente! Mucho más antigua de lo que la gente cree. Desde la era de la antigua Babilonia la cruz fue un símbolo, asociado con Tammuz, un dios pastor. Su forma guarda relación con la primera letra de este nombre, la «T»; hay quien dice que, desde tiempos remotos, fue símbolo místico para caldeos y egipcios. Pienso que de Babilonia se propagó a Egipto, donde surgió con un bello anillo coronándola. Hasta los persas de hace mil años portaron escudos en forma de cruz durante las batallas contra Alejandro Magno; está cargada de significados, ha acompañado a la humanidad por siglos enteros.

—También en Asiria, Petras, y en tantos otros sitios; pero eso no importa —dijo ella—, cuando Jesús fue crucificado todavía no era símbolo cristiano. Supongamos que hubiera muerto por una flecha, ¿sería entonces el arco el símbolo más sagrado? No se trata de cómo murió, sino lo que su muerte significó.

—Hubo cruces como símbolos en otras civilizaciones; en Malta, en Frigia, en Siria —intervino Xifias, usando los dedos para enumerar—. Es un símbolo poderoso, y más desde que Jesús murió en la del calvario.

—El símbolo es intrascendente. A mí me interesan más otras cuestiones no tratadas en los concilios: el rechazo a la pre-

sencia de las mujeres en las jerarquías, el celibato y el enriquecimiento de los pontífices. No me cansaré de decirlo; el resto son
discusiones ociosas.

—Si de eso se trata, podemos empezar con la aceptación
de san Pablo como apóstol. Para muchos historiadores griegos, él no merecía ser considerado como tal. Si examinamos su
postura sobre las mujeres, encontraremos su sentencia: *docere
mulierem non permito* (no está permitido enseñar a las mujeres). Con esta exclusión quedó clara su posición y es la que ha
prevalecido.

Esa noche, Ioanna quedó complacida con las revelaciones,
llenas de anécdotas, de las que había hecho gala el griego. Sentía que, de alguna manera, había vuelto a establecer contacto
con el viejo Teodoro.

Temprano, al levantarse, quiso saber si irían a escuchar el concierto. Galanakis le respondió:

—He sabido que ejecutarán dos piezas de autores importantes. Uno es Aureliano de Reome, nacido en las Galias; el
otro es Alcuino de York, un anglosajón. Les gustarán, aunque
sigo pensando que arriesgamos demasiado. Si, aun así deciden
que asistamos, no seré yo quien se niegue.

En cuanto Maxentius y Petras se ausentaron para buscar un
poco de comida y ellos se quedaron solos, Xifias le preguntó a
Ioanna por qué tenía tanto interés en encontrarse con el padre
Sebastián.

—Sebastián era el superior de los benedictinos en Fulda y
fue brazo derecho del fraile Rabano Mauro. Lo conocí bien durante mi estancia en el monasterio. Le tengo aprecio, aunque
tuvimos diferencias. Me gustaría platicar con él, es un hombre
docto y puede ayudarnos en la revisión de los manuscritos.

—¿Y cómo fue que saliste de Fulda? ¿Qué tan bien te conoce Sebastián, Ioanna?

El joven Maxentius les cayó por la espalda, estaba divertido por haberles causado un sobresalto. Entonces, se dirigieron al sitio en el que se llevaría a cabo el concierto, se metieron por la parte trasera de la construcción y se escondieron en una bodega donde compartieron algunas viandas y esperaron que la música comenzara.

Después de un par de horas empezaron a llegar decenas de religiosos; parecía una ceremonia eclesiástica más que un acto musical. Desde un resquicio y entre los arbustos, los cuatro intrusos se acercaron a los asistentes; cada uno encontró acomodo detrás de una valla de setos que les permitía ver con claridad. Para deleite de los presentes, la villa había sido iluminada con teas alrededor del estanque; los fuegos producían alargadas estelas de luz cálida en la superficie del agua que hacían que la visión fuera clara en plena noche. Mustafá observó sonreír a Ioanna, que seguía con la mirada a un hombre viejo de aspecto adusto, enfundado en un hábito negro, quien se instaló cerca de la primera fila. Después de unas solemnes palabras de apertura, la música dio inicio; los intérpretes hicieron sonar instrumentos que ella desconocía. Las expresivas voces cantaban y recitaban, acompañadas por flautas de caña, cornos, un organistro, una cítola y una lira arqueada. Era imposible no emocionarse hasta las lágrimas ante la atmósfera de aquel momento.

En cuanto los músicos terminaron, los concurrentes comenzaron a levantarse. El viejo, al que había estado mirando con insistencia, pasó relativamente cerca del sitio en el que se escondían, como encantada y perdiendo la noción de peligro, lo llamó, alzando la voz:

—¡Sebastián! —alzó la voz, envalentonada, sintiendo que el hábito le permitiría acercarse sin generar sospechas, insistió—. ¡Padre Sebastián!

Ioanna logró salir sin levantar sospechas, sin embargo, no pudo darse cuenta de que, casi al mismo tiempo, los guardias se acercaron por detrás al sitio en el que se encontraban sus compañeros. Todo se volvió confusión. Maxentius, aterrado, logró escabullirse y correr sin mirar atrás. El bizantino y el griego intentaron seguir sus pasos, pero fueron interceptados a medio camino, y forcejearon con los legionarios que acababan de sumarse a los guardias. Petras intentó huir, pero un soldado logró hacerlo tropezar y otro le pegó con una piedra dejándolo cerca de la inconciencia. Uno de los guardias levantó su lanza para acabar con su vida, pero Xifias logró detenerlo al arrojarle la cimitarra, pegándole con la empuñadura en la cabeza. Quien los dirigía ordenó que no le hicieran daño a Galanakis. Mustafá, rodeado, creyó que tampoco lo eliminarían a él, así que arrojó el arma al piso, cuando dos soldados se le abalanzaron, pero logró burlarlos y huyó a toda carrera. Varios salieron tras él.

Dentro del recinto, Ioanna se mantenía atenta, a la espera de tener más cerca al prior de Fulda. Los religiosos, que tampoco habían notado el alboroto, abordaban a Aureliano de Reone, haciéndole amables comentarios. Intentó llamar a Sebastián de nuevo, esta vez un poco más fuerte. Lo hizo voltear, pero en ese momento otros obispos lo cogieron por los brazos y se lo llevaron hacia la salida. La joven lo vio alejarse rumbo al sitio en el que los carros esperaban a los prelados y, decidida a no desaprovechar la oportunidad, corrió a alcanzarlo. Entre la multitud, cruzó la mirada con el religioso, en cuyas pupilas se podía apreciar el velo de los años que los separaban y un aire de extrañeza; parecía que Sebastián no recordaba su rostro. Pese a ello, se mostraba curioso ante aquel benedictino de hábito raído y grandes ojos. Ella se quedó estática, mientras veía cómo otros obispos lo ayudaban a subir a un coche; ya dentro, al alejarse el carruaje, él le dijo adiós con la mano.

Aun habiendo perdido de vista el vehículo, la joven no quitó la mirada del camino por donde desapareció. El azote de unas cadenas la hizo reaccionar; los soldados cerraban las puertas de la villa. Solo entonces sintió curiosidad por sus acompañantes. Extrañada por su ausencia, se dirigió a Caracalla; quería encontrarlos cuanto antes para revelarles que el obispo de Maguncia la había reconocido.

XXXVII

LA CÁRCEL MAMERTINA

La posteridad nos asignará
el lugar que nos corresponde,
no el que imaginamos.

Obispo Sebastián de Maguncia (788-854)

Llegó a las Termas de Caracalla y solamente encontró a un nervioso Maxentius, que le dijo que había alcanzado a ver que los legionarios perseguían a Mustafá y que no sabía en dónde estaba Petras.

—¡No los volveremos a ver!, los encerrarán en las catacumbas; no saldrán vivos, Ioannes.

Ella entendió sus temores y consideró que la mejor manera de tranquilizarlo era comportándose con serenidad. A pesar de los sucesos, pensó que mayores peligros la habían asediado para que unos soldados romanos la inquietaran. Tenía que mantener el aplomo y buscar a sus amigos; el joven, sin embargo, estaba horrorizado, no quería que lo encerraran de nuevo y le rogaba que salieran de Roma cuanto antes. Amanecía cuando una cuadrilla de legionarios entró; buscaban a los indigentes, acusados de matar a las aves de los estanques. Después de que Ioanna les aseguró que no los conocían, los uniformados salieron; le pidió a Maxentius que esperara y siguió a la cuadrilla hasta un alojamiento militar cercano.

—Me ha enviado el obispo Sebastián de Maguncia. Ustedes tienen detenido a un musulmán, representante del patriarca Ignacio de Constantinopla; estaba acompañado del griego Petras Galanakis.

—Padre —el hombre a cargo le hablaba respetuosamente al tiempo que le ofrecía una silla—, conocemos al griego. Ayer hubo una escaramuza en una audición de música y él, junto a un musulmán, enfrentó a los guardias. No sabemos qué le sucedió al árabe, pero Galanakis está en la cárcel Mamertina.

Tras agradecerle, Ioanna, decidida, echó a andar pensando en cuál sería su estrategia. Un cuarto de hora más tarde llegó a las puertas del talego. Después de presentarse como un confesor que había llegado hasta ahí para escuchar los pecados de Galanakis, la condujeron con el administrador Julio Salieri, quien le dijo que no tenía información sobre Mustafá Xifias y que no podía permitirle ver a Petras. A toda prisa, regresó al palacio de Caracalla y le aconsejó a Maxentius que se mantuviera ahí, escondido, particularmente si los legionarios se acercaban. Cuando logró convencerlo, decidió ir al palacio de Letrán; ahí debería encontrar a Sebastián para pedirle ayuda.

Esperó afuera del enorme edificio, hasta que tropezó con el obispo Lombardi, quien salía por la parte trasera. Sin perder tiempo, lo saludó por su nombre y abordó la cuestión que le interesaba.

—Hace años fui discípulo del obispo Sebastián en Fulda. Después de eso he viajado durante años, cumpliendo con mi labor de estudioso. Ahora que estoy cerca de él, quisiera saludarlo, pues le tengo gran aprecio.

—Sebastián se ha retirado a su casa, vive cerca del monte Aventino. Por lo pronto acompáñanos a comer, hermano, deseamos festejar el nacimiento del padre Imanol; si dices que vienes de aquellas tierras boscosas es muy seguro que sepas de quién se trata.

Se turbó cuando supo que Serville estaba en el Vaticano. Se disculpó como pudo y salió apresurada, temía que, una vez más, el supervisor se interesara en ella y, con su aguzado olfato, terminara por reconocerla. Después de conseguir algo de pan, volvió a las Termas de Caracalla para pasar la noche.

Amanecía cuando subió por una breve colina, salpicada de pequeñas casas. Le extrañó el motivo por el que Sebastián vivía apartado de Letrán, casi escondido. A los pies del monte Aventino le preguntó a una anciana por él, quien le respondió que lo encontraría en la casa más alejada de dos que había; una de ellas parecía deshabitada. Al acercarse logró escuchar una discusión en germano; reconoció la voz de Sebastián, que hablaba con una mujer. Se aproximó a la puerta y golpeó. Una joven rubia se asomó y la miró, inquisitiva, antes de preguntarle qué deseaba.

—Hildegarde, ¿eres tú? —preguntó Ioanna mientras le extendía los brazos—. ¿Me recuerdas? Fuimos novicias en Santa Biltrude de Mosbach.

—¡Ioanna! —la joven aceptó el abrazo y, tomándola cariñosamente de la mano, la encaminó fuera de la casa—. Sebastián está por tomar una siesta, acompáñame al pozo y dime qué ha sido de ti; parece que tienes cosas que contar.

Hablaron, emocionadas, sin hacer pausa alguna. Habían pasado tantas cosas que, a cada anécdota, la conversación se desviaba en detalles y recuerdos. Ioanna le habló de cómo es que había terminado viviendo como un varón durante años sin ser descubierta; le dijo que había visto los confines del Occidente y que se había aventurado a ir más allá. Hildegarde, por su parte, le contó que, después de varios encuentros con Sebastián, habían decidido vivir juntos. Cuando él recibió la orden de presentarse en Roma, ella lo siguió y, ante las críticas, acordaron mudarse al Aventino, fuera del Vaticano; así sería mientras no eliminaran el absurdo celibato. Ya tenían casi ocho años en Roma y siete habitando aquella casa. Eran muchos los obispos y cardenales que vivían con sus esposas, simulando ser célibes. Ambas se rieron al escuchar los ronquidos del religioso hasta el claro en el que se habían acomodado a conversar.

—Tiene problemas, Ioanna, sus enemigos lo atacan por vivir con una mujer. La mayoría lo hace igual, pero no tienen la valentía de aceptarlo, son hipócritas.

—El obispo Lombardi me dijo que en Roma está también Serville, ¿lo recuerdas? Parece que ahora es muy cercano al papa.

Ante su negativa, se dio cuenta de que Sebastián la tenía alejada del mundo en que se desenvolvía. Pensó que seguramente Imanol también tendría a alguien con quien compartir su lecho. Siempre lo había notado, aquel era el papel destinado a las mujeres: mantenerse escondidas y existir para satisfacerlos a ellos, los hombres de razón y fe.

Cuando el sol estuvo alto y comenzó a calarles la piel, entraron a la modesta casa. Sebastián despertó, estiró los brazos y las miró, carialegre:

—¡Ioanna!, creí verte entre la multitud la otra noche. Pensé que los años me estaban jugando una mala pasada, últimamente me ha dado por recordar tiempos lejanos, y llegué a preguntarme qué había sido de ti. Veo que sigues desempeñando tu papel, y veo que lo haces perfectamente. ¿Dónde está Frumencio?

Ella sabía que Frumencio había sido amante de Hildegarde y se detuvo a mirarla antes de contestar. La joven pelaba algunas nueces, despreocupadamente.

—Se quedó en Atenas, dejó los hábitos y se casó con Melissa, una griega viuda que elabora vestidos. Estaban por tener un hijo cuando lo vi por última vez. Yo me embarqué con un nuevo compañero, de nombre Mustafá Xifias. Con él llegué a Roma, pero lo he perdido; no he podido encontrarlo desde la tarde del concierto.

Durante horas enteras hablaron de los últimos años. Ella le contó de su estancia en Atenas y después en Constantinopla; él le dijo que Serville estaba enfermo y que, aun así, tenía un enorme poder, pues trabajaba cerca del papa. Era su enlace con los nobles de regiones distantes.

—Mañana me encontraré con dos embajadores, uno ha llegado desde las Galias y el otro de Sajonia. ¿Por qué no me acompañas?

Volvió a Caracalla con la energía renovada. El camino le pareció corto y ligero; la sensación del aire fresco colándose dentro de su hábito completaba ese instante de plenitud que la absorbía por completo. Sebastián podía abrirle esa puerta cuyo umbral anhelaba cruzar. Cada obstáculo, cada revés, cada penuria no habían hecho sino alimentar su deseo y ahora parecía estar más cerca que nunca. Encontró a Maxentius y le dijo que todo cambiaría; él le respondió, secamente, que se iría de Roma en cuanto liberaran a Galanakis.

Días después, en Letrán, Ioanna se encontró con Sebastián, quién la presentó con los enviados como el padre Ioannes de Maguncia. Los extranjeros fueron corteses, hablaron de la necesidad del rey Lotario de unir fuerzas con el pontífice para evitar ataques sarracenos. Acordaron repartirse las labores y reunirse, separadamente, en dos comisiones para elaborar una propuesta de frontera. Sebastián trabajaría con Pipino de Galias, un hombre obeso, entrado en años, mientras que el padre Ioannes lo haría con Lamberto de Sajonia, un joven alto de mirada complaciente y largos cabellos rojizos.

Durante tres días repartió su tiempo entre la cárcel Mamertina y Letrán. Por las mañanas se empeñaba en ver a Petras, pero Salieri era inflexible. Hacia la tarde se encontraba con Lamberto y lo asistía en la elaboración de los planos que le presentaría al papa León IV. Cuando le informaron al obispo de Fulda que tenían lista la propuesta para el establecimiento de las fronteras, este le pidió al sajón que lo acompañara con el pontífice y que fuera él quien la presentara. Al final de aquella tercera jornada de trabajo, Sebastián se acercó a Ioanna para despedirse y le preguntó en qué sitio pasaba las noches. Ella le respondió que vivía en las antiguas Termas de Caracalla y, aprovechando que había cumplido diligentemente con su encargo, se atrevió a confesarle su angustia por sus compañeros, que se encontraban en aprietos. Xifias había desaparecido, mientras que Galanakis estaba preso.

—Aquí encierran en prisión a cualquiera que no sea religioso o noble romano. Tienes que venir a la casa contigua a la nuestra, está vacía; solemos destinarla a los ayudantes de algunos nobles que visitan Roma. En lo que respecta a tus amigos, quizá yo pueda hablar con el administrador de la prisión para que nos ayude a localizar al bizantino y a liberar al griego.

Complacida, corrió de vuelta a la villa y, tras pasar su última noche en aquel sitio, se llevó a su joven compañero al Aventino. Llegaron temprano. La colina arbolada olía a hierba fresca y los gallos cantaban continuamente, sin dejar espacio para el silencio. Hildegarde los recibió y, repitiendo el gesto de la visita anterior, tomó a la joven de la mano y los condujo a la casa vacía. Maxentius, que había pasado días de angustia, se tiró cuan largo era en un camastro y al poco tiempo se dejó vencer por el sueño.

—Sebastián te tiene noticias, Ioanna. Vamos a verlo.

—Siéntate —el tono de Sebastián la intranquilizó—. Hablé con el obispo Rossi y me ha informado que Mustafá Xifias murió en el enfrentamiento con los soldados; apenas vieron que era musulmán, lo desarmaron. Cuando él tuvo oportunidad, trató de huir, pero los ballesteros le dispararon por la espalda.

Ella creyó no entenderle, pero la seriedad con la que se lo repitió hizo que se cubriera el rostro, como si así pudiera borrar la noticia. La mano de Hildegarde sobre su hombro la mantenía, apenas, anclada a la realidad. Se quedó con la vista clavada en sus sandalias hasta que vio caer una lágrima que se estrelló contra el piso de arcilla; quiso detener otras cuantas, pero no pudo. No le preguntó más detalles de la muerte, pero sí en dónde estaba el cuerpo. Él le respondió que, al no saber que era alguien cercano al patriarca Ignacio, lo habían echado a la fosa común.

—Él deseaba establecer una comunicación entre el Vaticano y Constantinopla; nos ayudó a Frumencio y a mí en la travesía hacia Atenas; salvó mi vida en Tirana, Sebastián. Tendré que avisarle a su hermana Zaira, y también debo sacar a Maxentius de Roma, no quiero que le suceda lo mismo.

—Recuerda, Ioanna, que soy quien maneja las relaciones con los embajadores. Puedo enviar a dos hombres con una misiva tuya para Zaira y otra mía, dirigida al patriarca. Que ellos se lleven a tu joven amigo. A Galanakis no lo soltarán, quieren los manuscritos que posee.

En cuanto le plantearon el asunto a Maxentius, este, alterado, se negó a abandonar a Petras. No quería volver a viajar, ni averiguar cómo era la vida en ciudades desconocidas del Oriente; su cuota de dolor y miseria estaba cubierta. Sin embargo, bastó poco para convencerlo, la posibilidad de caer prisionero era alta, sobre todo por su relación con el griego. Accedió, entonces, a viajar con los mensajeros a Constantinopla. Esa misma tarde los emisarios partieron con el joven y las dos cartas rumbo al puerto.

XXXVIII

LAMBERTO DE SAJONIA

Es mucho más fácil criticar que hacer justicia.

Embajador Lamberto de Sajonia (816-862)

Transcurrieron dos semanas de consternación; la muerte de Xifias le afectaba y no le daba tregua. Por las noches, como si se tratase de una enfermedad de los pulmones, arreciaban el dolor y el desaliento. Apenas hablaba cuando compartía la mesa con Sebastián y Hildegarde.

—Ioanna, comes poco, y hablas menos de lo habitual —Hildegarde le acercó una manzana que recién había pelado.

—El silencio es el sol que madura los frutos del alma.

—Solo el trabajo agotador podrá sacarte de ese estado —Sebastián intervino, usando su tono más resolutivo—. Si el silencio te hace madurar, las arduas labores te mantendrán los pies en la tierra. Tengo muchas cosas que resolver, y tú te has convertido en una persona juiciosa; no te desperdicies de ese modo y ayúdame, a diario llegan extranjeros a los que debo recibir.

Desde ese día, ella se dedicó a asistir al obispo de Maguncia en atender las misiones de nobles que llegaban al palacio de Letrán. Una tarde, para su sorpresa, quien se presentó fue Lamberto de Sajonia; quería continuar trabajando sobre los asuntos de la definición de la frontera, y también solicitaba audiencia para tratar el tema directamente con el papa. Después de comer, el obispo les pidió que se acomodaran para trabajar en la casa que Ioanna ocupaba, mientras él tomaba una siesta.

Se instalaron en torno a la sencilla pero amplia mesa sobre la que ella solía despachar cartas y leer algunos documentos. De una gran talega que traía consigo, el embajador sacó una pieza de pan fresco, un queso poco madurado y una garrafa de vino. Ella se sintió halagada por el gesto del sajón, quien parecía contento de poder compartir un poco de lo suyo; mientras conversaba alegremente, partió pan y se lo ofreció a Ioanna, quien observó con curiosidad los dedos largos y bien cuidados de su huésped. Después de un par de vasos de vino, ella sintió la suficiente confianza como para relatarle, sin ocultar su pesar, el horrible episodio que la había separado de sus compañeros de viaje. Él le dijo que deseaba terminar la delimitación de la frontera de Sajonia con todo detalle y le prometió que, en cuanto tuviera todo listo para una audiencia, le pediría al pontífice la liberación de Petras Galanakis. Lamberto se retiró cuando ya había oscurecido; fue a despedirse de Sebastián, pero aún dormía. Esa noche, Ioanna se tumbó sobre su lecho pensando que quizás el sajón era el indicado para negociar la libertad de su amigo. Se tardó en conciliar el sueño.

Al día siguiente, cerca del mediodía, Sebastián le informó que Hildegarde y él partirían rumbo a Maguncia. La invitaron a seguirlos, pero ella se negó; estaba segura de que tenía una oportunidad para liberar a Galanakis; el asunto se le había vuelto una obsesión. Pensó, también, que si efectivamente salía libre, tal vez se iría de Roma y ella no conocería los documentos que escondía en Caracalla.

Por la tarde, acompañada por Sebastián, le pidió al carcelero de la Mamertina que le permitiera hablar con Petras; la presencia del obispo de Maguncia hizo que esta vez Salieri doblara las manos. Lo tenían en un lugar oscuro y húmedo. Cuando el guardia los dejó solos, ella le informó de la muerte de Xifias y vio que a su semblante cansado se sumaba un gesto de pesadumbre.

—Maxentius se ha ido a Constantinopla —percatándose de la cercanía del guardia, bajó la voz—, y estoy trabajando para que te liberen, Petras. Cuando eso ocurra, por favor, dirígete inmediatamente a la última casa del monte Aventino; es un sitio seguro, te estaré esperando.

—Me visitó el cardenal Rossi, está molesto por mi aprehensión —se llevó una mano al pómulo derecho, lo tenía hinchado—. Me confesó algo que ya sé: quieren mis manuscritos y por eso no pueden eliminarme, por lo menos hasta que se los entregue. Debes hablar con él.

—Lo haré, pero yo puedo rescatar los documentos.

—Nunca los encontrarás.

Tres días después llamaron a la puerta de la pequeña casa del Aventino. Ioanna quiso pensar que, por fin, habían liberado al griego y corrió a abrir, pero quien se había presentado no era él, sino Lamberto, que llevaba una alforja con frutas y algo de vino.

Pasaron la tarde discutiendo sobre las relaciones entre Sajonía y Roma; aquel territorio vivía la difícil circunstancia de tener que defender sus fronteras ante las frecuentes incursiones de hombres provenientes del norte, y ambos habían vivido en carne propia los ataques extranjeros. Comieron y, pasado un rato, ella hizo fuego en la chimenea; él sacó de la alforja dos botellas más y continuaron deliberando hasta que oscureció. Su conversación era fluida e incesante; a la luz de un disminuido pabilo, ella le contó la muerte de fray Teodoro y Otto. Cuando terminó, el vino ya era escaso.

—Estoy mareada —comentó—. No tengo por costumbre el exceso.

Él le sonrió, parecía divertido. Hizo un silencio, esperando que la joven se diera cuenta de lo que acababa de decir. Su cabello lucía aún más rojo por efecto de la luz y en sus grandes ojos claros comenzaba a gestarse una expresión que la joven no comprendía; cuando cayó en cuenta, se irguió rápidamente y quiso hablar, pero él se adelantó:

—Usas bien el disfraz —ella lo miraba con los ojos muy abiertos, podía decirse que casi con horror—. No te preocupes, lo sospeché desde antes. No me pareció normal que el obispo permitiera tu cercanía con Hildegarde. Las he visto platicar cuando van juntas al pozo; esa camaradería entre mujeres es inconfundible.

A media noche, él alimentó la exigua fogata. Se acomodaron frente al fuego y, ante los destellos de las llamas, los finos labios del sajón besaron suavemente su mejilla; antes de que pudiera rechazarlo, él deslizó sus manos sobre su cuello. Quiso resistirse, pero su tacto la rendía, le proporcionaba un calor desconocido. Se dejaron conducir, durante horas, por un sendero de arrebatos placenteros. Cada uno se abandonó al éxtasis en los brazos del otro hasta que, cuando las aves anunciaron la proximidad del amanecer, se durmieron.

Durante la semana que siguió, no tuvo más interés que él. Desde que despertaba y hasta el momento de abandonarse de nuevo al sueño, parecía que todo a su alrededor estaba impregnado por esa nueva presencia. En cada respiración sentía el anhelo de volver a verlo. Por esa razón, luchaba para mantenerse atenta y vigilante. Por momentos se preguntaba si el placer y la dulzura realmente eran contrarios a la templanza y el coraje, si podría mantener bajo control los caballos que galopaban en su interior.

Cuando él regresó, le llevó un corcel como obsequio, aunque ella insistió en que se lo pagaría. Durante las tardes que siguieron, cabalgaron por las colinas de Roma para, después, regresar al embeleso frente a los crujientes leños de la chimenea.

Después de un par de semanas, Lamberto le anunció que tenía que presentar la propuesta de la demarcación en Sajonia y que regresaría en cuanto pudiera. A la mañana siguiente, cuando despertó, él ya se había ido. Ioanna se lamentó de que, a pesar de contar con un caballo y abundante comida, la ausencia de su amante le arrancara el ánimo hasta el último aliento. Pasó el resto del día debatiéndose entre la tristeza y el impulso por dominarse. Durante años había dedicado sus fuerzas y hasta su sangre por llegar al sitio donde se definían los concilios y el destino de la religión, no podía darse el lujo de flaquear. Tratando de mantener la costumbre de los últimos días, cabalgó velozmente durante la tarde, al amparo de las arboledas, sobre un tapiz infinito de hojas secas. Esa noche fue fría, tanto que le recordó su soledad en el bosque de Siegen.

Al posarse sobre el monte Aventino, los primeros rayos del sol iluminaron una figura sentada sobre una piedra, con la cabeza sobre los antebrazos y la vista clavada en la brumosa lontananza. Habían pasado semanas, el invierno comenzaba a anunciarse y Ioanna seguía atravesada por el desconsuelo. Solo contaba con la compañía de los dos indigentes de Caracalla, a quienes visitaba de tanto en tanto para obsequiarles un poco de comida. Ella, por su parte, apenas probaba bocado. Ese día, para salir del entumecimiento, recorrió la Vía Apia, donde vio cómo los soldados recogían el cadáver de un infortunado, muerto por el frío. Ante tal escena pensó en sus dos amigos y se dirigió a las termas, con la intención de hacerles una fogata. Los encontró platicando con una mujer. Al reconocerla se ruborizó, sabía que su imagen era lamentable y se avergonzaba de la impresión que le daría.

—¡Mira en qué estado te encuentras! —Hildegarde la abrazó sin preocuparse por lo sucia que estaba—. Al llegar a casa encontré todo tan abandonado que temí que algo te hubiera sucedido. Te he buscado por todo Roma —la llevó de vuelta a la casa, que estaba oscura y fría. Después de ayudarla a asearse, la dejó dormir. Cuando despertó, ella la miraba desde el fogón; había preparado una sopa y esperaba que Ioanna volviera del sueño para compartirla—.

—Te conozco, algo te desanimó —dijo mientras le daba un nuevo hábito benedictino—. Si quieres andar disfrazada hazlo con dignidad. Sé que estás atormentada, pero te recuerdo que no estás aquí para sucumbir ante cualquier obstáculo; tú no eres así.

El gélido viento rondaba el Aventino. En pocos minutos el tiempo se había transformado y en el horizonte se veían los nubarrones que anunciaban la primera helada de la estación. De regreso del pozo de agua vieron a unos soldados recoger un cadáver y subirlo a una carreta. Ioanna se mortificó por los indigentes de Caracalla y llenando su talega de pan y cubriéndose apresurada, se dispuso a volver a las termas. Por más que Hildegarde mostró su desacuerdo, no tuvo más opción que acompañarla.

Al llegar, los encontró en un rincón, casi congelados, pero sonrientes; se calentaban en torno a una pequeña fogata mientras bromeaban y reían. Sintió que, después de semanas, podía permitirse ser contagiada por su alegría. Le hicieron saber que un cardenal llamado Rossi les había llevado frazadas y, en varias ocasiones, comida; aun así, el frío les calaba, pues sus mejillas comenzaban a quemarse. Entonces les ofreció abrigo en la casa del Aventino, tras lo que Hildegarde la miró con sorpresa, reprimiendo un sentimiento de rechazo que la avergonzaba.

Esa tarde, Sebastián llegó con un enorme cargamento de provisiones; la amenaza del frío lo había hecho sucumbir a la costumbre de llenar las alacenas cuando llegaba el invierno. Aunque en Roma era posible conseguir buenas viandas todo el año, los norteños no solían fiarse. Descargaron quesos, panes y algo de verduras, mientras las jóvenes le planteaban la posibilidad de brindarle abrigo a la pareja sin hogar de Caracalla.

—En una ocasión te dije que estabas destinada a otras empresas y ahora lo confirmo. Yo te enseñé que deberías ser misericordiosa, así que no puedo más que aceptar a tus dos amigos.

La casa más alta del Aventino era, también, la más alegre al día siguiente. Ioanna sentía que el dolor por la ausencia de Lamberto se sanaba gracias al bálsamo del amor al prójimo. Limpió de yerbas el perímetro de la vivienda y encendió un hermoso fuego en la chimenea. Esa misma tarde Sebastián pidió un carro y ordenó que recogieran a los menesterosos y sus pertenencias en Caracalla; una hora después, habían llegado. Cuando la vieron, empezaron a reír: uno de ellos se bajó del vehículo cargando la talega de manuscritos y el baúl de Zacarías; no pudo evitar ruborizarse. Apenas entonces se enteró de que sus nombres eran Julio y Octavio.

Un par de días más tarde, se presentó en la casa de Sebastián, quien la había llamado. Las cortinas de las ventanas apenas detenían el cortante frío que se colaba y una vela iluminaba pobremente el rostro del obispo, en tanto que su compañera escribía una carta.

—Me ha contado Hildegarde que quisieras traer otros indigentes a la casa —le dijo—. No traigas a ningún otro, Ioanna; nos acusarán de tener un leprosario y los legionarios vendrán a revisar. La casa está ahí para hospedar a los asistentes de algún embajador o noble que tenga asuntos en Roma, además, algunos obispos sentirán que con esa actitud los juzgamos y exhibimos. Para ellos lo más importante es fortalecer el poder de la Iglesia, y aseguran que hay que acumular para después repartir.

Ella no lo contradijo, pues advirtió en su rostro cierta turbación. Él siguió en la lectura de unos informes.

Esa misma tarde, bajo un cielo ocre, el obispo de Maguncia se dirigió a Letrán. En el Colegio Cardenalicio, Sebastián cuestionó que, en años recientes, se hubieran desechado importantes testimonios sobre la vida de Jesús de Nazaret. Los cardenales Abasi Amin, de El Cairo, y Marcelo Michelato, de Roma, tras escucharlo lo increparon, objetando su incumplimiento del celibato y gusto por vivir rodeado de menesterosos. Él arremetió con fuerza:

—¡No sean hipócritas! —los señaló—. Es bien sabido que ustedes también conviven con mujeres. A María Magdalena, quien poseía el título de *apostola apostolarum*, la marginó el papa Gregorio I y, hoy, ustedes revalidan esa falsedad. Es más importante, señores, rescatar su imagen que criticar a quien ayuda a los necesitados.

—Señor obispo Sebastián de Maguncia —intervino Michelato, mientras los demás cardenales empezaban a hacer comentarios entre ellos—, no debe, ni por equivocación, juzgar lo que el santo padre validó hace tres siglos. Ahora, si nos lo permite, discutamos los asuntos del presente, que es lo que verdaderamente importa.

Sebastián se mantuvo callado mientras las risas iban en aumento. Sin embargo, su enojo también subió de tono. Al ver que el papa se acercaba para incorporarse en la reunión y sin importarle que sus correligionarios estuvieran unidos contra él, expresó:

—¡Todos los aquí presentes lo sabemos! —se levantó y, molesto, impactó la palma de su mano contra la mesa—. ¡Sabemos que no podrán seguir ocultando tantos testimonios! —Después de que muchos guardaran un incómodo silencio, se dirigió al papa—: su eminencia, no abandonemos la caridad, no fomentemos la opulencia y la acumulación, asegurando que haremos obras pías después. Este Colegio Cardenalicio podrá criticarme por rescatar documentos sobre la vida de nuestro Señor, cuestionando su validez y origen, pero jamás por vivir con una mujer. ¿No frecuentan mujeres también ustedes? ¿Prefieren ocultar esa realidad? ¡Hipócritas!

La capilla del palacio de Letrán parecía estallar entre los gritos a favor y en contra de las intervenciones del maguntino; el pontífice no pudo controlarlos. Sebastián se retiró mientras los demás vociferaban y manoteaban pidiendo su expulsión.

XXXIX

HILDEGARDE Y SEBASTIÁN

Aunque esté preso,
para mí una vida como la de Galanakis,
es el más alto premio a la libertad.

Cardenal Francesco Secchi (814-868)

—En el Concilio de Éfeso desaparecieron muchos manuscritos considerados espurios por los obispos. Detallaban la vida marital del nazareno y eso no les convenía —dijo Ioanna mientras caminaba junto a Sebastián hacia el pozo.

—Los apóstoles nunca escribieron nada sobre el celibato porque tenían esposas; no hay nada en sus testimonios que apuntale esa idea que tanto interesa hoy en día.

—Había manuscritos de esa época en los que se detalla lo contrario —respondió ella mientras se esforzaba en subir el cubo lleno de agua helada—. El principal apóstol, Pedro, a quien en arameo llamaban Cefas, era casado y tenía un profundo respeto por las mujeres. Nunca permitió que nadie se arrodillara ante él y, como tal, no ostentó el título de papa. Fue en el Concilio de Calcedonia, en el año 451, cuando establecieron que Pedro era obispo de Roma.

—Según las actas y los libros que me mostró el cardenal Francesco Secchi, Pedro estuvo en Antioquía, Samaria, Cesárea y, al último, en Roma. Eso lo discutí con Petras Galanakis, el coleccionista de manuscritos —notó la sorpresa en el rostro de Ioanna, nunca le había revelado que, en realidad, ya conocía a Petras, pero continuó—. Si se acepta que fue papa durante 25 años, entonces deberemos considerar que fue obispo desde el año 41 hasta el 66; sin embargo, en el 44 estaba en Jerusalén y en el 53 estaba en Antioquía. El error es claro, ese pasaje debe reescribirse. Además, el cargo de pontífice no fue instituido ni por Jesús ni por Pedro.

Hildegarde les llamó. Habían tardado demasiado y la cena estaba enfriándose en la mesa. Ambos se encaminaron a la casa sin dejar de hablar.

—Un obispo galo, llamado Odón Ruan, poseía un manuscrito que señalaba que el origen del título de *Pontifix Maximus* provenía de la figura de Nimrod —él llevaba los baldes descuidadamente, dejando un rastro tras de sí—. Este había sido un poderoso cazador en Babilonia y, según los documentos que nos mostró Ruan, le dieron el nombramiento por considerarlo un líder político y religioso, es decir, un rey-sacerdote. Después, en el año 63 antes de Jesús, Julio César se adjudicó la misma designación. En el 376, el emperador Graciano se negó a ostentar el cargo, considerándolo poco congruente con su fe cristiana. A pesar de ese gesto, dos años después, Dámaso, obispo de Roma, fue elegido pontífice máximo. Y, regresando a Pedro, fue con el papa Siricio que los obispos lo reconocieron con el mismo título.

—Reunámonos con el obispo Odón Ruan, quisiera escucharlo.

—Murió, Ioanna, lo envenenaron.

—Es terrible; parece que quieren muertos o encarcelados a todos aquellos que deciden pensar con su propia cabeza. ¡Defendámonos con argumentos!, recordemos las palabras de san Agustín en aquel primer Concilio de Constantinopla: *Sumus christiani, non petrani* (Somos cristianos no petrianos), refiriéndose al apóstol Pedro. Será interesante agregar opiniones como las de Galanakis o Rossi.

Platicaron hasta la madrugada. Sebastián se sorprendió de lo documentada que estaba Ioanna, después de todos los años que habían transcurrido desde su salida de Fulda, había obtenido conocimientos útiles y también controvertidos. Reconociendo que su participación en las discusiones de la Iglesia era inminente, le aconsejó que se autonombrara Ioannes Anglicus, aludiendo al origen de su padre, el país de los anglos.

—Usa Anglicus ya que eres hija de Gerbert, que llegó desde las islas a Maguncia para difundir la doctrina. Trata de pasar inadvertida; cualquier religioso que destaque pronto se hace de enemigos. Puedes decirles que eres discípulo mío: fray Ioannes de Maguncia o fray Ioannes Anglicus. Y resígnate, a muchos no les gustará saber que te has formado conmigo.

Un domingo, un mensajero le entregó un papel a Hildegarde. Era una nota del cardenal Secchi pidiéndole al obispo que se presentara en Letrán. Ioanna le preguntó si sería algo grave, pero él dijo que era cosa de todos los días. Al regresar, le contó que el papa acababa de definir los límites territoriales de Sajonia y otros ducados.

—¿Recuerdas al embajador de Sajonia?, pues finalmente mandó los planos.

Aquella tarde los árboles fueron despojados de las últimas hojas del otoño; parecían mecerse por la brisa helada. Sobre las pequeñas piedras de la calle, solo se escuchaba el correr del viento y de las pocas hojas secas que arrastraba. Caminaban ensimismados en sus pensamientos, cuando al llegar al palacio de Letrán, un guardia abrió la reja principal para dar paso al obispo de Maguncia y su acompañante. Atravesaron un patio grande, subieron unos escalones y atravesaron un pasillo hasta llegar al recinto.

—Algunos cardenales siguen molestos por tu intervención, Sebastián —dijo el cardenal que estaba de pie, asomado por la ventana, dándoles la espalda—. Me sugieren buscarte un lugar en África —giró para ver la expresión del obispo—.

—Cardenal Secchi, soy Ioannes Anglicus, también de Maguncia —dijo ella, acercándose a la mesa donde había un suntuoso candelabro—. Estoy aquí después de un largo viaje en el que me esforcé por reunir las más diversas fuentes de conocimiento. Tengo en mi poder documentos trascendentes rescatados en Atenas.

El cardenal encendió una vela y les pidió que se sentaran en dos sillas de madera acomodadas frente a su mesa. Solo tenía ojos para ella, parecía desmenuzarla con la mirada.

—¿Y qué documentos conseguiste en Atenas, Ioannes Anglicus?

Ella comenzó a narrarle lo sucedido desde que salió de Fulda hasta que estuvo en Constantinopla. Él se mostró interesado en los detalles, pero consideró que una tarde era insuficiente para enterarse de tantos acontecimientos. Con un ademán que denotaba cansancio, les dijo que fray Ioannes tendría que mudarse al palacio para que revisaran lo que había reunido. Ya de pie para despedirlos, posó sus manos sobre los hombros del joven fraile, algo que pareció agradar a Sebastián, quien sonrió cuando notó el gesto.

—Estoy viviendo cerca del obispo, en el Aventino. Considero que es bueno mantenerme en ese lugar.

—Lo sabía, uno más que rechaza el celibato —dijo el cardenal, dándole un golpe en la espalda a Sebastián; después se dirigió a Ioanna y añadió—: me parece bien que prefiera vivir en el Aventino, Ioannes pero, ¡por Dios, ayúdenos a salvar a Sebastián de las garras de algunos cardenales que desean mandarlo a África!

Los despidió con una sonrisa. Salieron y, en el pasillo, se encontraron al cardenal Michelato. Ioanna estaba de buen humor y había bajado tanto la guardia que sin conocerlo lo saludó con amabilidad.

—Ese, seguramente, es el que ha pedido mi exilio. ¡Vividor de la fe! —dijo Sebastián alzando la voz para que lo escuchara—. ¡Míralo!, se esconde, vive a rastras, identifícalo bien, Ioannes Anglicus.

Ella se sorprendió agradablemente al ver el carácter de su amigo para enfrentarse a su opositor, y se alegró de tenerlo de su lado. Una batalla se avecinaba y ella tenía que concentrar las fuerzas de sus aliados. Le preguntó si había alguna noticia de Petras, pero él siguió caminando sin responderle. Una vez en la calle empedrada siguió:

—Próximamente tendremos un *Arcanum Conventum*. Es una reunión secreta entre algunos que compartimos principios. «A cada cual lo suyo», solemos decir. A esas reuniones asistimos los cardenales Francesco Secchi, Pascasio de Narbona, a veces Marcelo Rossi, también Stefano Giuliani y yo; ahora te nos unirás. Les probaremos con documentos en mano que Jesús aceptaba a María Magdalena como su compañera.

Al pasar cerca del río Tíber sintieron una ráfaga helada que corría sobre el afluente verdigris. Apresuraron el paso hacia el Aventino. Antes de abrir la puerta, él se detuvo y le dijo:

—Es difícil trabajar con Teócrito —ella lo miró, interrogativa, y se quedó en silencio—. Así le llamamos a Galanakis. Nos recuerda al poeta del amor, aquel que honró la vida campesina y la naturaleza. Petras es un hombre sencillo que, con una enorme simplicidad y contundencia, refuta muchos de los cánones impuestos en los concilios. Los cardenales saben que guarda manuscritos importantes; le han ofrecido comprárselos, pero les responde que es su seguro de vida, cree que cuando los entregue lo eliminarán.

Por la mañana, llegó una carta de Lamberto de Sajonia, dirigida a Ioannes; le informaba que el pontífice le había ordenado al administrador de Mamertina la liberación de su amigo Petras. Junto con la misiva, había una tarjeta con el sello papal. Apenas la leyó, acompañada por Hildegarde, se dirigió a la prisión.

—Vengo en nombre del obispo Sebastián de Maguncia, traigo una orden papal para ejecutar la liberación de Petras Galanakis, dirigida a Julio Salieri —él mismo las condujo hacia la celda del griego quien, al ver a Ioanna, la abrazó sin poder contener las lágrimas.

Poco después, los tres subían por el sendero al Aventino. Sebastián se paró frente al griego diciéndole:

—Ioannes, asegura que posees manuscritos del papa Zacarías sobre la vida del nazareno. ¿Por qué deseas apoyar a la Iglesia de Roma? ¿Qué beneficio obtienes?

Galanakis miró directamente a Ioanna como si en esos segundos le reprochara haber sido tan indiscreta. Después fijó la vista en la lejanía, suspiró y clavó sus negras pupilas en las del obispo:

—Desciendo del papa Zacarías, el último pontífice griego; era mi abuelo. Él deseaba darle fundamento histórico a la vida del nazareno y, durante años, se dedicó a proteger esos testimonios y manuscritos. Sintiendo que su vida estaba próxima a apagarse, decidió que lo mejor era que su familia los resguardara; cuando mi padre fue a recuperarlos, intentaron apresarlo y apenas tuvo tiempo de huir. Se los llevó a Atenas y ahora yo los poseo.

El obispo lo cogió del brazo y lo condujo al interior de la casa. Le habló sobre el *Arcanum Conventum*, y le confesó que su propósito era examinar los hallazgos de los manuscritos. Desde ese día empezaron a trabajar en lo que llamaban «la defensa histórica de la religión».

Por la tarde, Sebastián se ausentó. Galanakis se quedó con Ioanna e Hildegarde, quienes habían puesto a cocer en una olla algunas cebollas, nabos y algo de cebada para preparar la cena. Los tres se sentaron frente al fogón y, esperando que el potaje estuviera listo, comenzaron una conversación. Ellas le preguntaron a qué conclusiones había llegado sobre la vida de Jesús gracias a los manuscritos.

—Tenemos que remontarnos a Judas el Galileo o a Judas de Gamala. Él fue el fundador del movimiento judío de los zelotas, un grupo muy radical opuesto a Roma.

—No —exclamó Ioanna—, no podemos retomar la historia desde ese punto. Nos interesa rescatar la vida de Jesús y redimir la imagen de María Magdalena, pero si nos concentramos en el fundador de un grupo incendiario, los cardenales que se nos oponen desterrarán a Sebastián, además de que no tienes suficientes fundamentos.

—Todo eso puede comprobarse —respondió con una cara de desconcierto por el reclamo inesperado—. ¿Saben por qué se llevan a cabo concilios con meses de duración? Para enmendar lo que conviene a la política de Letrán, y son demasiadas las evidencias de las que tienen que deshacerse; Marcelo Rossi sabe de lo que hablo.

—Mira, Petras Galanakis —dijo Ioanna levantando la mano para detener a Hildegarde que se disponía a intervenir—, lo primero es ayudar a Sebastián para que el cardenal Michelato retire sus acusaciones, y así vamos a empujarlo al exilio.

—Pero es necesario revisar los escritos de los evangelistas, no solo los apócrifos. Incluso los canónicos deben ser pasados por el cedazo de la interpretación libre de argucias. Dicen que después del parto María fue al templo a purificarse. ¿Por qué lo hace si su hijo fue concebido por el Espíritu Santo? Hay que exponer las falsedades y discutirlas en el próximo concilio.

—Así no podemos trabajar contigo; vas demasiado lejos de buenas a primeras y te olvidas de que, en el campo de batalla, lo que importa es la estrategia, más que la brutalidad. Te he dicho cuál es nuestro primer objetivo; sin el obispo de Maguncia no tenemos oportunidad de estar en las discusiones. Si los cuestionas así, frontalmente, no habrá lugar para dialogar. En lugar de Teócrito pasarás a ser Diabólico.

El griego salió dando un fuerte golpe con la puerta. Ambas se quedaron calladas largo rato, mientras sacaron la olla del fuego y dispusieron la mesa.

—La postura del detractor de Sebastián se basa en los evangelios que se aceptaron para propagar lo que el papa Silvestre y el emperador Constantino deseaban que fuese propagado —rompió el silencio Ioanna—. Michelato y varios más proponen elaborar un escrito que confirme la versión de la vida del nazareno basada en lo definido en el Concilio de Nicea.

—¿Es cierto que Jesús no nació el día y el año que dicen los cardenales? —preguntó Hildegarde. Antes de que Ioanna pudiera contestarle, Galanakis irrumpió de nuevo; traía consigo una hogaza de pan que dejó en la mesa antes de responder:

—Su nacimiento fue cuatro o seis años antes de lo que señalan. Además, se fijó el 25 de diciembre para hacerlo coincidir con la celebración del *Sol Invictus* o solsticio de invierno de los romanos. Ahora solo falta que en algún concilio decidan apropiarse la misma celebración egipcia, que es el 6 de enero —al ver que las dos lo miraban atentas, añadió—: El 6 de enero en Egipto se practica el ayuno para celebrar, el día 7, su nacimiento. En los concilios harán todo para apropiarse de la fiesta copta de tradición cairota.

—¿Pero al menos nació en Jerusalén? —preguntó Hildegarde.

—Marcos escribió que Jesús nació en Nazaret, pero Mateo y Lucas aseguran que fue en Belén, y que fue así debido al censo romano, pues el niño tenía que ser registrado en el lugar en donde había nacido el padre. En realidad, no hubo censo sino hasta seis años después. La información se contradice, pero ellos no quieren que las grietas estén expuestas ¿Por qué consideran apócrifo el manuscrito de Nicodemo, el libro de la Natividad de María y el testimonio de Matías?, precisamente para ocultar esas grietas. Pero, aunque incendien de nuevo parte de la biblioteca de Alejandría, siempre habrá documentos que cuestionen lo que cada concilio aprueba.

Petras se retiró; dijo que prefería volver a la villa de Adriano a pasar la noche. Después de compartir la cena, Hildegarde se dedicó a elaborar unas cuantas velas mientras que Ioanna le leía algunos manuscritos, así estuvieron despiertas hasta la madrugada. Al acostarse, Ioanna sentía que tenía material suficiente para exponerlo el día del *Arcanum Conventum* ante Sebastián, Giuliani, Secchi y Rossi.

En la mañana, visitaron la villa de Adriano para seguir conversando con el griego, pero no lo encontraron. Se dirigían a Caracalla con la intención de buscarlo, cuando un carruaje se detuvo frente a ellas:

—¡Padre Ioannes! —el cardenal Secchi bajó del vehículo y se acercó—. Finalmente hemos decidido que el día propicio será el lunes anterior al solsticio. Lo esperamos al atardecer en el palacio para nuestro *Arcanum Conventum* —tras despedirse, siguieron su camino.

Petras estaba en la entrada de las termas.

—Tenemos que vernos en otro lugar, este ha sido descubierto —dijo él—. Caminemos un poco; estoy seguro de que me están observando.

Desde su encarcelación, había perdido algo de su aspecto refinado y orgulloso; tenía ojeras y parecía un poco encorvado. Esa mañana estaba particularmente inquieto, sin embargo, después de una breve caminata, pareció recobrar el color.

—Me habías dicho, Ioannes, que deseas abogar por la inclusión de las mujeres en la jerarquía eclesiástica. He pensado al respecto, y quisiera recomendarte que leas el Apocalipsis de Pablo; él no creía en el celibato. Sé que, aunque se le ha clasificado como ilegítimo, lo examinan regularmente en Letrán.

Por la tarde, a su regreso al Aventino, Sebastián llegó consternado. Les dijo que Galanakis lo había visitado temprano en el palacio y que estaba nervioso porque, tras haber ido a buscar al cardenal Rossi sin éxito, había encontrado su habitación completamente desordenada.

XL

EL *ARCANUM CONVENTUM*

Un hombre inteligente desea aprender,
los demás sienten que con hablar enseñan.

Hildegarde Kampeter (818-855)

En la ciudad se rumoraba que aquel invierno sería el más crudo
en muchos años. Ioanna había atrancado la ventana de madera
y encendía la chimenea, cuando vio a Galanakis de pie frente
de la casa, tiritando de frío. Lo invitó a pasar.

—He traído algunos documentos —dijo el griego mientras
sacaba de entre sus ropas dos pergaminos manuscritos y varios
palimpsestos—; quiero pedirte que los guardes junto a los tuyos. Tres veces me han encarcelado y si alguien vio que los saqué
de Caracalla, debo temer por mi vida. No encuentro al cardenal
Rossi, nadie lo ha visto.

Hildegarde lo miró, acongojada; Ioanna le prometió que
cuidaría los manuscritos de su abuelo Zacarías tanto como había hecho con los que ella misma había traído de Oriente. Él,
sin embargo, estaba perturbado y no pudo encontrar sosiego
en aquella promesa.

—¿Alguien te vio sacarlos?

—No vi a nadie, pero tienen ojos hasta en los árboles. Intentarán asesinarme.

—Petras, disfruta el calor de estos leños y no te preocupes; Rossi aparecerá. Sebastián me ha nombrado su secretario y ahora podré entrar al palacio con libertad. Buscaré al cardenal. ¿No fui yo quien te ayudó a salir de aquella mazmorra? Confía, querido amigo —él, frunciendo los labios y retorciendo sus rizos con los dedos índices para volver a formarlos, se acercó a las brasas y se talló los brazos. Hildegarde le acercó una infusión endulzada con miel, acompañada por algunas uvas secas. Ioanna se acomodó en una silla después de ofrecerle una manta y continuó—: estoy segura, Petras, de que tú conoces esta historia mejor que yo. En Atenas me asombré al leer que la imagen de Dios fue exclusivamente femenina hasta el año 3500 antes de nuestro señor Jesucristo. Después, la imagen del varón relegó a la mujer al papel de madre, esposa o amante del dios masculino, y en el mejor de los casos le permitieron existir en la figura de la diosa virgen. Gracias a Demetrio, el bibliotecario, supe que en Sumeria una mujer, Nidaba, era reconocida como la inventora del arte de escribir, y que a la deidad femenina Sarastavi se le atribuía la invención del alfabeto. Es decir, muchas diosas fueron importantes en los tiempos antiguos hasta que se impuso la idea de que las mujeres son seres inferiores, pecaminosos e incluso abyectos… —cuando se dieron cuenta, el griego se había rendido ya a la sensación de calidez y dormía plácidamente, cobijado por la manta, cerca del fuego.

El domingo, Sebastián se presentó en la casa que ocupaba Ioanna. Cuando le abrió la puerta, sintió el aire helado y su respiración se condensó, tornándose en un vaho que salía de su boca y sus fosas nasales.

—Recuerda que mañana tendrás que presentarte conmigo en el *Arcanum Conventum*, Ioannes.

—Estuve pensando que podríamos convocar a Galanakis para reforzar nuestra posición.

—¿A Teócrito? No es visto bien por ningún religioso. Además, sus comentarios sobre los concilios son bastante agrios, descalifica inmediatamente lo que cada papa le añade a la liturgia. Quizá tenga razón, pero esa no es la manera de cambiar las cosas.

El lunes fue especialmente crudo. Cuando el viento rozaba las mejillas parecía como si unas delgadas navajas tallaran los rostros hasta sangrarlos. El despacho del cardenal Pascasio de Narbona tenía una iluminación agradable y cálida, que contrastaba con el cruel exterior. Él estaba sentado detrás de una enorme mesa; era un hombre bajo, calvo, cejijunto y de mirada inteligente; en cuanto vio a sus visitantes los saludó sin ponerse de pie.

—Él es fray Ioannes de Maguncia. Acaba de incorporarse como mi secretario y nos ayudará en el *Arcanum Conventum*.

—Quizá no es mucho lo que puedo aportar, pero con gusto trabajaré lo necesario para que mi integración sea útil, cardenal Pascasio.

Mientras esperaban a que los demás convocados se presentaran, empezaron una suave discusión llena de comentarios insustanciales en relación con el objetivo que los reunía. Se refirieron a Siddhartha, Krishna, Confucio y Lao-Tsé. Fue entonces que el cardenal se levantó y les dijo:

—Creo que los cardenales Giuliani, Rossi y Secchi nos abandonarán esta noche; tal vez les hayan surgido asuntos importantes. Sería bueno, entonces, proponer un acuerdo provisional entre nosotros. Lo presentaremos a los demás cuando estemos completos.

Ioanna miró a Sebastián, y él asintió, permitiéndole tomar la iniciativa:

—Es conveniente aceptar la divergencia y no reaccionar como nuestros antagonistas lo hacen. Tenemos que atraerlos a nuestras argumentaciones presentándolas de manera sencilla.

—Me parece buen inicio; un llamado a la concordia frente al papa les quitará armas a más de dos —dijo sonriente el cardenal—. Convenceremos a León IV de un nuevo concilio, todos estarán conformes. Hace un rato conversábamos sobre que la mayoría de los relatos sobre el nacimiento de dioses o héroes hace alusión a la aparición de estrellas u otras señales y presagios. No necesitamos eso, en el caso del nazareno tenemos pruebas suficientes para sustentar su historia en cuestiones más sensatas, pues lo necesitamos cerca, no inalcanzable junto a las míticas figuras que componen el firmamento.

Mientras conversaban, en Caracalla se producía una desaforada carrera entre Petras y dos atacantes. El griego se había librado de uno más, golpeándole la cabeza con una enorme piedra. Ahora corría ágilmente tratando de perderse entre las construcciones que llevaban a los baños, tratando de ganar tiempo para regresar a recuperar el arma del que había muerto. En cuanto se agachó a recogerla, uno de los atacantes logró verlo y lo golpeó en el costado, encajándole profundamente una saeta corta. Galanakis la sacó y se abalanzó sobre el soldado hundiéndosela en la garganta. El tercero se retiró al ver a su compañero arrojando borbotones de sangre por la boca, rogándole ayuda con la mirada.

La reunión del palacio continuaba. Francesco Secchi se unió y compartieron distintas versiones sobre el nacimiento de Jesús hasta que se les acabaron los leños poco antes del amanecer, momento en el que acordaron suspender la discusión. Los cardenales se quedaron conversando mientras los maguntinos regresaban al Aventino.

Más tarde, Hildegarde despertó abruptamente a Ioanna, que dormía a pierna suelta. Ella se alteró pensando que se trataba de un ataque de sarracenos, pero lo que ocurría es que Octavio había llegado con noticias y se negaba a esperar a que el joven fraile despertara. Se levantó a escucharlo. Nervioso, le contó que, en Caracalla, junto a la torre, él y Julio habían encontrado a un par de legionarios muertos con la cara desfigurada, uno de ellos con una saeta hundida en el cuello; habían entrado por la mañana, mientras ellos huían entre la maleza.

—¡Petras! —imaginó inmediatamente, y se dirigió hacia aquel sitio a toda prisa. En las termas, Julio la esperaba. La llevó hacia el baño, aquel en donde había pasado una noche conversando con el griego; ahí había varios soldados, llevándose uno de los cuerpos; al ver al fraile se apartaron. Su amigo estaba tirado en medio de un charco negro, con los ojos suavemente abiertos, como si mirara al cielo y hablara con las estrellas. Se habían ensañado con él; tenía el cuerpo cubierto de heridas. Ella se arrodilló y le cerró los ojos; acomodó sus rizos dándoles forma con los dedos, y mantuvo la cabeza sobre su regazo. Nuevamente sentía un pedazo de su corazón desprendiéndosele. Octavio y Julio lloraban amargamente la muerte de su protector. Cuando llegó Hildegarde, se llevaron el cuerpo de Galanakis al cementerio y lo enterraron.

De vuelta, mientras cruzaban el Tíber, se encontraron con un grupo de soldados que acompañaban al cardenal Michelato. Dolidos, los indigentes les gritaron:

—¡Asesinos! ¡No podrán dormir tranquilos nunca más!

Los uniformados respondieron mofándose y los apartaron con sus lanzas:

—¡Los quemaremos, malditos muertos de hambre!

Como si nada estuviera ocurriendo, el cardenal se esforzaba por mantener la mirada apartada, y con un gesto ridículo, se erguía artificialmente sobre su montura, un caballo demasiado fino para alguien que claramente no podía galopar sin golpearse las asentaderas. Quedó claro, entonces, quién había ordenado el asesinato.

Mientras tanto, en el Aventino, Sebastián las esperaba en la entrada de la casa; su mirada era de estupefacción. Cuando se acercaron, prefirió saber primero qué les había ocurrido a ellas.

—Los legionarios asesinaron a Galanakis en el palacio de Caracalla —la voz trémula de Ioanna apenas era comprensible.

—Solamente así podían detenerlo. Estamos pisando los intereses de algunos cardenales muy poderosos. Les tengo una noticia semejante: también ha muerto Rossi, según el médico fue una intoxicación.

Cenaron en un completo mutismo. Cada quien remaba en su propio caudal de conjeturas sin poder llegar a nada concreto. Nadie pudo dormir y al amanecer se levantaron tan callados como se habían acostado. Hildegarde fue la primera en salir para recibir una carta dirigida al obispo, la leyó y les informó que el papa León IV le había asignado un secretario: fray Ioannes de Maguncia, también hablaba del fallecimiento del cardenal Rossi por un fallo en el corazón.

—Ya tienes un pie dentro, Ioanna —le dijo Hildegarde.

Sebastián se levantó y guardó la misiva; luego miró a su joven colaboradora:

—Pronto veremos al papa, es momento de que representes tu papel mejor que nunca.

XLI

MARCELO MICHELATO

Las religiosas siguen al que las desprecia,
por eso aceptan su papel marginal en el ministerio
y ¡cuidado porque engañan al que las adora!

Cardenal Francesco Michelato (810-856)

Después de la excelente defensa del obispo Sebastián por parte
de Pascasio de Narbona y Francesco Secchi, el propio papa León
IV informó el lamentable deceso del cardenal Marcelo Rossi y
ofrendó una oración por su alma. También le comunicó al
Colegio el nombramiento de fray Ioannes de Maguncia como
secretario del obispo Sebastián. Tenía la esperanza de que los
ilustrara con los saberes adquiridos en su estadía en Bizancio.

No pasó mucho tiempo para que la joven comenzara a generar desconfianza entre algunos cardenales, particularmente por
su dedicación al estudio de manuscritos no ecuménicos. Cuando tomaba la palabra para exponer algún tema, los asistentes
hacían comentarios en voz baja. En una ocasión en que el sumo
pontífice se sentó a la derecha de Michelato, este le dijo:

—En lugar de perder el tiempo hablando sobre moros y bizantinos, ¿por qué no examinamos cuestiones que pudiesen ser

trascendentes y que los ortodoxos ni consideran? —otros, que estaban cerca, afirmaron en apoyo—. Por ejemplo, ¿qué papel le daremos a las mujeres que llegan a los conventos? Cada vez son más, su eminencia, y comen casi como los frailes.

Ioanna guardó silencio, pese a que el poderoso cardenal estaba tocando una fibra sensible. Por su parte, Sebastián respiró aliviado al ver que su discípula se contenía.

Al día siguiente, tras una considerable ausencia, se presentó el cardenal Secchi, dejando un momentáneo silencio en el ambiente. Ahora ella tenía otro apoyo:

—Una tarde, una ocasión y una oportunidad —murmuró en voz baja, al ver que el papa se acomodaba en su silla—. ¿Por dónde desea que empecemos, su señoría? —preguntó causando la leve sonrisa de Sebastián que esperaba que ese día se abordaran los temas que dominaba como nadie más en esa sala.

—Fui informado de algunos asuntos tratados el día de ayer —dijo Secchi, adelantándose, mientras se dirigía a su asiento—, permítanme decirles que es cierto lo que señala el cardenal Michelato: cada vez hay más mujeres interesadas en la vida eclesiástica. Tendremos que construir miles de conventos. Si es cierto que Jesús se abstuvo de nombrar mujeres como apóstoles, ¿son adecuados los claustros para integrarlas?, ¿qué se les ocurre?

—Edificar conventos y claustros no es integrarlas, su eminencia; es, más bien, encerrarlas para mantenerlas lejos o, peor, a merced de aquel que quiera usar su poder de manera inadecuada. Podríamos cuestionar nuevamente la idea del apostolado de las mujeres; existen pruebas que nos pueden poner en aprietos. Dígame una razón válida del porqué las mujeres no pueden presidir la eucaristía o recibir la ordenación. ¿Algún día llegará una mujer a ser cardenal?, ¿se sienten, acaso, amenazados de tan solo pensarlo?

El pontífice bebió un poco de agua de una copa. Después, recargó sus codos sobre la mesa, entrelazando sus manos y apoyando su nariz sobre los nudillos de los dedos índices. Era su gesto de máxima atención y todos ahí lo conocían. Giuliani miró con una sonrisa irónica a Michelato; quien tenía el rostro enrojecido por las preguntas del monje. Se levantó de su silla y la señaló:

—Jesucristo no llamó a ninguna mujer entre los apóstoles, las excluyó explícitamente de la Iglesia y del ministerio sacerdotal. ¡Esto es absurdo su santidad!

—La Iglesia no existía en ese entonces; ni el orden sacerdotal —respondió el cardenal Benedicto.

—Su argumento es tramposo, cardenal Michelato —intervino Ioanna de nuevo; quien más disfrutaba de las respuestas era el propio León IV—. Jesús trató a la mujer de una forma distinta a la que ha pretendido la Iglesia durante siglos. Eligió a doce varones, uno por cada tribu de Israel, como sus apóstoles. Si hubiera incorporado a una mujer como representante de un grupo, su mensaje hubiera perdido fuerza entre las tribus. ¿Es difícil de comprenderlo? Todos estaban casados, excepto Marcos que era casi un niño. ¿Aborrecían a las mujeres? ¡No! Jesús tenía una visión política dirigida a las doce tribus; ese fue el propósito de elegir doce varones, no otro.

—Según usted, Ioannes de Maguncia, ¿la elección de los doce fue simbólica y estratégica? —preguntó Michelato, exagerando la ironía en su rostro, con la vista fija en su aliado, el cairota Abasi Amin.

—Es claro a lo que me refiero; él respetaba a las doce tribus. Pero hay algo que también es importante: en los evangelios según Marcos, Mateo y Lucas encontramos que un grupo de mujeres seguía a Jesús. Y, al contrario de los apóstoles, ellas no huyeron ni corrieron a esconderse cuando el nazareno fue entregado por uno de ellos; se quedaron en Jerusalén durante todo el juicio y la crucifixión, lavaron su cuerpo y fueron designadas como mensajeras de la resurrección. Vayamos más lejos de una buena vez, María de Magdala, cuya figura ha sido condenada, no solo fue discípula de Jesús, sino su compañera. Veamos los evangelios de Felipe, que literalmente dicen: «... y la compañera del Salvador era María Magdalena» —algunos cardenales comenzaron a abandonar el salón—. Propongo aquí, frente a los que tengan la valentía de escucharme, que además de distinguirla con el título de *Apostola Apostolarum,* lo hagamos reconociéndola como su compañera.

—Magdalena era una prostituta —dijo Michelato desde la puerta sin dejarla terminar—. Era la bruja de los siete pecados, la encarnación de la mismísima Astarté.

Secchi, Ioanna y Sebastián se quedaron en el salón después de que todos los asistentes se retiraron. Era evidente que ella había ridiculizado al cardenal Michelato, y Sebastián y Secchi sabían que no la perdonarían. Tras despedirse, los dos maguntinos emprendieron el regreso a su refugio. Sebastián caminaba ensimismado, lentamente, como si el terreno por el que pasaba fuese tan delicado que pudiera abrirse un abismo. A Ioanna en cambio, satisfecha por haber increpado a un asesino mentiroso, no la desanimaba ni el frío. Cuando llegaron, encontraron a Hildegarde calentándose frente a las llamas. Los recibió sonriente y quiso saber cómo había ido la jornada en el palacio.

—Parece que ella desea que no nos vuelvan a invitar. Hubiera sido sensato no agredir directamente a Michelato. Te contradices, Ioanna, cuando propones conciliar y luego te lanzas sobre un cardenal poderoso blandiendo una espada flamígera.

—La Iglesia que él pretende agrede la inteligencia de cualquiera. Ese hombre se decanta por sembrar el miedo y la ignorancia. ¡Llamar prostituta a Magdalena! Ella era descendiente de la tribu de Benjamín, de igual manera que Jesús lo era de la de David. ¡Era la compañera del nazareno y más amada que cualquier discípulo!

Esa noche, Ioanna se acostó recordando los argumentos esgrimidos en la reunión de aquella tarde; después de un rato, se durmió. Entonces soñó que se encontraba en un salón atestado de religiosos. Cuatro pilares altísimos sostenían el techo del imponente edificio y, aunque daba la impresión de ser sólido, de pronto empezaba a resquebrajarse. Cuando parecía desplomarse, ella se abrazaba a una de las columnas que, en el acto, dejó de cuartearse. En un instante Zaira aparecía y, con su característica seguridad, colocaba las manos sobre otro de los pilares, deteniendo su destrucción. La siguiente en llegar era Elha, alegre, con su característica sonrisa pícara; al mirarlas, se encaminaba hasta recargarse en la tercera pilastra. Por último, se presentaba Hildegarde, sentándose en el suelo con la espalda recargada en el cuarto apoyo. Entonces entraba Petras Galanakis, que había recobrado su postura gallarda y parecía aún más joven que de costumbre, y caminaba hasta el centro del recinto, dirigiéndose al papa y a todos los religiosos: —¿No se dan cuenta del vacío que dejan las columnas cuando caen? ¿No han entendido por qué Jesús siempre se hizo acompañar por su madre y por María Magdalena?

Entonces el papa tomaba la palabra; parecía un autómata, y sus ojos estaban cubiertos por una pátina blanquecina: —La mujer debe, por ley, dedicar su vida a la maternidad. También ser dócil y servil al varón, aun a riesgo de su vida.

Se hacía un silencio, escuchándose solamente los fragmentos de techo que caían sobre el piso de piedra. En ese momento los cardenales y los obispos se paraban en torno al pontífice, dándole la espalda a las mujeres, que resistían aferradas a las columnas. Solo Petras las miraba, pero no podía acercarse; decenas de puñaladas habían aparecido en su cuerpo. A pesar de los esfuerzos que todas hacían, los pedazos de piedra se desprendían. Ioanna gritaba: —¡Parece difícil que la Iglesia avance en la igualdad que profesaba Jesús! ¡Abandona sus enseñanzas y nos abandona a nosotras!

Sus gritos despertaron a sus huéspedes, quienes, hablándole suavemente, lograron arrancarla de las garras de aquella pesadilla.

XLII

SEBASTIÁN, CARDENAL DE MAGUNCIA

No podemos fiarnos de las apariencias.

Cardenal Francesco Secchi (814-868)

—Aunque el cardenal Francesco Secchi tiene una buena relación con el papa, después de tu intervención tendrá que enfrentarse abiertamente a los opositores que encabeza Michelato —Sebastián miró a Ioanna desde el lecho en el que descansaba—. ¡Él es el cardenal de Roma!, aunque también lo es Benedicto, que tiene mucha aceptación en el Colegio.

—Según parece, el próximo pontífice saldrá de Roma —dijo Hildegarde al entrar y sentarse en la orilla del camastro—. Señor obispo de Maguncia, todo apunta a que el próximo papa será el que ordenó la muerte de Petras Galanakis. Si se imponen los criterios de Michelato y Amin, desaparecerá cualquier posibilidad de que las mujeres participen en la jerarquía eclesiástica.

Sebastián iba a contestar cuando una voz femenina, con un suave acento extranjero, respondió desde afuera:

—La religión que están conformando es idólatra, irreflexiva e intolerante.

Ioanna y Sebastián se asombraron, sin embargo, Ioanna, que ya imaginaba a quién encontraría al otro lado de la puerta, brincó de su asiento, se precipitó a la entrada y abrazó con fuerza a la mujer envuelta en una bella túnica que la esperaba afuera.

—¡Zaira! ¿Cómo lograste encontrarme?

Sebastián e Hildegarde guardaron silencio mientras ellas se mantenían abrazadas. Cuando finalmente se soltaron, Ioanna la hizo pasar y la presentó. Más tarde, los cuatro se sentaron en torno a la mesa para compartir un poco del té que Zaira traía como obsequio. Les dijo que había llegado a Roma una semana atrás, enterada de la muerte de su hermano Mustafá; había emprendido el viaje después de que Maxentius se presentara con una carta de Sebastián de Maguncia dirigida al patriarca Ignacio. Localizarlos había sido cuestión de tiempo. El obispo la miró con recelo, sintiéndose vulnerable al ser encontrado con tanta facilidad; las muertes que habían ocurrido en los últimos días lo mantenían nervioso. Ioanna notó que su maestro se inquietaba y decidió cambiar el rumbo de la conversación.

—¿Por qué no le dices al obispo de Maguncia tu opinión sobre el Deuteronomio, Zaira?, recuerdo que hablamos al respecto en una de nuestras últimas conversaciones en los jardines.

—Ese libro bíblico apunta que no se debe caer en adulterio; sin embargo, los tres últimos papas lo malinterpretaron como «no cometerás actos impuros». En realidad, contiene un mensaje claro y preciso: no incurrir en el adulterio es mantener la fidelidad conyugal, ¡solo eso!, pero ahora están empeñados en convertir todo acto carnal en algo terrible. San Agustín conoció mujeres, vivió en concubinato, ¡amó a sus amantes! Pero acabó hastiado de sus excesos y emprendió una patética cruzada contra el cuerpo y sus apetitos, llamándolos monstruosos, diabólicos y enfermos. Y lo que siguió es peor: culparon a las mujeres, sus madres, hermanas y compañeras, de ser la causa de sus oscuras inclinaciones. Lo que están construyendo desde entonces es peor que la creación de Asmodeo o Satanás. ¡Y Jesús tampoco fue célibe! La naturaleza nos dio el placer sexual, ¿cómo podemos ir en su contra?, ¿qué clase de hombres enfermos estamos creando?

Zaira resultó cautivante para Sebastián. Durante una semana no asistió al Colegio Cardenalicio ni se reportó con Francesco Secchi o Pascasio de Narbona. Parecía que las ideas de la bizantina lo tuviesen atrapado y no pudiera resistirse. Quería aprovechar al máximo el tiempo que ella estuviera en Roma.

Una tarde, el cardenal Pascasio llegó hasta la colina. Encontró a Sebastián revisando algunos documentos con la musulmana.

—¡Ah!, tienen un *Arcanum Conventum* y no me han invitado —dijo él, cuando entró en la pequeña estancia.

—Zaira llegó de Constantinopla hace algunos días. Trabaja para el patriarca Ignacio; es una brillante comentarista del Corán —dijo Ioanna mientras le ofrecía al cardenal un banco de madera.

—Vengo bastante desilusionado de la sesión del Colegio —comentó el galo, aceptando el asiento—. Se está creando una especie de devoción alrededor de Michelato, a quien muchos desean colocarle la mitra; acercándose a él, los cardenales desean asegurar su futuro. Por eso me interesa lo que podamos exponer en defensa de nuestros puntos de vista. No es el momento de bajar la guardia, Sebastián; he venido para pedirte que no prolongues más tu ausencia.

Una solemne ceremonia dio inicio en el palacio de Letrán. El pontífice aprobó los límites fronterizos de varios reinados, entre ellos el de Sajonia. Resintiendo los embates de varias crisis de tos, hizo también un nombramiento bastante inesperado:

el obispo Sebastián de Maguncia sería, desde ahora, cardenal. Mientras el papa hablaba, el capitán de la guardia entró precipitadamente y, acercándose sin esperar anuencia, le informó:

—Estamos a punto de ser invadidos, hemos capturado a un árabe y, a cambio de su libertad, nos confesó que muchos sarracenos cabalgan hacia acá para atacarnos. No tenemos tiempo de organizar la defensa, su santidad.

El papa quiso responder, pero no pudo, se llevó las manos a la boca y empezó a toser sin contención. Entonces Ioanna se levantó y se dirigió rápidamente hacia las cocinas, donde sacó de su bolsa de cuero algunas plantas y raíces. Preparó un brebaje con valeriana, verbena y raíz de tercinaria, y esperó unos minutos, para que la mezcla se asentara. Entre tanto, la amenaza de invasión concentraba la atención de todos.

—¿Por qué no nombramos a un embajador de León IV para que se entreviste con los sarracenos? —preguntó el cardenal Pascasio, causando sorpresa entre los demás—. Seamos realistas, si los invasores proceden de Oriente, es conveniente que recurramos a alguien que garantice un acuerdo de paz. No hay mucho más que hacer; no podemos contra ellos.

—Nadie en este Colegio Cardenalicio tiene las cualidades para asumirse como interlocutor entre León IV y los árabes —intervino el cardenal Benedicto—. Mejor pidamos ayuda a los nobles.

—Lo que definamos puede causar la salvación o la desgracia del Vaticano —respondió el recién nombrado cardenal y buscó con la mirada a su secretario, que volvía a la sala con un mortero entre las manos—. Debemos designar a alguien que haya tratado con las tribus bizantinas. Todos aquí saben que esa persona existe y está entre nosotros.

Los murmullos y los alegatos llenaron las cuatro esquinas del espacioso salón; parecía como si los sarracenos hubieran entrado al recinto. Aprovechando el caos, Ioanna se acercó al pontífice y le ofreció la pasta de hierbas para calmar sus fuertes accesos de tos.

Cuando, finalmente, hubo un lapso de silencio, la joven tomó la palabra:

—Yo iré, si su santidad me lo permite, a conversar con los extranjeros. Como todos aquí lo saben, he estado en Bizancio, incluso conozco la lengua de quienes nos visitan el día de hoy, y puedo adelantarles que se sentirán en confianza cuando alguien les hable en su propia lengua —muchos de los presentes la miraron con asombro. Varios obispos y cardenales se ofendieron abiertamente, consideraban un atrevimiento que un simple secretario sin jerarquía se tuviera a sí mismo en tan alta estima. Algunos más pensaron que se trataba de un loco.

—¿Alguien de ustedes se siente más capaz que Ioannes de Maguncia para hablar con los sarracenos? —intervino el cardenal de Narbona.

—Solicito ante este Colegio y de manera solemne, que mandemos un contingente con Miguel III para que nos apoye —dijo el cardenal Michelato—. No conocemos a Ioannes y no sabemos nada de sus artes políticas; pueden resultar contraproducentes. Todos ustedes lo han visto atacarme sin recato, ¿hará lo mismo con los sarracenos?

—Sus señorías, seamos razonables, ¿cuánto tiempo nos tomará? Tenemos a los invasores afuera de la muralla, podría decirse que estamos sitiados —dijo el capitán de la guardia.

Entonces, una voz grave emergió del sitio en el que se encontraban los lugares asignados a los prestigiados consejeros papales; era Imanol Serville.

—No lo conoce usted, cardenal Michelato, pero yo sí. Ioannes es un religioso modesto y preparado; estuvo en el convento de Fulda con nosotros. En Atenas y Bizancio hizo una labor excepcional al trabajar cerca del patriarca Ignacio y el emperador Miguel III. Es el indicado.

El cardenal Benedicto de Roma lo secundó:

—Seguro será mejor interlocutor que cualquiera de nosotros.

—Con este embajador —dijo el cardenal Sebastián—, tendremos asegurado un buen acuerdo, pues el invasor apreciará y respetará su cercanía con el patriarca Ignacio.

—Creo que Sebastián de Maguncia ha expuesto el problema con claridad —afirmó Benedicto—. Necesitamos contar con un embajador a la altura de las circunstancias; no podemos esperar el apoyo de Miguel III o Ignacio, no tenemos tiempo. Además, necesitamos a alguien con categoría para representar no solo al Colegio Cardenalicio, sino al propio León IV.

En sus lugares, los cardenales Michelato y Amin se mostraban recelosos por las apreciaciones diplomáticas de sus compañeros, y temerosos de que eso les diera ventaja. Lombardi, un abierto difamador del pueblo árabe, se les había unido. Querían obtener la representación papal, pero las circunstancias los habían puesto en aprietos, debido a que todos sabían que Michelato tenía una antigua rencilla con Miguel III por exhibir en Bizancio sus andanzas extramaritales y llamarlo, públicamente, «Miguel el Beodo». Por su parte, el egipcio Abasi Amin había ofendido a la familia del patriarca Ignacio durante su estancia en Constantinopla.

El papa, que había escuchado serenamente la discusión, pidió silencio. Su voz era suave, a causa de la debilidad de sus pulmones:

—Con respeto, quiero hacer notar que entre cardenales y obispos no hay quien cumpla con los requisitos para hablar con los sarracenos. Fray Ioannes de Maguncia, quien ejerce la modesta labor de secretario, cumple con estas características, aunque no sea obispo y mucho menos cardenal; su falta de jerarquía es un riesgo, ciertamente, y los invasores pueden pensar que los menospreciamos. ¿Cómo determinar qué categoría corresponde a cada quien? El verdadero rango lo establecen los valores, conocimientos, cualidades y virtudes. Si bien no podemos acelerar el proceso para que alguno de ustedes logre las condiciones para representarnos, lo que sí está en nuestras manos es reconocer la investidura que la persona adecuada necesita para esta tarea y otorgársela a fray Ioannes, nombrándolo segundo cardenal de Maguncia, dignidad que ahora compartirá con su maestro. Es mi decisión. Gracias sus eminencias.

XLIII

PAPA LEÓN IV

Fray Ioannes ha vivido en la adversidad,
difícilmente se abatirá frente a un traficante.
Si queremos preservar el gozo
y la paz en nuestro corazón,
debemos apoyarlo.

Papa León IV (¿-855)

Con el nombramiento del segundo cardenal de Maguncia, el papa León IV terminó la sesión del Colegio Cardenalicio. Al sentir cercana la invasión y con el propósito de reducirle poder al clan Michelato-Amin, los cardenales Giuliani, Pascasio, Sebastián y Secchi se dedicaron a hablar con cada uno de los miembros del Colegio, quienes fueron adhiriéndose a la idea de crear un canal de comunicación entre quienes apoyaban a los maguntinos.

Ante la llegada de más hombres al contingente que amenazaba con sitiar la ciudad, esa noche se llevó a cabo una asamblea a la que el papa se disculpó por no asistir. Era claro que confiaba en Ioannes para que se ocupara de interceder frente a los invasores. Cuando terminó la reunión, el recién nombrado cardenal, visitó a su santidad.

—La presión de la sangre es muy alta, su excelencia. Recomiendo algunas caminatas para respirar aire puro y una dieta de frutas y verduras sin sal. Lo que usted tiene se conoce como «enfermedad del pulso duro», pero dadas sus condiciones no puede ser sangrado.

Un poco más tarde, por orden papal, el cardenal Giuliani presentó en el Colegio Cardenalicio un recuento detallado de las características de fray Ioannes con la finalidad de tranquilizar a los que aún dudaban de su capacidad como mediador. El maguntino hablaba anglo, germano, griego, latín y tenía nociones de algunos dialectos árabes. Había vivido en Atenas y Constantinopla. Los más sorprendidos eran Amin, Michelato y Lombardi, quienes murmuraban y hacían tantos aspavientos que varios empezaron a fijarse en ellos, mientras tanto, el pontífice entró, caminando lentamente hasta su silla.

—¿Quiere ir usted, cardenal Michelato? —preguntó ante la ola de murmullos que llenaban el salón. Al ver que no le respondía y que se le humedecían los ojos en clara muestra de rabia, añadió—: ¿Alguien se opone a que el cardenal Ioannes de Maguncia sea el comisionado?

El esfuerzo que hizo el papa al hablar, generó conjeturas no reveladas. A todos les quedó claro que su salud se había deteriorado en los últimos días. A pesar de ello resistió y nombró a su embajador papal, a quien se le dieron por cumplidos los grados de ostiario, lector, acólito, exorcista, subdiácono, diácono y sacerdote. La misión diplomática había sido asignada y se acercaba el momento del encuentro con los hombres que esperaban afuera de las murallas.

—Debemos actuar con exagerada prudencia —dijo Sebastián mientras caminaba al lado de los cardenales Ioannes y Secchi, hacia la salida del palacio. En cuanto quedaron solos, miró alrededor, escudriñando entre los matorrales y árboles que cubrían Aventino. Cuando se sintió seguro, con una voz que apenas se oyó, le dijo: —Si se enteran de que eres mujer, nos excomulgan y nos mandan a la cárcel Mamertina; quizá nos ejecuten frente a todos. Después de que negocies con los sarracenos, renunciarás al cargo.

Ioanna paró en seco, se corrió la capucha y miró fijamente a su acompañante:

—He luchado toda mi vida por esto. Juré incorporar a la mujer en la jerarquía eclesiástica y mira, la primera ha llegado a ocupar el sitio que le corresponde. ¿Quieres que ahora renuncie?, sabes que no lo haré.

El religioso supo entonces que ella no había cambiado. Pocos mejor que él conocían su determinación; jamás se detendría, aun a riesgo de perder la vida.

Al día siguiente, frente a la jerarquía pontificia, Ioanna agradeció su denominación con las palabras establecidas por el protocolo. Inmediatamente después, sin perder la oportunidad de generar una discusión que abonara a su causa, agregó unas palabras a su discurso:

—Que María de Magdala, *Apostola Apostolarum*, tachada injustamente de las páginas de la historia, guíe mis pasos en la honorable misión que ustedes me han confiado, señores cardenales.

Esa sorpresiva sentencia fue tomada por muchos como ocurrente. Algunos consideraron que el nuevo cardenal trataba de reducir la tensión causada por los sarracenos, poniendo sobre el tablero una pieza que los entretuviera en una discusión de carácter más bien doméstico.

—Es cierto lo que dice fray Ioannes, la historia ha sido modificada. Fue el papa Gregorio I quien tergiversó la imagen de la Magdalena —apuntó el cardenal Giuliani—. Sin embargo, es sabido que las pruebas escritas sobre los detalles olvidados de la vida de Jesús y sus apóstoles han sido destruidas poco a poco. Me gustaría preguntarle algo, fray Ioannes: ¿qué documentos posee para fundamentar lo que sostiene con tanta vehemencia?

—Yo también me lo pregunto —dijo el cardenal Benedicto, de quien era sabida su cercana relación con el emperador Ludovico—. ¿En dónde guarda tan valiosos manuscritos? —La pregunta la atemorizó. La imagen de Petras, cosido a puñaladas en las termas, le cruzó por la mente como un relámpago. Sin embargo, respondió:

—He viajado durante años, recopilando lo que he podido. Pero si he de mencionar una fuente importante, nombraría a Demetrio de Atenas. Por el momento, cardenal Benedicto, prefiero reservarme el sitio en el que se conservan los manuscritos.

—Conozco a Demetrio —dijo el cardenal Benedicto, moviendo la cabeza complaciente—, es un hombre sumamente docto y generoso, me agrada saber que es una de las fuentes en las que se sustentan las afirmaciones del cardenal Ioannes —los asistentes parecían interesados, pero fueron interrumpidos por el obispo Lombardi y el cardenal Michelato que, desesperados, se levantaron y señalaron al recién nombrado cardenal de Maguncia.

—Estamos por ser invadidos y nos ponemos a discutir sobre asuntos que fueron resueltos hace siglos —Michelato estaba rojo, apenas podía contenerse.

—Hemos respaldado a su santidad en conceder su nombramiento —dijo Abasi Amin—, pero lo hicimos para que interceda con los sarracenos, ¡no para que juzgue lo que ya ha sido juzgado un millón de veces!

Esa tarde, Ioanna asombró a los prelados y los guardias que la acompañaban cuando la vieron montar a caballo. Era tan hábil que Pascasio de Narbona no pudo más que felicitarla, mientras que León IV, desde su balcón, parecía fascinado como un niño. Sebastián y Giuliani montaron también, para acompañarla a las afueras de Villa Leonina. Llegaron hasta el sitio en donde algunos invasores descansaban recostados; Ioanna les habló, y uno de ellos le respondió que le avisarían al jefe para que se entrevistase con ellos.

—¡Griego!, mira dónde te encuentro. Rifat Tahsin se aproximaba a galope sobre un esbelto caballo árabe. Ioanna no se sorprendió. El hombre bajó del caballo con un solo movimiento, provocando que Giuliani se sobresaltara. Rifat echó a reír y tomó a Ioanna por el brazo, retirándose con ella hacia el sitio en el que se encontraban las tiendas. Los dos cardenales quisieron seguirlos, pero tres sarracenos les cerraron el paso. A unos cuantos pasos de distancia, una enorme porción del terreno estaba ocupada por hombres armados, que salían y entraban de sus tiendas, cocinaban, dormían o practicaban algunos movimientos con sus cimitarras.

—Te preguntarás por qué no me acompaña Hassan Sukur; está preso en Sumela. Un día, bajo los efectos del opio, confesó que engañaba a la organización y tuve que encerrarlo; eventualmente lo liberaré.

—Querido Rifat, tú apresaste a Mustafá Xifias, protegiéndolo de Sukur. Después se libró de ti y la tribu de Zenón Amán. Pues bien, aquí los *legionarii* lo asesinaron. Ahora te pido que, con la misma astucia con la que te presentaste frente al patriarca Ignacio, lo hagas con León IV.

—Tú sabes que no tengo gente suficiente, griego, pero te conviene hacerles creer a los cardenales que mi ejército es poderoso e implacable. Necesito el oro para mis hombres, los conoces, sabes que ellos estarán contentos y se retirarán tan suavemente que a ustedes les dará por extrañarnos. Mientras él reía, ella guardó silencio. Sabía que para aplacar las posturas en su contra, le convenía mostrar afinidad con el árabe. Y para controlar al traficante necesitaba hacerle ver que tenía la confianza de León IV.

—Solo detén a tus hombres, que los veo deseosos de atacar —dijo Ioanna causándole aún más risa—. No nos preocupa el oro, Tahsin, espera la negociación. Vendrá la guardia a escoltarte para que te entrevistes con el papa. Le dirás que vienes por el oro y que únicamente te retirarás si el Vaticano paga.

Al siguiente día, la luz de la tarde parecía pintar los altos pinos de Roma de un verde platinado que asombró a los extranjeros. Ioanna llegó hasta la entrada de la ciudad y, junto con otros cardenales, recibió al traficante musulmán y a dos de sus más allegados; caminaron a su lado hasta el palacio. La gente de Roma los miraba con asombro, aunque había quienes, sintiendo un franco desprecio por ellos, preferían cerrar las ventanas de sus casas. Después de recorrer las calles empedradas, llegaron frente a su destino.

—¡El papa desea hablar con usted! —gritó Abasi Amin desde uno de los balcones del edificio. Entraron. Ioanna nunca había visto a tantos sacerdotes reunidos, el salón estaba lleno y seguían entrando más. En cuanto llegó el pontífice, fue necesario abrirle paso a Tahsin hasta la silla papal. El ruido de los murmullos era atravesado por el sonido de las sandalias del traficante, quien una vez frente al pontífice, habló respetuosamente:

—Su santidad, sé que tiene problemas con algunas tribus. Nosotros las hemos combatido, también a los principales califas y a los más peligrosos emiratos. Tenemos un ejército poderoso allá afuera, todos son hombres fuertes. Podemos detener los ataques desde Sicilia hasta León y Navarra. Usted no tiene de qué preocuparse, así como alguna vez se edificaron las murallas de piedra que separan a la ciudad del campo abierto, ahora usted las levantará de nuevo, en un sentido político.

—Le daremos el oro que necesita en dos partes, su eminencia —dijo ella secamente, asombrando al traficante, que apenas se disponía a dar ese paso. El papa, también sorprendido, les pidió que se acercaran más. —¿A cuánto asciende el pago, señores?

—Hablemos en privado —dijo el traficante, indicando con una mano que les cedía el paso. En la entrada del salón privado de León IV, Tahsin detuvo al cardenal Sebastián de Maguncia, que los había seguido hasta ahí. Cuando cerraron las puertas él sonrió, recordando como, tiempo atrás, se había sorprendido ante las agallas de aquella novicia que exigía su estancia en el Monasterio de Fulda. Ahora, a casi veinte años de distancia, sostenía un cónclave con el papa y el mayor traficante de opio de Asia menor.

XLIV

MUERTE EN EL MONTE AVENTINO

Si yo no manejo la negociación,
será la negociación la que me maneje a mí.

Rifat Tahsin (800-866)

En cuanto se sentaron, el pontífice tuvo un fuerte ataque de tos. Se disculpó, diciéndole a su invitado que confiaba en que el cardenal Ioannes lograría un buen acuerdo; él estaba ahí para escuchar y aprobar. Sin embargo, no hubo discusión y la negociación duró apenas unos minutos; convinieron una suma mucho menor a la que el pontífice y los cardenales imaginaban. El árabe se retiraría con un primer pago, mientras León IV organizaba las arcas para disponer del oro destinado al segundo pago, evitándose así la invasión. El traficante, satisfecho, abrazó al cardenal y le regaló su anillo.

Al escuchar que desde las murallas se informaba que los sarracenos se disponían a retirarse, el papa se dirigió al cardenal Sebastián y a Imanol Serville, que lo acompañaban:

—El nombramiento del cardenal Ioannes le ha traído sangre nueva a la santa Iglesia. Estoy complacido por cómo nos liberó de la amenaza, por mucho menos de lo que imaginé que esto nos costaría. Ahora mismo y frente a ustedes, me comprometo a nombrar al cardenal Ioannes de Maguncia, notario de la Curia.

En el palacio de Letrán, el notario y cardenal Ioannes de Maguncia comenzó a hacerse acompañar a las reuniones del Colegio por Zaira de Constantinopla. Esto, por supuesto, generó un escándalo, pero el cardenal estaba en la cima de su popularidad y el papa cedió cuando supo que se trataba de una bizantina al servicio del patriarca Ignacio.

Una tarde, en el Sacro Colegio Cardenalicio y con solo la mitad de los cardenales presente, pues muchos habían huido a sus villas ante la posible invasión, dio inicio una disertación sobre los dogmas de la Iglesia, propuesta por los maguntinos. Después de escuchar las posturas de Abasi Amin y Benedicto de Roma, León IV señaló a fray Ioannes y le preguntó su opinión.

—Su santidad, en el evangelio de Mateo se dice que en la hora nona la tierra tembló, provocando que se partieran las piedras y los cuerpos de muchos resucitaran y salieran de sus sepulcros. Eso nunca ocurrió —con cuidado, moduló la voz para suavizar el comentario que haría a continuación—. Yo le pregunto, ¿cómo podemos probar la resurrección? Por siglos hemos impuesto dogmas a sangre y fuego, amenazando con la muerte a quienes los cuestionen y ni siquiera nosotros podemos comprobarlos. ¿Qué hay de la concepción?, sabemos que para los egipcios la antigua diosa Isis concibió a Horus siendo virgen, ¿es eso una coincidencia?

—¿Pero quién se cree este advenedizo, que cuestiona tan acremente los fundamentos sobre los que se sostiene nuestra madre Iglesia? —espetó el cardenal Michelato.

—No hay que cuestionar únicamente los dogmas de la religión, sino también a sus defensores e intérpretes —respondió ella, mientras colocaba unos papeles sobre la mesa—. Lino, el segundo papa, ordenó que las mujeres entraran a los recintos religiosos con la cabeza cubierta; el tercero construyó el primer oratorio; el cuarto impuso la palabra *amén*; el quinto instauró las siete diaconías; el sexto difundió el uso del agua bendita y la hostia; el séptimo estableció que el cáliz fuese tocado únicamente por sacerdotes; el octavo instituyó el ayuno durante las siete semanas de Pascua; el noveno determinó que debería haber grados en la jerarquía eclesiástica y proclamó la figura del padrino y la madrina en el bautismo; el décimo fijó la fecha de celebración de la Pascua, mientras que el undécimo decretó la prohibición hacia el clero de dejarse el cabello largo; el décimo segundo confirmó el matrimonio como sacramento —se había hecho un silencio total en la sala—… No quiero seguir, pero vean ustedes que en los dos primeros siglos los papas no buscaron difundir las enseñanzas de Jesús, ni siquiera se preocuparon por rescatar los documentos que detallaban al nazareno desde los doce a los treinta años de edad. Todo para ellos consistió en imponer reglas y control entre los fieles y el clero.

—¿Cómo te atreves? —intervino de nuevo Michelato, que seguía rojo, como de costumbre.

—No estoy siendo irrespetuoso, señor cardenal. Es momento de aceptar que hemos creado una institución políticamente poderosa, pero más bien alejada de la bondad y la misericordia de las que habló nuestro señor Jesús.

Después de un fuerte episodio de tos, León IV llamó a su asistente y le pidió que le sirviera un poco de la infusión de yerbas que fray Ioannes le había prescrito. Todos esperaron a que la bebiera; cuando le retiraron los enseres que le habían acercado, él volteó lentamente a mirarlo, con el rostro algo ensombrecido.

—¿Crees que a los pontífices lo único que les interesa es fortalecer la institución?

—No lo creo, su santidad, lo sé —dijo y agregó—. En cada concilio se alejan más de la vida frugal, la generosidad y el amor al prójimo. Se dedican solo a robustecer y enriquecer a la Iglesia.

La sesión concluyó con una fría despedida del pontífice; el clima lo estaba debilitando y esa tarde se dejó ver más débil que nunca. Cuando ella se acercó a ayudarlo a recorrer el salón en dirección de sus aposentos, él la tomó del brazo y se acercó diciéndole:

—Hay temas que no conviene abrir en el Colegio, Ioannes. No todos los cardenales están preparados para discutir la validez de los dogmas en los que creen ciegamente. Estás arriesgándote demasiado.

—Acepto su consejo, su santidad, trataré de ser cauto. Pero estoy convencido de que, en este Colegio, a mayor ignorancia mayor es el poder del dogma. ¿Qué sucederá con las generaciones venideras? ¿Se mantendrán amparadas bajo nuestra ala, o se darán cuenta de que hay un mundo de verdad y luz allá afuera? ¿Dejarán de tomarnos en serio?

Cuando Zaira y Ioanna regresaron a casa, la luna redonda y brillante se alzaba sobre las ramas secas de los árboles. Su argentina luz iluminaba los edificios, la superficie del Tíber y los rostros de las dos jóvenes que se apresuraban para huir del frío. Después de recorrer algunas calles, la musulmana le dijo:

—Pudiste aprovechar la oportunidad, con prudencia hubieras llegado más lejos. Parece como si creyeras que te queda poco tiempo para hacer lo que te has propuesto. Paciencia, Ioanna.

Al aproximarse al Aventino, vieron una columna de humo que se alzaba desde la parte más alta de la colina; Ioanna sintió que la fumarola le daba un abrazo sofocante. Las piernas le fallaron cuando constató que la casa de Sebastián e Hildegarde se incendiaba. Ella y Zaira subieron corriendo, con la esperanza de ayudarlos a extinguir el fuego, pero era demasiado tarde, las llamas habían consumido todo. Cuando Ioanna entró a la estancia, a pesar del calor abrasante, sintió un escalofrío al ver, tendidos en el suelo, dos cadáveres calcinados y un puñado de manuscritos quemados. No distinguió de quiénes se trataba; últimamente, Julio y Octavio se habían ocupado de vigilar los documentos mientras todos se ausentaban. Sebastián había estado en la reunión del Colegio, aunque se había retirado temprano. Hildegarde, en cambio, solía pasar los días en casa. Comenzó a desesperarse, y a pesar de que el fuego se había extinguido, el calor era tan poderoso que tuvo que salir para esperar que la temperatura bajara.

Hipnotizada, miraba las ruinas humeantes: un montículo ennegrecido de tablas y manuscritos cuyos pedazos, como mariposas de la muerte, alzaban su vuelo de derrota, cuando una mano le tocó el hombro; era Zaira, que la cogió del brazo y la llevó hacia un árbol. Lanzó un lamento desgarrador al ver a los dos indigentes que acababan de llegar y, compungidos, observaban la escena. Zaira la abrazó y la condujo a la casa vecina. El llanto la ahogó hasta que los gallos anunciaron el nuevo día con su canto.

Las exequias de Hildegarde y Sebastián se llevaron a cabo con gran solemnidad. Mientras caminaba detrás de los féretros, se hallaba sumida en un insoportable sentimiento de culpa por considerar que sus amigos habían sido asesinados a causa de aquellos documentos. Aún le quedaba la maldición del cofre, que se había salvado; y, entre el incienso y los sobrios cantos, se preguntó repetidamente si alguien moriría a causa de su necedad por conservarlo. El dolor de la pérdida era insoportable y se asomó, desbordando aquellos ojos grandes y expresivos, cuando las paladas de tierra cayeron sobre los dos ataúdes.

Varios religiosos, al notarlo, temieron que el joven cardenal perdiera el juicio de un momento a otro. Por su parte, el cardenal Secchi consideró que lo mejor era proteger a fray Ioannes de los enemigos que lo acechaban, por lo que al salir del cementerio, le pidió que se mudara a Letrán.

Durante los días que siguieron, evitó a los cardenales opositores. La atmósfera era tensa en los pasillos y la salud del papa se deterioraba cada día más. En medio de ese ambiente adverso, una mañana se presentó en el salón del pontífice. El guardia le dijo que anunciaría su llegada y dejó la puerta entreabierta.

—Dígale al cardenal Ioannes que su santidad no puede recibirlo —la voz era la del cardenal Amin. Fue entonces que aceptó establecer su residencia en el palacio. El papa estaba rodeado constantemente por cardenales interesados en sucederlo, como buitres en torno a un animal moribundo; convenía permanecer cerca. Zaira, por su parte, se quedó en la vivienda que quedaba en pie en el Aventino. Desde la ventana veía los restos de la casa de Sebastián, los consideraba un altar a la intolerancia. Ioanna se presentaba con frecuencia en aquel sitio para conversar con la única persona que merecía su confianza en aquellos días de oscuridad.

El clima invernal se fue recrudeciendo hasta que un día cayó una repentina nevada. A lo largo de aquella jornada, se propagó el rumor de que el traficante de opio venía de vuelta con un ejército de mercenarios recién reclutado, y se dirigía al Vaticano. El papa, preocupado, llamó al cardenal de Maguncia.

—Sé que culpas a más de uno por lo sucedido al pobre Sebastián y su compañera, aunque hay quien dice que todo fue por proteger menesterosos. Pero si tú aseguras que los nuestros los asesinaron, entonces hasta yo temo. Todo se ha complicado, Ioannes, ahora tenemos que enfrentar el nuevo asedio del árabe. Solo tú puedes hablar con él para negociar el segundo pago; yo estoy enfermo y no puedo encararlo, a estas alturas ya veo las alas de la muerte en el horizonte.

Se dirigía a la sesión del día en el Colegio con la cabeza puesta en el asunto de Rifat, cuando escuchó que alguien pronunciaba su nombre:

—¡Ioanna! —De inmediato recordó lo recomendado por Sebastián, horas antes de su nombramiento: compórtate, viste y piensa como cardenal. ¿Quién demonios se atrevía a llamarla así? Un escalofrío provocó que apresurara el paso hasta que oyó aquella voz, nuevamente: —¡Fray Ioannes!, permítame un momento.

Cuando volteó, se encontró con Lamberto de Sajonia, que la miraba con su espléndida sonrisa desde el fondo del pasillo. Caminaron juntos y en un breve intercambio de información, ella comprobó que, sintiendo próximo el fallecimiento de León IV, Amin y Michelato habían convocado a varios nobles de distintas regiones para apoyarlos en la sucesión. Ella, por su parte, tratando de contenerse, le informó del asesinato de sus amigos. Se separaron en la puerta del salón donde se reunía el Colegio.

—Te veré al atardecer en la casa del Aventino —dijo él, y se retiró sin dejarla responder.

Aunque los asuntos a tratar en la reunión fueron concisos, durante toda la deliberación estuvo dispersa, pensando en que Lamberto se encontraría a Zaira. Los cardenales tuvieron que repetirle algunos de los acuerdos y achacaron su falta de atención al terrible duelo por el que atravesaba. Cuando Benedicto de Roma dio por terminada la reunión, ella se apresuró a cambiar sus ropas por el hábito benedictino y se dirigió a la casa del Aventino. Cuando abrió la puerta, él ya estaba ahí. Con apenas esfuerzo, consiguió que su compañera se mudara a un cómodo cuarto cerca de San Juan de Letrán; lo había hecho de muy buena gana, casi divertida.

Después de encender la chimenea para deshacerse del frío que se apoderaba de la estancia, se sentaron uno frente al otro. Él abrió una garrafa de vino que había traído desde su tierra; apenas lo probaron. Se besaron con desenfreno, envolviéndose en el deseo que había quedado suspendido por tantos meses.

XLV

IOANNES ANGLICUS

Hay instantes en que comprendemos
lo que no entendimos en años enteros.

Embajador Lamberto de Sajonia (816-862)

Despertaron tarde y se amaron de nuevo hasta que ella recordó
que el Colegio Cardenalicio se reuniría temprano aquel día.
Se aseó apresurada y se dirigió al palacio. Al terminar la reunión, el pontífice le solicitó que se quedara en la sala; cuando
se le acercó lo vio cansado y con los ojos vidriosos. Él le habló,
tomándola de los brazos como si estuviera a punto de caer de
espaldas en un vacío insondable:

—Cardenal, nuevamente llegan los sarracenos; he sabido
que están cerca. No podemos darles oro cada vez que vengan y
no tenemos ejército para enfrentarlos. He hablado con el cardenal Michelato, tal vez debamos recurrir a los nobles.

—Su eminencia, el sarraceno cumplirá su palabra y yo
cumpliré la mía; prometí negociar con él y así lo haré cada vez
que sea necesario. Su gran temor es que, con nuestra presencia
en el territorio que le interesa, obstaculicemos su tráfico, pero

lo convenceré de que nos mantendremos al margen. Él entenderá que nosotros necesitamos construir iglesias para consolidar nuestra fe, y que eso no es una amenaza para su gente.

El papa asintió aliviado y se recargo sobre sus hombros para incorporarse. Antes de desaparecer por el pasillo que conducía a sus habitaciones, le aconsejó:

—¡Cuídate bien, Ioannes!

Esa tarde, Tahsin llegó con sus hombres frente al Vaticano, se reunió con el cardenal de Maguncia y aceptó detener el asalto, pero presionó con el segundo pago en oro para que su gente no saqueara ninguna iglesia.

Por la noche, con una carpeta repleta de documentos notariales, Ioanna salió rumbo al Aventino; ya no encontró a Lamberto; había regresado a Sajonia dejando una breve nota. Pensó que así serían sus encuentros: fugaces e inciertos. Cerró la casa y volvió a Letrán, donde no había tantos recuerdos dolorosos.

Las negociaciones con el traficante fueron el tema principal de las siguientes reuniones del Colegio Cardenalicio. La intención del clero era clara: deseaban evitar la invasión y después ocuparse de la inminente sucesión pontificia.

—No deseamos satanizar a nadie —dijo el cardenal Benedicto, alzando la voz para ser escuchado—. Si empezamos con divisiones, difícilmente presentaremos una postura sólida frente a los bárbaros y vendrán por más pagos.

—De acuerdo, cardenal Benedicto. Sabemos que cualquiera que contradiga al Colegio no únicamente será excomulgado, sino calificado como antipapa. Les informo que la negociación con el cabecilla sarraceno ha sido ardua. Como notario de la Curia, puedo decirles que el pago será menor y que en estos días lo tendremos cubierto. Ahora, les propongo que regresemos al rescate de las aportaciones ignoradas que pueden ayudarnos a volver a la esencia del cristianismo en estos tiempos difíciles. Hablemos de Marción, Tertuliano y Novaciano.

La sesión fue abruptamente interrumpida por el secretario del pontífice. Con la voz entrecortada, anunció:

—Su santidad, el papa León IV, ha fallecido.

El silencio se apoderó del salón, encubriendo incluso cualquier suspiro. Las miradas de los cardenales se transformaron de la sorpresa al temor, dadas las intrigas que rondaban el proceso de sucesión. Unos a otros se veían, tratando de escudriñar los pensamientos ajenos. Imanol Serville fue el encargado de transmitir al Colegio las disposiciones que el pontífice había indicado para su sepelio.

El funeral, *De corpore insepulto*, de León IV duró nueve días y, como indicaba la costumbre, fue enterrado después de la exposición de su cuerpo en el patio del palacio de Letrán para que la feligresía lo venerara.

En las reuniones posteriores, el tema de la sucesión fue imponiéndose frente al de la invasión. Una tarde, después de arduas discusiones, el jefe de la guardia interrumpió a Ioannes en sus aposentos, informándole que había llegado un embajador enviado de Ignacio, patriarca de Constantinopla y jefe máximo de la Iglesia ortodoxa; quería hablar frente al Colegio.

Un día después, un hombre de barba cerrada y oscura se plantó frente a los religiosos:

—Soy representante, no solo del patriarca Ignacio, sino también del emperador Miguel III. Traigo la encomienda de comunicar el pésame por el fallecimiento de León IV, el creador de la ciudad leonina, así como de apoyar al Sacro Colegio Cardenalicio para negociar con las tropas invasoras.

Disimuló su sonrisa, cuando reconoció a Hassan Sukur desde su asiento; Tahsin lo había liberado. Ahora, juntos, presionarían por el segundo pago y la vía libre en la ruta del opio. Aunque algunos se extrañaron por la presencia de ese representante que portaba una cimitarra enorme, a todos les agradó el mensaje. Ese día, la lucha por la sucesión pasó a segundo plano, no habría tal mientras la amenaza sarracena fuera inminente.

—Jesús nos ha escuchado y nos envía un ángel salvador —dijo Benedicto, para que los cardenales consideraran las palabras de Sukur.

La asamblea siguiente comenzó con una serie de reproches, acusaciones y recriminaciones entre los bandos que dividían al Colegio. Cuando el cardenal Benedicto logró imponer silencio, el principal tema fue la amenaza de Rifat Tahsin. El cardenal de Maguncia les hizo saber que, mientras no solucionaran el asunto, no habría condiciones para la designación del nuevo pontífice. En ese mismo momento, el embajador bizantino solicitó una entrevista con el cardenal de Maguncia para entregarle una comunicación recién llegada de Constantinopla. Abandonando la reunión, cuando apenas tenía media hora de comenzada, se encontró con Sukur, en una habitación contigua; este le preguntó por el destino de Xifias con una amplia sonrisa en los labios.

La negociación le tomó varias horas; no habían terminado cuando el cardenal Giuliani logró irrumpir y le dijo a fray Ioannes que el Colegio solicitaba que se reintegrara a la sesión.

—Llevo dos reuniones al mismo tiempo, ¿es necesaria mi presencia?

—Me pidieron que lo llevara, cardenal Ioannes; es importante.

Al llegar, cerraron la puerta y un guardia custodió la puerta. En ausencia del cardenal de Maguncia, se había decidido la sucesión. Ioanna no entendía lo que estaba pasando. En cuanto todos se sentaron, el cardenal Secchi se puso de pie y anunció el resultado de la votación. Solamente hubo dos votos en contra, los de Amin y Michelato. El primero permaneció en la sala con la intención de saludar al nuevo pontífice, mientras que el otro salió sin despedirse.

—*Per acclamationem seu inspirationem, per compromissum, et per scrutinium* (Por aclamación o inspiración, por compromiso y por escrutinio), el sucesor del papa León IV será el cardenal Ioannes de Maguncia, quien será distinguido como Ioannes Anglicus.

Mientras los parroquianos se agolpaban frente al edificio, los cardenales hicieron instalar una chimenea con paja seca en el patio. Aunque ya estaba definido, los feligreses aún aguardaban expectantes, por momentos en silencio o cantando himnos y dirigiendo sus oraciones al cielo gris, el resultado de la resolución. Cuando anunciaron que había nuevo pontífice, los miembros de la guardia prendieron la paja y una fumarola blanca se elevó, provocando la algarabía de la multitud. Conforme recibía felicitaciones, Ioannes Anglicus estrechaba las manos de sus colegas y sonreía suavemente. Nadie imaginaba que, en lo profundo de aquellos ojos claros, se agolpaba, furiosa, una marejada de recuerdos, pensamientos y emociones. El nuevo papa pensó que se iba a desplomar.

En cuanto todo Roma supo la noticia, Rifat Tahsin solicitó audiencia. Entre el repique de las campanas, que apenas permitía escuchar la conversación, el cardenal Giuliani le respondió que debería esperar a que se llevara a cabo la investidura a la que, por su carácter privado, no podría asistir.

Mientras organizaban los preparativos, Ioannes buscó hablar

con Michelato. Sabía que estaba enfadado y creyó conveniente propiciar el acercamiento que le había parecido impensable como cardenal y ahora, como pontífice, consideraba necesario. Sin embargo, su opositor no aparecía; su descontento era demasiado grande. A quien sí encontró fue al cardenal Pascasio de Narbona, el cual, dándole un largo abrazo, le confesó:

—Marcelo Michelato y Abasi Amin desean perjudicarte; en cuanto hayas despachado el asunto de la invasión, buscarán deshacerse de ti. El obispo Lombardi no es de peligro. Si se enteran de que te he dicho esto, es seguro que me matan.

—Es muy grave lo que dices —respondió tomándolo por los hombros y mirándolo directo a los ojos—. No podrán eliminarme tan fácil, Pascasio, soy el papa.

Al día siguiente, mientras se celebraba una misa votiva, el cardenal Michelato entró al refectorio donde Pascasio de Narbona esperaba sus alimentos a la hora acostumbrada según su rigurosa costumbre. Se dirigieron la palabra brevemente, y el primero se limitó a acompañar a su compañero mientras comía y luego a esperar a que se quedara dormido para llamar a cuatro hombres que lo cargaron de pies y manos subiéndolo a un carro. En tanto, en la capilla, a una sola voz, obispos, cardenales y miembros del clero regular, invocaban al Espíritu Santo con el canto *Venite Creator*.

Un par de horas más tarde, mientras Ioanna elegía los hábitos, la cruz de pedrería, el solideo y el birrete, Zaira se presentó en sus aposentos. Había visto que varios hombres cargaban el cuerpo inerte del cardenal de Narbona, quien a una legua de ahí, ya se encontraba montado en un caballo, con una soga al cuello. Michelato le dio un rosario y le preguntó, por última vez, en dónde guardaba los manuscritos. Ante la respuesta negativa, golpeó las ancas del animal. Pascasio quedó colgado, forcejeando y tratando de deshacer el nudo desesperadamente. Dos hombres se acercaron a jalar de sus piernas, y se quedaron así, tirando del cuerpo, hasta que dejó de moverse.

Ella ya lo buscaba, y llegó guiada por la guardia, a una arboleda a orillas del Tíber, no muy lejos del palacio. Se detuvo al ver las cuentas del rosario regadas sobre el suelo congelado. Al levantar la mirada vio, suspendido su cuerpo, moviéndose como badajo de campanario. Sin permitir que el dolor que atenazaba el corazón de Ioanna se interpusiera, el pontífice miró con ojos fríos a los miembros de la guardia que lo rodeaban:

—No deseo más muertes, pero quien hizo esto lo pagará de la misma manera.

El servicio fúnebre llenó la sala del Colegio Cardenalicio, y el santo padre mostró su consternación por el asesinato del cardenal:

—Pascasio de Narbona, un hombre leal que amaba a nuestra Iglesia, ha muerto como un mártir, entre manos viles y traidoras. Ahora estamos aquí, despidiendo su cuerpo, en lugar de estar luchando con su ayuda para librar a nuestra ciudad de la invasión que la amenaza. Quienes cometieron este acto debilitan nuestra unión y le dan oportunidades a nuestros enemigos —hablaba con una autoridad que los cardenales nunca habían visto en León IV. Después del funeral, Ioannes Anglicus se reunió, a puerta cerrada, con Rifat Tahsin; refrendaron el pago, el retiro de los agresores y la no intervención de la Iglesia en los negocios del sarraceno.

A pesar del viento frío, el domingo siguiente salió el sol, anunciando que el invierno comenzaba a ceder. Desde temprano, religiosos, gentiles y nobles llegaron a la capilla del palacio a saludar al nuevo pontífice. Entre ellos se encontraba Lamberto, representando al reino de Sajonia. El joven embajador bajó

337

la mirada cuando Ioannes de Maguncia pasó junto a él. Era mediodía cuando el cardenal Giuliani se puso de pie; en ese instante todos lo hicieron:

—*¿Acceptasne electionem de te canonice facta in summum pontificem?* (¿Aceptas tu elección canónica como sumo pontífice?) —Ioannes dio su consentimiento.

—*¿Quomodo vis vocari?* (¿Con qué nombre quieres ser llamado?).

—Ioannes Anglicus.

En ese momento, el cardenal Stefano Giuliani se dirigió a los feligreses:

—*Annuntio vobis gaudium magnus ¡habemus papam!* (Os anuncio una gran alegría, tenemos papa), el eminentísimo y reverendísimo señor Ioannes Anglicus, para la nomenclatura cardenalicia, Ioannes VIII.

El cardenal Benedicto de Roma le colocó la mitra en la cabeza, sobre el solideo, y le dio el báculo y la corona de tres arillos. Los demás cardenales se postraron para jurar respeto y obediencia al nuevo pontífice. En un acto concertado, Tahsin hizo que dos de sus hombres tocaran trompetas mientras él esperaba que el nuevo papa se asomara por la muralla para hacer descender su espada en un acto de sumisión frente a su santidad. Por la tarde, cuando el santo padre hizo presencia en el límite de la ciudad, los sarracenos se retiraron.

Conforme transcurrían los días, ejercía más poder sobre las decisiones políticas. Las comisiones y los nobles quedaban impresionados por su amabilidad, presencia y trato cortés. Su fama se extendió rápidamente a los reinos vecinos. El gobernador de Umbría solía decir que más que papa era un ángel, y que en vez de Anglicus, debía ser llamado Angelicus. Por su parte, el patriarca de Venecia le confesó al pontífice que, en aquella provincia norteña, lo nombraban de ese modo.

—Mi padre, Gerbert, era un religioso inglés. Muy joven, salió de la isla buscando difundir el evangelio en las fronteras de la cristiandad. Así llegó a Ingelheim en Maguncia. Mi madre, Judith, me trajo al mundo en el año del Señor de 822. Ese es mi pasado, pero si el amado pueblo de Venecia desea llamarme Angelicus, puede hacerlo.

Habían pasado pocas semanas desde la elección, cuando el cardenal Secchi le asignó al papa un ayudante personal; se trataba de un joven delgado y un poco tartamudo llamado Floro. Su debilidad física era una ilusión, pues a su corta edad había viajado como mensajero hasta los confines de Occidente y contaba también con un naufragio en su experiencia. La primera encomienda que el pontífice le hizo fue la de viajar a Atenas para regresar a Roma acompañado de Demetrio, Frumencio y su familia. Pese a detentar el cargo de vicario de Cristo, Ioanna se sentía sola y amenazada. Después de perder a casi todos sus aliados y amigos, necesitaba cobijarse entre gente de confianza. Como pontífice, en cambio, había sabido rodearse de hombres valiosos. Secchi en poco tiempo se convirtió en su mano derecha, mientras que Benedicto, en el notario de la Curia. Paralelamente, los cardenales Amin, Michelato y algunos obispos se mantenían unidos y cautos.

Por aquellos días presidió una reunión en el Colegio con la finalidad de resolver asuntos prácticos. Quiso saber cuáles eran las condiciones para exhumar los restos del sepulcro del papa Zacarías. Después, a pesar de la inconformidad de algunos cardenales y ante el retiro de Imanol Serville, le asignó oficialmente el puesto de secretario al cardenal Secchi. Al terminar, cuando se disponía a tomar un descanso, un guardia irrumpió en el oratorio privado del pontífice y le informó que un hombre que decía ser su hermano esperaba que le diera audiencia.

Se encontraron en privado. Marco había cambiado tanto que tardó en reconocerlo, un par de lunares terminaron por dejarle en claro que se trataba de él. Con su abrazo, deseaba retener para siempre a su pequeño hermano de pelo ensortijado y mirada retadora al que había dejado de ver una mañana helada en la boscosa Maguncia, varios lustros atrás. En cuanto supo que los lombardos asesinaron a sus padres y a Juan, tuvo que sostenerse de la mesa; de pronto, el goce de reencontrarlo se volvía agrio. En sus ojos reconoció la mirada de su madre y una grieta se le abrió en el corazón.

—Fue tan corto su amor y tan larga su ausencia, querido Marco —un silencio cayó sobre ambos hasta que, sobreponiéndose, le preguntó—: ¿Cómo supiste que el papa era tu hermana? Rompieron a reír. Pese a que habían pasado tantos años tenían la sensación de conocerse bien.

—He visitado muchas veces Roma y en una de ellas tuve la oportunidad de estar cerca de una procesión. Vi tu mirada y saqué mis conjeturas, soy bueno recordando rostros. Además, recuerda que vestías un hábito de varón el día que te despediste de nosotros —después de agasajarlo con una copiosa comida, se despidieron; él debía regresar a Maguncia con mercancía para vender.

Durante el abrasador mes de junio la concurrencia no se abochornaba tanto por la temperatura como por las intervenciones del papa sobre la necesaria incorporación de la mujer en la jerarquía eclesiástica. En las reuniones con el pontífice comenzaron a estudiarse, casi a diario, cartas y documentos que algunos cardenales proporcionaron, y en los que se vislumbraban detalles y nuevas pistas sobre la vida de Jesús; muchos de esos manuscritos iluminaban la relación que había sostenido con María Magdalena.

A pesar de la resistencia de Michelato y sus seguidores, muchos abrazaron con entusiasmo la oportunidad de incursionar en la historia ignorada y perdida, como fue el caso del cardenal Giuliani, quien una tarde se empeñó en recordar el carácter subversivo del hijo de Dios:

—Jesús, ante todo, fue un transformador. La condena de los sumos sacerdotes y el Sanedrín lo demuestra —dijo ante el pleno—. Consulten las actas de Pilatos y vean, señores, cómo aquel hombre fue asesinado por sus ideas de igualdad y justicia.

—Eso no es del todo exacto —respondió Abasi Amin—. En san Pablo leemos que Jesús era el hijo señalado, razón por la cual los judíos le fraguaron acusaciones.

—Pablo, el verdadero creador de las jerarquías, inventó su propia idea de cristianismo —afirmó Zaira, que ahora participaba libremente de las reuniones, ante la indignación de muchos, aunque el pontífice, sin darles importancia, siempre le permitía continuar—. Si Jesús no era un guerrillero zelote, ¿por qué lo crucificaron cuando nada más lo hacían con rebeldes, alborotadores y ladrones? En Mateo podemos leer las palabras del nazareno: «no piensen que he venido a traer paz a la tierra, sino la espada, he venido a enfrentar al hombre con su padre, a la hija con su madre, a la nuera con su suegra». Lucas, por su parte, escribió: «entre nosotros los pobres y ustedes los ricos se interpone un gran abismo». Ahora les pregunto, sus eminencias, ¿por qué se empeñaron en desaparecer los evangelios de Nicodemo, Felipe y María Magdalena? ¿Será porque contienen perlas tan brillantes que opacan las ideas que ustedes han decidido sostener como verdaderas?

Muchos decidieron salir del salón. Al dar por terminada la sesión, el papa les pidió a la bizantina y al cardenal Giuliani que se quedaran. A solas les advirtió que fueran prudentes, sus intervenciones habían inquietado a varios y no deseaba más divisiones en el Colegio. Les recordó que antes de ser el jefe de la Iglesia, varios le habían aconsejado moderación. Ahora lo entendía: para lograr algo en aquel ambiente hostil, había que andarse con pies de plomo.

Esa noche, mientras Ioanna caminaba acompañada de Zaira, llegó Floro con informes de su viaje.

—Querido Floro, me alegra que hayas vuelto con bien. Quisiera saber muchas cosas sobre tu travesía, pero antes de cualquier cosa dime: ¿qué es de mis amigos?

—No quieren salir de Atenas, su santidad, hablé con ambos. Demetrio dice que es demasiado viejo para abandonar a sus hijos, los manuscritos; mientras que Frumencio tiene cinco hijos de carne y hueso.

Ioanna posó la mirada lejos, sin observar nada en particular, entrelazó los dedos de las manos dentro las mangas del alba papal y se rio.

XLVI

EL COFRE

No debemos permitir
que la Iglesia borre de la historia
a una mujer que luchó
contra la injusticia toda su vida.

Zaira Xifias (819-889)

Una tarde luminosa, visitó la iglesia de Santa María, en el monte Capitolino; ahí tuvo la paz que no había conocido en varios meses y, mientras disfrutaba del silencio, del olor a incienso y a madera, recordó que necesitaba preparar una ceremonia para abrir el cofre de Teodoro y depositar los restos de la osamenta de Zacarías en el sitio que les correspondía. De vuelta al palacio le pidió a su secretario que le mostrara las pertenencias del papa griego, fallecido 105 años atrás. En San Juan y frente al sepulcro, observó la vestimenta papal, cogió el solideo y, sintiendo su textura con la punta de los dedos, recordó que Galanakis le había dicho que el original tenía bordada una zeta en el reverso. Sintió un golpe de calor en las mejillas, al comprobar que no tenía la marca.

—Cumpliré el deseo de Teodoro, mi mentor —dijo al ver que el cardenal Secchi guardaba los ropajes de Zacarías—.

Organiza una ceremonia solemne, abriré el cofre que me ha acompañado por años. Que Dios me acompañe en esa tarea.

A pesar de sus cargas de trabajo, siempre encontraba la manera de hacer largas caminatas. Cuando no tenía audiencias públicas o visitaba conventos e iglesias, asistía a las reuniones del Colegio. Cierto día, en el pleno, una intervención llamó su atención; por su propia iniciativa, el cardenal Benedicto de Roma abordó el tema de las mujeres en la vida de Jesús.

—Mucho ha argumentado Zaira de Constantinopla que Jesús era zelota o esenio —dijo el pontífice señalándola—. ¿Por qué no considerar que era un religioso judío?; sabemos que por regla general se casaban y tenían hijos. Al considerarlo un asceta célibe, estamos relegando a su compañera, y con ella, a todas las mujeres del género humano, rebajándolas a ser simplemente el origen del pecado. Quizá, más que zelota, el nazareno fue parte de los esenios, conocidos por su vocación de curar los males físicos y morales.

—El cardenal Sebastián guardaba escritos que no alcanzaron a quemarse, y Pascasio de Narbona tuvo la precaución de recuperarlos y entregarlos a Anastasio, el bibliotecario, poco antes de ser asesinado —Zaira se había levantado para hablar—. Gracias a esos testimonios, y otros más, sabemos que Jesús siempre se hizo acompañar por mujeres, y ellas fueron tan reconocidas que incluso hoy, aquí, pueden ser nombradas: María, Juana, Verónica, Susana y Magdalena.

—La idea del celibato ha opacado el cristal con el que miramos la vida de Jesús y, por lo tanto, nuestro origen como cristianos —Ioanna hizo una pausa y trató de buscar la mirada de los religiosos más recalcitrantes—. ¿Sería tan oneroso para el Vaticano aceptar que los sacerdotes tengan esposas?

Michelato se levantó y alzó la voz desde su sitio, al fondo de la sala: —¿Plantea que las mujeres sean incluidas en la jerarquía o solo que nos encarguemos de la manutención de esposas e hijos?, ¿o ambas, su excelencia?

—Deseo que, como integrantes de este Colegio Cardenalicio, nos propongamos incluir a la mujer en la jerarquía eclesiástica, cardenal.

—La Iglesia, su santidad, debe conservarse como un lugar sagrado para la congregación —dijo Abasi Amin, logrando que muchos le prestaran oídos—. Imagine usted a las señoras cardenales cuidando a sus críos mientras ofician misa —muchos se rieron, pero el pontífice no alteró un solo músculo de su rostro.

—No le veo la gracia, señores cardenales. Varios de los presentes ofician misa sin que sus hijos corran por el altar.

En ese momento, Floro se acercó y, al oído, le avisó que Frumencio esperaba audiencia. Se levantó, y con ello se pospuso la reunión del Colegio.

—¡Frumencio! ¿Qué te hizo venir?, es bueno verte. Últimamente he tenido tan malas noticias de quienes aprecio que te pido: si Demetrio murió no me lo digas, lo asimilaré sin escucharlo.

—Entonces guardaré silencio. Decidí hacer este viaje cuando supe que el nuevo pontífice era un benedictino llamado Ioannes de Maguncia; quise verlo con mis propios ojos —ella le pidió que se quedara un tiempo para encargarse de supervisar la construcción de una institución para mujeres a la que denominó escuela de Santa Catalina, así como la edificación de la Casa del Desamparado, pensada para albergar a cientos de menesterosos. Sin embargo, una semana después lo encontró visiblemente desvelado y temeroso.

—Conversé con Zaira. Por ella supe que unos poderosos cardenales mandaron quemar la casa de Sebastián e Hildegarde, con ellos dentro, y que han asesinado a otros. Tengo familia, Ioanna; regresaré a Atenas —le dijo acercándole una talega llena de manuscritos—. No deseo arriesgar mi vida, así que te entrego estos testimonios y regreso con mis hijos.

—Frumencio, llévalos contigo. Es cierto, aquí hay hombres desbordados por el odio y todo documento valioso corre peligro. Regresa y enriquece la biblioteca con estos y otros más que te daré; allá estarán seguros. Aquí en Roma el cardenal Anastasio e Hincmaro, arzobispo de Reims, son los encargados de recopilar testimonios, y prefiero que algunos queden resguardados en Atenas; que nadie lo sepa. Te deseo buen viaje.

Frumencio salió antes del amanecer. Desde su habitación, Ioanna escuchó las pisadas de su caballo y pensó que retirar algunos documentos del Vaticano había sido la mejor decisión. Sin embargo, cuando se disponía a vestirse un presentimiento la asaltó, quizá Michelato, Lombardi o Amin lo hubieran visto partir. Intempestivamente salió de su habitación y buscó al jefe de guardias para que siguiera a su amigo y lo condujera hacia un puerto seguro. Más tarde, cuando el papa se disponía a comer con el cardenal Secchi, Floro se presentó junto con el jefe de guardias.

—Llegamos tarde, su santidad. Frumencio mató a uno, hirió a otro y continuó su huida. Nos lleva ventaja y preferimos informarle —llevándose las manos a las sienes, recordó que los manuscritos arrastraban consigo a quien los custodiaba; parecía que la verdad no podía ir acompañada sino de la mano de la muerte. Frumencio de Maguncia, quien nunca había matado, lo había hecho ahora que tenía familia.

Durante aquellas semanas el pontífice le informó al embajador Lamberto de Sajonia su deseo de organizar un concilio y le pidió que consultara con la nobleza para dicho propósito. Él hizo varios viajes para convencer a Lotario I y a los duques de apoyar su realización, y cada vez que regresaba le informaba de los avances logrados. Sin embargo, su entusiasta e incansable actividad rumbo a la ejecución del concilio se vio truncada: una mañana comprobó que estaba embarazada. Sabía que si sus detractores se enteraban, la encarcelarían o la ejecutarían sin juicio. Dejó de dormir por las noches, y aunque deseaba ocultarlo, su comportamiento se había vuelto errático y nervioso; un hormigueo subía por sus venas y le recorría todo el cuerpo, estremeciéndola sin dejarla un momento tranquila. Una tarde, mientras hacían uno de sus acostumbrados paseos, Zaira le preguntó qué le ocurría y ella se quebró en un llanto incontrolable; le confesó la verdad entre sollozos. La musulmana, serena, le hizo saber que si abortar era la solución, ella le ayudaría. Juntas hicieron los cálculos y supieron que vendrían días difíciles.

Una semana más tarde, su secretario le informó que la exhumación del papa Zacarías estaba próxima a celebrarse; era necesario, por tanto, que el Sacro Colegio Cardenalicio aprobara el protocolo y que los ortodoxos griegos estuvieran presentes. Sepultar la osamenta que Teodoro le confiara una noche helada en los bosques de Siegen, le representó una tregua de la angustia que la asfixiaba. La ceremonia del papa Zacarías sellaría la promesa que había arrastrado durante años, a veces como una condena, y siempre como el combustible que encendía en ella la llama de la búsqueda.

Transcurrieron varias semanas para que los enviados del Vaticano lograran rastrear a los descendientes de Zacarías con la intención de llevarlos a Roma. Mediante una búsqueda asistida por Frumencio, quien había logrado llegar a salvo a casa, los encomendados encontraron a dos de sus nietas, que vivían en Atenas. Cuando todo estaba listo para devolver el solideo y parte de la osamenta al sepulcro, la naturaleza se manifestó, haciendo que ella se preguntara, como tantas otras veces, si la caja de Teodoro contenía la ira divina en su interior: una tarde, una nube de langostas se presentó en la ciudad, devorando los sembradíos aledaños. La desgracia duró días en los que el vuelo de los insectos parecía oscurecer el sol por momentos.

La calamidad obligó a Lamberto a organizar el envío de trigo a las zonas más alejadas, pero la plaga devoraba todo a su paso, dejando hambre y desolación. Algunos cardenales aseveraban incluso que las langostas envenenaban el aire. Cuando ella lo supo, salió a la plaza y se dirigió a la multitud que se congregaba para pedir un milagro:

—Hermanos, este infortunio es como una inundación o la erupción de un volcán, no podemos luchar contra la naturaleza; en algún momento las langostas se irán y cuando eso ocurra nos ayudaremos entre todos —como si las palabras del pontífice hubieran sido escuchadas por los insectos, al día siguiente la plaga cedió terreno, después de lo cual solo quedaban los campos devastados.

Finalmente, una mañana frente a los miembros del Colegio Cardenalicio y las ancianas parientes de Zacarías, dos soldados abrieron el ataúd que yacía en el sepulcro. Los restos mortuorios parecían encontrarse completos y, al contemplarlos, Ioanna se inquietó. Tras cubrir la osamenta con una manta de color púrpura, abrió la caja de Teodoro. Dentro se encontraba el solideo con la letra zeta en el reverso y, en lugar de restos óseos, había varios manuscritos envueltos en piel, acompañados por una cuartilla que leyó en voz alta:

—*Episcoporum status de caelibatu et excommunicatione atque in ecclesia mulieris pars, defensa themata a Theodoro Siegeno. Vicus Siegenus A.D. DCCCXXXV* (La postura de los obispos sobre el celibato y la excomunión y el papel de la mujer en la Iglesia son temas defendidos por Teodoro en la aldea de Siegen, año del Señor 835).

Una vez terminada la ceremonia, en la escalinata de San Juan, le confió a Zaira los rollos extraídos del cofre.

—Es la herencia de Teodoro, parece que están escritos en copto. Hay que guardarlos bajo un estricto control; te confío esa difícil tarea. Creo que se trata de algunos testimonios sobre María Magdalena y sobre la infancia de Jesús según Tomás, el israelita. Pronto empezaremos a descifrarlos.

—Ioanna, quizá sea mejor enviarlos a Atenas. Por ahora debes cuidarte, pues sabes que ya no hay más remedio que esperar tu alumbramiento; puede ser pronto.

—Llevo la cuenta —la interrumpió secamente—; tenemos dos meses para prepararnos, estoy en el séptimo. Por favor, no hablemos más de esto.

Dos días después, encabezó la procesión de las rogativas para pedir por la conservación de la salud y las cosechas. En la calle, una multitud de devotos esperaba para iniciar la marcha cantando y orando, con las manos elevadas hacia el cielo. Un cuarto de hora después, en un callejón entre el Coliseo y la iglesia de San Clemente, el pontífice se desplomó con una mueca de dolor. Entre algunos guardias y el cardenal Secchi le ayudaron a sostenerse, mientras temblaba continuamente, tomando su vientre con ambas manos conforme se intensificaban las punzadas.

Ante la estupefacción de la guardia, los cardenales y la multitud, el papa Ioannes VIII dio a luz en plena procesión. Al ver el trance del parto, el cardenal Michelato cogió una piedra y arrojándosela gritó:

—¡Es una mujer! ¡Es una farsante!

Recibió el golpe en la frente. Muchos otros decidieron continuar la lapidación, arrojando guijarros furiosamente, tratando de enterrar aquel cuerpo que les provocaba el arrebato de ira e indignación. Zaira se interpuso, recibiendo algunas pedradas, pero era difícil proteger a Ioanna de la multitud que continuó atacando sin darle importancia a la presencia de la frágil criatura recién nacida.

Algunos acompañantes corrieron por auxilio al palacio de Letrán y volvieron con refuerzos de la guardia; los seguían Floro y Lamberto. Al llegar, el sajón vio a Ioanna desangrándose mientras el pueblo, manipulado por el cardenal Michelato, se ensañaba dispuesto a matarla. Cuando logró llegar hasta ella, la sostuvo intentando retener su vida con la fuerza de sus brazos, pero la flacidez del cuerpo lo estremeció; lanzó un grito de impotencia que se fundió con los desquiciados alaridos del gentío. Ella lo miraba fijamente, con las pupilas humedecidas insistiendo en fundirse en el fondo de sus ojos claros, como si deseara quedarse con él.

Cuando el cardenal Secchi vio que algunos guardias comenzaban a controlar al mar de gente, ordenó a un par de ellos que llevaran a la bizantina a la casa del Aventino. A pesar de estar azorado por lo sucedido, parecía ser el menos confundido. Tomó al niño y lo puso en los brazos del sajón, rogándole que huyera antes de que la masa terminara por matarlo. Entonces, Lamberto montó y salió con rumbo al Aventino a todo galope; al llegar a la pequeña casa, Zaira ya lo esperaba. Sin detenerse un instante, salieron envueltos en mantas y atravesaron el puente Palatino. En poco tiempo cabalgaban por el camino que conducía al puerto de Ostia. Cuando vieron que nadie los seguía, se detuvieron y desmontaron. Él revisó al niño; se encontraba sano y había dejado de llorar. El sajón se secó las lágrimas y miró a Zaira, que conservaba su talante sereno:

—Cierta tarde me dijo que prefería morir reivindicando su lucha que pasarse la vida haciendo obras de beneficencia.

Se anunciaba el crepúsculo cuando montaron nuevamente rumbo al puerto. En silencio, ambos recordaron con amargura los momentos de aquella vida excepcional, transcurrida en una eterna batalla que ahora estaba perdida. El sol descendía hacia la larga línea donde el cielo abraza al mar, pero aquella imagen no alcanzaba para confortar sus corazones heridos.

ILLAE

Quibus per secula asuetas horas passae sunt et anxietatis dies in pugna ut in gradu stare.

Eis quae tamquam signum justum et aequatum ortum habuerunt, ab aequitatis luce illustratum, impeditae ut semitam aestimare atque compulsae ad solum intelligendum in via eas ese.

Illis quae in nubilo proelio pugnaverunt adversus quem animos earum secuit, in annos vulnerando et in ilia hauriendo, sed quae tempus nobilitati et constantiae junctum sanaverunt.

Quibus patientia et sapientia vixerunt convictione cum similibus cordibus laurum dividendo.

Eis quae in mortis limine nobis probaverunt eodem limo formatas ese sicut nos, qui nescii, nunquam aequationis punctum istud percepimus.

ELLAS

A quienes durante siglos soportaron horas rutinarias y días de angustia en la lucha para mantenerse en el peldaño.

A las que tuvieron por divisa un horizonte justo e igualitario, iluminado por la luz de la equidad, impedidas para apreciar el sendero y obligadas a saber, solamente, que estaban en el camino.

A aquellas que lidiaron en combate sombrío contra el que tajó sus ánimos, hiriendo años y consumiendo entrañas que el tiempo, unido a la nobleza y al tesón, curó.

A quienes con paciencia y sabiduría vivieron con la convicción de compartir el laurel con corazones semejantes.

A las que en el umbral de la muerte nos demostraron que fueron moldeadas con el mismo barro que nosotros que, ignorantes, nunca comprendimos ese punto de igualdad.

EPÍLOGO

Durante siglos el Vaticano ha cuestionado la existencia de la papisa Juana. Sin embargo, la historia de la joven nacida en Maguncia, alrededor del año 822, ha sido recuperada por múltiples fuentes que confirman lo que sabemos de su vida. Gracias a su brillante inteligencia, Juana logró acceder a la educación de la época para, más tarde, viajar a los centros de conocimiento y poder más importantes del mundo mediterráneo: Atenas, Constantinopla y Roma. Su entendimiento y raciocinio fueron reconocidos a tal grado, que llegó a ser elegida como cabeza de la Iglesia católica. Ahora, a más de mil doscientos años de su existencia, el Vaticano continúa negándola a pesar de las evidencias recogidas por los autores que se señalan a continuación:

1. Anastasio el Bibliotecario (815-879), autor del *Liber Pontificalis*, una compilación de biografías de los pontífices en la que solo hizo mención al papado de Benedicto III, a quien consideraba sucesor de León IV. Sin embargo, existe un manuscrito de su autoría en donde se habla de Juana por primera vez, haciendo referencia a sus obras y su secreto de alcoba. Está codificado en los archivos secretos del Vaticano.

2. Hincmaro de Reims (806-882), arzobispo que también sirvió al emperador Lotario, recopiló cartas y otros documentos que describían las obras y vidas de los papas. En uno de sus escritos apuntó: «Decidí suprimir información sobre la papisa Juana, ya que era perjudicial para la Iglesia».

3. Marianus Scotus (1028-1086), monje benedictino que se dedicó a investigar los anales de la abadía de San Martín de Colonia y el monasterio de Fulda, y que pasó sus últimos diecisiete años en la abadía de Maguncia, escribió la interesante obra *Historiographi*, donde señaló que durante las Calendas de agosto de 854, el papa León IV murió, siendo remplazado por Juana, una mujer que reinó por dos años, cinco meses y cuatro días.

4. Sigeberto de Gembloux (1030-1112), monje belga que trabajó en la abadía de Saint-Vincent y realizó una recopilación de documentos históricos de los cuales rindió detalle en su obra *Chronographia*, la cual abarca los eventos más importantes entre 379 y 1111. En ella dejó testimonio de que en 854 se rumoraba que el pontífice Juan era una mujer y que dio a luz mientras era papa. En el texto consignó: «Ella, antes de asumir el papado, según se dice, tenía un amante secreto, del cual con el paso del tiempo quedó embarazada».

5. Gotfrid de Viterbo (1120-1202), cronista italiano de origen alemán y secretario de la Corte Imperial. Escribió una obra titulada *Pantheon*, la cual terminó en 1185, donde señaló que Juana llegó a la silla pontificia después del papa León IV. Así mismo, situó su lugar de nacimiento en Ingelheim, cerca de Mainz, Alemania, y mencionó que debido a que en ese entonces a las mujeres se les negaba la educación, había viajado

disfrazada con un hábito de monje benedictino junto a otro monje de la misma orden desde el monasterio de Fulda, en Alemania, hasta Atenas, en Grecia.

6. Esteban de Borbon (1190-1261), inquisidor dominico en París, de 1217 a 1223. Escribió la obra *Tractatus de diversis materiis predicabilibus* (Tratado de diversas materias de la predicación), con más de tres mil relatos, donde consignó datos sobre la existencia de Juana en el siglo ix. El original se encuentra en la Biblioteca de la Sorbona.

7. Bartolomé de Lucca (1236-1327), también conocido como Tolomeo da Lucca, escribió las obras *Annales* e *Historia Ecclesiastica Nova*, donde señaló: «Juan VIII, inglés de nacionalidad, es puesto en la cátedra de Pedro. Rigió durante dos años, 5 meses y 4 días y la sede estuvo vacante un mes».

8. Martin Troppau o Martín de Opava (?-1278), dominico polaco nombrado capellán papal. Se dedicó a realizar crónica histórica y tuvo acceso a los archivos de la biblioteca del Vaticano. Escribió *Chronicon pontificum et imperatorum* (Crónica de los papas y emperadores), reconocido por su formato, pues cubre un periodo de cincuenta años en cada doble página, dedicando el lado izquierdo a los pontífices y el derecho a los emperadores. Ahí describió la vida de Juana y señaló que profundizó en las artes y ejerció el magisterio con gran prestigio. De acuerdo con él, Ioanna llegó al papado en 855, después del papa León IV. Señaló que ocupó la silla pontificia por dos años, siete meses y cuatro días. Troppau es considerado por los escépticos como uno de los inventores de la leyenda de la papisa.

9. Nunca ha existido un pontífice con el nombre de Juan XX y la razón está ligada a la existencia de la papisa y las enmien-

das realizadas en los recuentos de las vidas de los papas. En 1276, llegó al pontificado el cardenal portugués Pedro Julião, quien escogió el nombre de Juan XXI. Según los estudiosos de la historia de la papisa Juana, el pontífice determinó no usar el nombre de Juan XX en reconocimiento a Juan VIII, es decir al pontífice entre León IV y Benedicto III, periodo que corresponde a la papisa. Tiempo después, en 1576, el pontífice Gregorio XII acomodó los nombres para excluirla, pero no pudo argumentar por qué en la nomenclatura no existía el nombre de Juan XX.

10. Bernardo Gui (1261-1331), religioso dominico, inquisidor de Toulouse en tiempos del papa Juan XXII. Dejó en la biblioteca de Leyden su *Crónica Flores Temporum*, donde aseguró que después de evaluar acciones memorables de los papas y comparar cientos de crónicas, llegó a la conclusión de que la historia de la papisa Juana tiene perfecta cabida entre los pontífices León IV y Benedicto III.

11. Geoffroy de Courlon o Gaufridus de Colonne (¿-1295), monje benedictino de Saint-Pierre-le-Vif de Sens. Escribió que la papisa era originaria de Inglaterra y que se hizo llamar Ioannes. También señaló que después del episodio de la llegada de una mujer al pontificado: «Los romanos tomaron la costumbre de comprobar el sexo del elegido por el agujero de una silla de piedra». Esta ceremonia se llevaba a cabo frente al oratorio del palacio de Letrán.

12. Jacobus de Varagine o Jacopo de Fazio (1230-1298), cronista que en 1297 publicó la *Chronica Januensis*, donde señaló: «Cierto día, mientras iba en procesión por Roma con los cardenales, el clero y el pueblo, de improviso le asaltaron los dolores del parto. Así pues, entrando en una casita situada junto

a la vía, parió y, muriendo por el dolor del parto, ahí mismo fue enterrada».

13. Jean de Mailly o Ioannes de Malliaco (¿-1320), religioso dominico, cronista y hagiógrafo de la diócesis de Metz en el siglo XII. Elaboró la *Chronica Universalis Mettensis*, donde señaló que Juana nació a principios del siglo IX cerca de Maguncia, Alemania. Afirmó que trató de cierto papa, o mejor dicho, papisa, que no figura en la lista de papas u obispos de Roma porque era una mujer que se disfrazó de hombre, y quien por su carácter y talento se convirtió en secretario de la Curia, después en cardenal y finalmente en papa. Según este autor, Juana murió lapidada por la multitud.

14. Giovanni Boccaccio (1313-1375), literato florentino, escribió entre 1361 y 1362 su célebre obra *De Mulieribus Claris* (Acerca de las mujeres ilustres), donde describió la vida de ciento seis mujeres importantes. El lugar 101 le corresponde a Juana: «La papisa, legendaria mujer inglesa de quien se decía que disfrazada de hombre llegó al papado entre los años 855 y 857».

15. Philippe de Mézieres (1327-1405), militar francés. Escribió *Ardient Désir* (Deseo ardiente), donde describió la historia de una mujer que llegó al papado en el siglo IX y narró la confrontación entre los cardenales que estaban a favor de su pontificado y quienes se habían sentido engañados. Siempre fue cercano a Louis de Orleans, lo que le permitió contar con recursos y acceso a diversas fuentes.

16. Jan Hus (1370-1415), teólogo y rector de la Universidad Carolina de Praga, acusado de hereje en el Concilio de Constanza, en julio de 1415. Propuso lo que ha sido calificado como una

visión temprana de la Reforma a la Iglesia, que después de 102 años impulsó Martín Lutero. Durante su juicio, Hus describió la historia de la papisa Juana y declaró: «La Iglesia no necesita un papa varón, porque durante el pontificado de la papisa la Iglesia continuó existiendo». Aunque el jurado no refutó la existencia de Ioannes Anglicus, Hus fue enviado a la hoguera.

17. Existe un antiguo texto escrito por un franciscano del monasterio de Erfurt en Turingia, Alemania. Data del siglo XIII y se titula *Chronica Minor*. Este manuscrito menciona la existencia de la papisa Juana y señala que fue una mujer que se disfrazó con ropas de hombre y fue elegida pontífice. El nombre del autor se mantuvo oculto, pero el manuscrito tiene una buena carga de veracidad. Más tarde, en el siglo XVI, Martín Lutero, que estudió en la Universidad de Erfurt, tuvo acceso al documento.

18. Teodorico de Niem (1345-1418), historiador alemán que, en su obra *Secretioribus pontificum negotiisadhibitus*, afirmó que la estatua de la papisa fue erigida por el papa Benedicto III, con el fin de inspirar horror ante el escándalo que quedó al descubierto en el momento de la muerte de Juana. No hubo respuesta del Vaticano al respecto sino 230 años después, cuando el teólogo francés Nöel Alexandre, señaló que la estatua existía, pero que se trataba de una diosa pagana.

19. Felix Hemmerlin (1388-1460), teólogo de Zurich y funcionario de la Iglesia, escribió un ensayo titulado *De nobilitate in muliebri sexu commendata* (Sobre el modo de vida ejemplar de las mujeres), publicado después de su muerte, en 1493. En esta obra señaló que Juana llegó a ser pontífice en el siglo IX gracias a su talento y habilidades.

20. Bartolomeo Platina o Bartolomeo Sacchi (1421-1481), humanista y escritor italiano, fue prefecto de la biblioteca vaticana durante el pontificado de Sixto IV. Escribió la obra *Vitae Pontificum* (Vida de los papas), donde señaló los posibles nombres de la papisa: Anna, Agnes o Juana. También narra que cuando los papas iban a ser entronados en la silla de san Pedro, primero eran examinados por el diácono más joven para comprobar que se trataba de un varón.

21. Johann Burchard (1450-1506), nació en Alsacia y fue obispo de Estrasburgo, abogado de la curia romana, protonotario apostólico y maestro de ceremonias de los pontífices Sixto, Inocencio VIII y Alejandro VI. Organizaba las procesiones de los pontífices por la ciudad de Roma. En su diario escribió: «Recorríamos una calle recta desde donde está la estatua del papa mujer, en recuerdo por haber dado allí luz a un niño. Por haber pasado por allí, el arzobispo Massano de Florencia y Hugo Bencii, subdiácono apostólico, me enviaron una reprimenda».

22. La estatua de la papisa descrita por el religioso y cronista Johann Burchard, situada en una calle de Roma, también fue referida por Martín Lutero cuando visitó la ciudad a finales de 1510. Lutero la describió como una mujer con vestimentas papales sosteniendo un niño y un cetro. En el Vaticano, el teólogo alemán cuestionó al papa Julio II por permitir la exhibición de un objeto tan embarazoso; según los estudiosos, la estatua de la mujer papa fue retirada en 1558, 45 años después de la crítica de Lutero, por orden del papa Pío V.

23. Clemente VIII (1536-1605), papa florentino en cuyo pontificado se juzgó y condenó a la hoguera a Giordano Bruno, un brillante filósofo italiano. También bajo su papado se formó una comisión denominada *Congregatio de auxillis gra-*

tia, que dejó establecido que la publicación de cualquier libro requeriría la autorización del Santo Oficio, con lo que de inmediato desparecieron los documentos que describían la vida de la papisa Juana.

24. Florimond de Raemond (1540-1601), historiador francés y destacado contrarreformista, fue quien le pidió al pontífice Clemente VIII que desapareciera la estatua de la papisa Juana. El propio pontífice le pidió al escultor del Vaticano que transformara la obra en una figura del papa Zacarías, que había muerto 800 años atrás.

25. Bernard Girard du Haillan (1535-1610), historiador francés, asesor del rey Enrique III de Francia, genealogista de la orden del Espíritu Santo y después historiógrafo de Francia. En su obra mencionó la existencia de la papisa, sin embargo, afirmando que en realidad se llamaba Gilberta y que su amante era un monje de la abadía de Fulda. También señaló que la papisa Juana fue conocida popularmente como Juan el Inglés.

26. Elias Hasenmüller (1537-1607), jesuita bávaro que escribió la *Historia Iesuitici Ordinis*, donde hizo referencia a la desaparición de la estatua de la papisa y señaló que en la última década del siglo xvi fue informado por una autoridad confiable que la estatua había sido arrojada al río Tíber por orden de Pío V, después de la crítica de Martín Lutero.

27. Roberto Belarmino (1542-1621), cardenal jesuita y miembro de la Compañía de Jesús. Como miembro del Santo Oficio y después inquisidor, intervino en el juicio contra Galileo Galilei. Describió la estatua de la papisa en su obra *De Summo Pontifice*, refiriéndose siempre a ella en tiempo pasado, con la clara implicación de que la estatua en ese entonces ya no existía.

28. Leo Allantius (1586-1669), jesuita griego que escribió casi 150 obras de carácter histórico que actualmente se encuentran en estricto resguardo en la biblioteca Vallicelliana en Roma. En uno de sus textos señaló que Joanna Papissa era, en realidad, la falsa profetisa Theota, condenada en el sínodo de Mainz en el 847. Las fechas no coinciden, pues Juana llegó al pontificado en 855, sin embargo, la atención que Allantius le dedicó demuestra que los estudiosos de la época la consideraban un personaje histórico real.

29. Blondel (1590-1655), historiador y teólogo francés. Escribió un ensayo titulado *Une femme a esté assise au siege papal de Roma* (Una mujer se sentó en la sede papal de Roma), donde señaló que el suceso había ocurrido entre los pontificados de León IV y Benedicto III. El libro no se editó sino hasta casi 200 años después de la muerte del autor, quien describió a Juana como una mujer culta, inteligente y dadivosa.

30. Jean Mabillon (1632-1707), monje erudito e historiador francés fundador de dos de las llamadas ciencias historiográficas: la diplomática y la paleografía. Escribió la obra *Vetera Analecta* (Anales viejos), editada en 1685. En ella señaló que bajo el busto de la papisa en la catedral de Siena podía leerse el epígrafe: *Iohannes VIII, fémina ex Anglia* (Juan VIII, mujer de Inglaterra).

31. Jean de Launoy (1603-1678), también conocido como Joannes Launoius o como *le dénicheur des saints*, fue un historiador francés en cuya obra *Opera Omnia*, se puede leer: «Todo el que no fuera ciego habría podido ver la estatua de Juana entre la de León y la de Benedicto», refiriéndose al busto de la papisa Juana colocado en la catedral de Siena.

32. Juan Bautista Casti (1721-1803), célebre poeta y abad italiano que escribió una colección de obras que llamó *Novelas galantes*. Un libro de esta colección de cuarenta y ocho piezas se tituló *La papisa Juana*, se imprimió en París en 1804 y tuvo un éxito inesperado. El texto se refiere a la vida de Juana desde que su padre llega a Maguncia. Casi todos los ejemplares de la obra fueron confiscados.

33. Existió una escultura del siglo XVIII que fue dedicada a la papisa Juana. Algunos consideran que fue esculpida por Giuseppe Frascari entre 1720 y 1732. Se trataba de una mujer con una tiara con triple corona, como la utilizada por los pontífices.

34. Johann Joseph Ignaz von Döllinger (1799-1890), historiador y teólogo alemán que rechazó la infalibilidad papal, es decir la idea de que la asistencia de Dios acredita al pontífice para definir como divinamente revelada una determinada doctrina sobre la fe o la moral. Después de revelar su opinión, fue excomulgado. Él reconocía la leyenda de la papisa Juana como un vestigio de alguna tradición del folclore romano. Señaló que una antigua estatua, descubierta en una calle cercana al Coliseo en tiempos de Sixto, fue considerada por el pueblo la representación de la papisa.

35. Otro vestigio de la existencia de la papisa es el uso de la silla que el Vaticano llamó *sella stercoraría*, un asiento con un agujero de 21 centímetros en el centro, en el cual se ponía a prueba la masculinidad del pontífice antes de permitirle vestir el púrpura y ostentar el anillo del pescador. La primera vez que se usó fue con Rainero di Bieda, que se convirtió en Pascual II en el año 1099. Después, en 1404, el sacerdote y cronista galés Adam de Usk, fue invitado por Cósimo de Migliorati a la

ceremonia que lo convertiría en Inocencio VII. Usk describió que el ritual consistía en sentar al elegido y palpar sus genitales para confirmar que se tratara de un varón. Al comprobarlo, se exclamaba ante los presentes: *Testiculum habet et bene pendebant* (Tiene testículos y cuelgan bien). Los asistentes respondían: *Mas nobis nominus est* (Nuestro nominado es hombre). Se sabe que el valenciano Rodrigo Borgia se molestó al tener que pasar por ello para convertirse en Alejandro VI el 11 de agosto de 1492. Años después, el historiador italiano Bernardino Corio, que trabajaba para Ludovico Sforza, señaló el ritual con detalle en su obra *La historia de Milán*. Posteriormente, el francés Jean Mabillon lo relató en su manuscrito *Comment in Ordinal*. Después de las múltiples críticas al rito, la Iglesia respondió que la *sella stercoraria* era solamente una silla horadada para que el papa hiciera sus necesidades sin tener que suspender sus reuniones.

36. El uso de la *sella stercoraria* también apareció en la *Guía de peregrinos Roma*, escrita por el religioso William Brewyn en 1470, la cual se encontró en la biblioteca de la catedral de Canterbury. Según el texto había dos sillas en la capilla Salvador de la basílica de San Juan de Letrán. Hoy se sabe que una de las sillas está en el museo del Vaticano y la otra en el Louvre. Esta segunda probablemente fue incautada por Napoleón Bonaparte cuando arrestó a Pío VII, en 1809.

37. El paso por la Vía Sacra, el sitio en el que falleció Juana, fue evitado sistemáticamente por los pontífices. Johann Burchard (1450-1506) escribió en su *Liber Notarum*: «Ahí fue donde dio a luz la papa mujer y a los papas no se les permite pasar a caballo por ahí». En algún momento, la calle fue rebautizada con el nombre de *Vicus Papissa* y en el lugar quedó la

inscripción *Petre, Pater Patrum, Papisse Prodito Partum,* (Pedro, padre de padres, propició el parto de la papisa). Tiempo después de la muerte de Juana, se estableció un ayuno de cuatro días llamado «ayuno de la papisa» y en el sitio del suceso quedó una diminuta ermita tapiada.

38. El Vaticano niega la existencia de la papisa Juana argumentando que no hay sitio temporal entre los papados de León IV y Benedicto III. Esta explicación se basa en el *Liber Pontificalis,* el recuento de biografías papales que se actualizaba constantemente en el *scriptorium* de Letrán. Sin embargo, es sabido que la obra tuvo cientos de enmiendas, y se ha demostrado en muchas ocasiones que presenta datos poco confiables y errores en las recopilaciones. Algunos estudiosos señalan que el papa León IV realmente murió el 13 de diciembre del 853 y no el 17 de julio de 855. Al realizar esta corrección, queda lugar para el tiempo que los primeros biógrafos de Juana consideran como correspondiente al pontificado de la papisa: dos años, siete meses y cuatro días.

39. Una evidencia científica sobre la existencia de la papisa Juana es el hallazgo de un denario de plata por parte de un grupo de investigadores de la Universidad de Flinders, Australia, encabezados por Michael E. Habicht. Los resultados del análisis de dicha pieza revelan que cerca del año 850 se emitieron denarios con el monograma de Ioannes Anglicus, el nombre usado por la papisa Juana según los manuscritos medievales. En ese tiempo, las monedas solo representaban a personajes históricos reales y usualmente llevaban el nombre del emperador. En este caso, la moneda presenta la imagen de Lotario en una de sus caras y el nombre del papa Ioannes Anglicus en la otra.

Ante estas treinta y nueve evidencias sobre la existencia histórica de la papisa Juana han surgido voces a favor y voces que las desacreditan. Sin embargo, detrás de tantas confrontaciones hay una constante que ha marcado las discrepancias: la lastimosa exclusión de las mujeres del ejercicio de los cargos eclesiásticos. Sea este un testimonio sobre la marginación de la que han sido objeto durante centurias.